ГЛЕНН ГРИНВАЛЬД

Негде спрятаться...

ЭДВАРД СНОУДЕН

и зоркий глаз

Дядюшки Сэма

Москва · Санкт-Петербург · Нижний Новгород · Воронеж
Ростов-на-Дону · Екатеринбург · Самара · Новосибирск
Киев · Харьков · Минск
2015

Гленн Гринвальд

Негде спрятаться.
Эдвард Сноуден и зоркий глаз Дядюшки Сэма

Перевели с английского О. Кузнецова, Т. Зверевич, С. Силинский

Заведующий редакцией	*П. Алесов*
Ведущий редактор	*Е. Власова*
Литературный редактор	*Е. Васильева*
Корректоры	*В. Ганчурина, Н. Сидорова, И. Мивриньш*
Художник	*С. Заматевская*
Верстка	*А. Шляго*

ББК 66.4(7Сое)   УДК 327

Гринвальд Г.

Г85   Негде спрятаться. Эдвард Сноуден и зоркий глаз Дядюшки Сэма. — СПб.: Питер, 2015. — 320 с.: ил.

ISBN 978-5-496-01269-0

Скрытое наблюдение Дядюшки Сэма — больше не секрет. Тайны Агентства национальной безопасности раскрыты. Книга основана на сенсационных документах, полученных автором лично от Эдварда Сноудена. Впервые преданы огласке секретные материалы, касающиеся массового электронного шпионажа.

Автор — Гленн Гринвальд, *золотое перо* газеты «Гардиан», признанный мастер журналистских расследований.

No Place to Hide: Edward Snowden, the NSA, and the U.S. Surveillance State by Glenn Greenwald

16+ (Для детей старше 16 лет. В соответствии с Федеральным законом от 29 декабря 2010 г. № 436-ФЗ.)

ISBN 978-1627790734 (англ.)   © 2014 by Glenn Greenwald
ISBN 978-5-496-01269-0   © ООО Издательство «Питер», 2015

ООО «Питер Пресс», 192102, Санкт-Петербург, ул. Андреевская (д. Волкова), д. 3, литер А, пом. 7Н.
Налоговая льгота — общероссийский классификатор продукции ОК 034-2014,
58.11.19 — Книги, брошюры, листовки печатные прочие и подобные печатные материалы.
Подписано в печать 25.09.14. Формат 60×90/16. Усл. п. л. 20,000. Доп. тираж 3000. Заказ 3332.
Отпечатано в полном соответствии с качеством предоставленных издательством материалов
в Первая академическая типография «Наука». 199034, Санкт-Петербург, 9-я линия, д. 12/28.

Оглавление

Эта книга посвящена всем, кто пытается пролить свет на тайную систему слежки за населением со стороны правительства США, в особенности тем отважным людям, которые делают это, рискуя собственной свободой.

Правительство США совершенствует технические возможности, позволяющие следить за электронной коммуникацией... Эти возможности могут в любой момент быть обращены против американцев, и ни один американец не может считать себя полностью свободным от слежки: прослеживается все — телефонные разговоры, телеграммы, — абсолютно все. От слежки не спрятаться.

Сенатор Фрэнк Чёрч, председатель сенатской комиссии по расследованию правительственных операций, связанных с разведывательной деятельностью, 1975

Введение

Осенью 2005 года, не задаваясь какой-то особой целью, я решил создать политический блог. В то время я слабо себе представлял, насколько это решение изменит мою жизнь. Мною тогда двигало нарастающее беспокойство по поводу радикальных и экстремистских теорий государственной власти, которые начало проповедовать американское правительство после событий 11 сентября. Я рассчитывал, что книга позволит мне сказать больше, чем я когда-либо мог в течение всей своей предшествующей деятельности юриста по вопросам конституционного и гражданского права.

Буквально через семь недель, после того как я начал вести блог, в газете *New York Times* вышла статья, которая произвела эффект разорвавшейся бомбы: в публикации говорилось, что в 2001 году администрация Буша тайно поручила Агентству национальной безопасности (АНБ) вести электронное прослушивание телефонных разговоров американцев без получения разрешения, как того требовало уголовное законодательство. Оказалось, что незаконное прослушивание разговоров велось уже четыре года и ему подверглись как минимум четыре тысячи граждан США.

Эта тема была для меня невероятно интересной, и с ней была связана моя работа. Правительство пыталось оправдать секретную программу АНБ, предлагая теорию исполнительной власти, действующей в чрезвычайных обстоятельствах. Идея о том, что угроза терроризма дает президенту практически неограниченную свободу делать все что угодно, чтобы «сохранить безопасность страны», в том числе право нарушать закон, и побудила меня взяться за написание книги. В ходе последующих дебатов были подняты важные вопросы конституционного права и толкования законов, а мой юридический опыт вполне позволял мне заниматься освещением этих тем.

Следующие два года я провел, подробно освещая в своем блоге и бестселлере, вышедшем в 2006 году, скандалы, связанные с незаконным прослушиванием разговоров, организованным АНБ. Моя позиция была вполне определенной: отдавая приказ о незаконном прослушивании, президент совершал преступление и должен быть привлечен к ответственности за него. В обстановке все более усиливающегося шовинизма и политического давления, которая была в Америке в тот момент, с такой позицией были согласны далеко не все.

Именно это обстоятельство заставило Эдварда Сноудена обратиться ко мне несколько лет назад; мне *первому* он поведал о нарушениях закона Агентством национальной безопасности, причем в весьма крупных масштабах. Он сказал, что рассчитывает на понимание мною опасности, проистекающей из массовой слежки за гражданами и обстановки крайней секретности. Он верил в то, что я не поддамся давлению со стороны правительства и его многочисленных союзников в средствах массовой информации и других сферах.

Те потрясающие и совершенно секретные документы, которые передал мне Сноуден, а также драматическая история, связанная с его личностью, породили необычайный интерес мировой общественности к факту угрозы, исходящей от массового электронного шпионажа, и к ценности личной свободы граждан в эпоху цифровых технологий. Но глубинные проблемы зрели в течение нескольких лет, причем процесс этот был невидимым для широкой публики.

Конечно, существует множество аспектов скандала вокруг деятельности АНБ. Техника сейчас развилась до такой степени, что позволяет осуществлять повсеместное наблюдение, которое раньше могли себе представить только фантасты с невероятным воображением. Кроме того, преклонение населения США перед органами безопасности после 11 сентября создало в обществе климат, крайне благоприятный для злоупотребления властью. Благодаря храбрости Сноудена и относительной легкости копирования цифровой информации мы получили беспрецедентную возможность взглянуть собственными глазами на детали того, как на практике работает система слежки.

Во многих отношениях вопросы, поднятые историей с АНБ, перекликаются с рядом эпизодов, корни которых уходят в прошлое на несколько столетий. Ведь попытки противодействовать устремлениям правительства нарушать личные свободы граждан были одним из главных факторов образования Соединенных Штатов. Они были предприняты еще тогда, когда американские поселенцы выступили против произвола британских чиновников, которые могли обыскивать любые дома поселенцев. Колонисты согласились с тем, что государство имеет право получать санкцию на обыск конкретного лица, если имеются достаточные основания подозревать его в совершении преступления. Но разрешение подвергать досмотрам все население было изначально сочтено противозаконным.

Эта идея была закреплена в американском законодательстве Четвертой поправкой. Ее текст прост и лаконичен: «Право народа на охрану личности, жилища, бумаг и имущества от необоснованных обысков и арестов не должно нарушаться. Ни один ордер не должен выдаваться иначе как при наличии достаточного основания, подтвержденного присягой или торжественным заявлением; при этом ордер должен содержать подробное описание места, подлежащего обыску, лиц или предметов, подлежащих аресту». В первую очередь она была направлена на то, чтобы навсегда лишить американское правительство права подвергать граждан страны необоснованной слежке.

Столкновения по поводу наблюдений за гражданами страны в XVIII веке в основном касались обыска домов, но по мере ускорения научно-технического прогресса усложнялась и техника слежения. В середине XIX века с развитием сети железных дорог и почтовой службы британское правительство ввело тайную перлюстрацию писем, что вызвало серьезный скандал в Великобритании. В первые десятилетия XX века Бюро расследований США, предшественник современного ФБР, использовало прослушивание телефонных разговоров, перлюстрацию почты и пользовалось услугами осведомителей для борьбы с теми, кто выступал против политики американского правительства.

Независимо от вида технических средств, массовая слежка всегда имела общие черты. Поначалу основной удар машины слежения приходится на диссидентов и организованную преступность, поэтому у тех, кто поддерживает правительство или занимает нейтральную позицию, создается ошибочное впечатление, что они избавлены от системы наблюдения. История показывает, что самого существования механизма слежения за гражданами, неважно, как он используется, достаточно для того, чтобы подавить инакомыслие. *Граждане страны, понимающие, что они находятся под надзором, быстро становятся послушными и напуганными.*

Фрэнк Чёрч, проведший в середине 70-х годов XX века расследование деятельности ФБР по надзору за гражданами, обнаружил шокирующие сведения о том, что эта организация наклеила на полмиллиона граждан США ярлык потенциально «неблагонадежных» и постоянно вела слежку за людьми по чисто политическим мотивам. (В списке лиц, за которыми ФБР осуществляло наблюдение, мы находим Мартина Лютера Кинга, Джона Леннона, участниц движения за права женщин и членов антикоммунистического общества Джона Бёрча.) Но злоупотребления, чинимые органами слежки за гражданами, едва ли присущи только американской истории. Напротив, массовые слежки — это универсальный прием, к которому прибегают все правители, не церемонящиеся с выбором средств. И в каждом случае их цель одна и та же — подавить инакомыслие и добиться покорности граждан.

Слежка за собственным народом — это то, что свойственно властителям совершенно разных политических убеждений. В начале XX века в Британской и Французской империях были созданы специальные отделы правительств для борьбы с угрозой, исходящей от антиколониального движения. После Второй мировой войны Министерство государственной безопасности Восточной Германии, известное под названием Штази, стало синонимом вторжения государства в личную жизнь граждан. Если взять недавние примеры, то народные выступления во время «арабской весны» против диктаторских режимов в Сирии, Египте и Ливии являлись и борьбой с контролем инакомыслия в Интернете.

Расследования, проведенные агентством *Bloomberg News* и газетой *Wall Street Journal*, показали, что эти режимы в ходе протестов обращались к западным компаниям с просьбой обеспечить им помощь техническими средствами слежения за своими гражданами. Правительство Башара Асада пригласило на службу сотрудников итальянского детективного агентства *Area SpA* под предлогом того, что сирийцам «срочно нужны люди для обеспечения надзора». В Египте тайная полиция Мубарака приобрела технические средства для взлома кодов программы *Skype* и прослушки телефонных разговоров политических активистов. А в Ливии, как сообщает газета *Wall Street Journal*, журналисты и повстанцы, вошедшие в 2011 году в правительственный мониторинговый центр, обнаружили «стену из черных устройств размером с холодильник», поставленных французской компанией *Atesys*. Это было оборудование, позволявшее «отслеживать интернет-трафик» главного ливийского провайдера интернет-услуг, «вскрывать электронные почтовые сообщения, взламывать пароли, отслеживать чаты и контакты различных подозреваемых».

Возможность отслеживать контакты между людьми дает огромную власть тем, кто этим занимается. И если эта власть не находится под строгим контролем общества и не подотчетна ему, то ею почти наверняка будут злоупотреблять. Ожидать, что американское правительство будет применять машину наблюдения за гражданами в полной тайне от других и не поддастся искушению воспользоваться ею в собственных интересах, означает возлагать надежды на то, что противоречит человеческой природе.

Ведь даже до того как Сноуден выступил со своими откровениями, было понятно, что считать США в вопросах слежки за гражданами чем-то исключительным было бы крайне наивно. В 2006 году на слушаниях в Конгрессе, посвященных вопросу «Интернет в Китае: механизм свободы или подавления?», многие выступающие осудили американские технологические компании, помогающие китайскому правительству подавлять инакомыслие в Интернете. Конгрессмен Кристофер Смит (республиканец от штата Нью-Джерси), председательствовавший на этих слушаниях, сравнил сотрудничество компании *Yahoo!* с китайской тайной полицией с известным фактом выдачи Анны Франк нацистам.

Это была яркая речь, типичный спектакль американских чиновников, рассуждающих о правительствах других стран, действия которых идут вразрез с курсом США.

Но даже присутствующие на слушаниях конгрессмены не могли не отметить, что это мероприятие проходило спустя лишь два месяца после появления в *New York Times* статьи о незаконном прослушивании, осуществляемом по указу администрации Буша. В свете этих разоблачений обвинения в адрес других стран, ведущих слежку за своими гражданами, звучали весьма неискренне. Конгрессмен Брэд Шерман, демократ от штата

Калифорния, выступавший после Кристофера Смита, подчеркнул, что технологическим компаниям, которым рекомендовано воздерживаться от контактов с китайским правительством, следует также проявить осторожность в отношении собственного правительства. «Иначе, — пророчески заявил он, — притом что личную свободу в Китае нарушают самым отвратительным образом, мы здесь, в Соединенных Штатах, можем также оказаться в ситуации, когда какой-нибудь будущий президент США решит истолковать нашу Конституцию очень широко и начнет читать нашу электронную почту, а я предпочел бы, чтобы таковое могло произойти только по решению суда».

За последние несколько десятилетий постоянно подогреваемый страх перед подлинной угрозой терроризма был взят на вооружение лидерами США, чтобы оправдать целый арсенал экстремистских мер. Это привело к агрессивным войнам, созданию кровавых режимов в разных странах мира, захватам и даже убийствам иностранных и американских граждан без предъявления им какого-либо обвинения. Но распространившаяся тайная система незаконного наблюдения, порожденная этим страхом, вполне может сохраниться надолго, потому что, несмотря на все исторические параллели, в нынешнем скандале со слежкой, организованной Агентством национальной безопасности, появился совершенно новый элемент, связанный с ролью Интернета в повседневной жизни людей.

Глобальная сеть, в особенности для младшего поколения, не является какой-то изолированной или посторонней сферой жизни, предназначенной для осуществления ряда функций. Это не просто почтовая или телефонная связь. Скорее, это эпицентр жизни, это место, где виртуально может происходить абсолютно все. Там у вас появляются новые друзья, там можно найти нужные книги и фильмы, там кипит политическая деятельность, там создаются и хранятся самые личные данные. Там мы развиваемся как личности и выражаем себя.

Если кто-то захочет превратить эту сеть в систему массовой слежки, то данное решение может иметь последствия, отличные от результатов предыдущих программ государственного шпионажа за гражданами. Предшествующие системы слежки в силу имевшихся технических возможностей были слабее, и от них зачастую удавалось уйти. Если шпионаж в Интернете станет обычным делом, то практически все формы общения между людьми, планы и даже мысли станут доступными для контроля со стороны государства.

С момента выхода на широкую арену Интернет считался средством с неограниченным потенциалом: сотни миллионов человек могут высказывать политические мнения самым демократичным образом. Всемирная паутина стала форумом, площадкой для выступлений и власть имущих и таковой не имеющих. Свобода в Интернете — это возможность пользоваться сетью без всякого страха и без давления, оказываемого государством, законом или обществом. И это главное, что дает Интернет. Превращение сети в систему слежки лишает ее этого. И что еще хуже, в данном случае Интернет превращается в инструмент подавления, он может стать самым главным и жестоким орудием насилия над личной свободой граждан со стороны государства за всю историю человечества.

Именно это делает разоблачения Сноудена настолько ошеломительными и жизненно важными. Осмелившись выставить на всеобщее обозрение возможности АНБ в области шпионажа за гражданами и рассказав нам о целях, которые ставит перед собой эта организация, Сноуден ясно показал, что мы стоим на историческом перекрестке дорог. *Принесут ли цифровая эпоха и Интернет свободу личности и политическую свободу для каждого гражданина или же они приведут к формированию глобальной системы слежки и контроля, о которой тиранам прошлого приходилось только мечтать?* В данный момент вероятны и то, и другое. Именно наши действия предопределят исход событий.

Глава 1
Контакт

Первого декабря 2012 года я впервые получил сообщение от Эдварда Сноудена, тогда еще не зная, что отправителем являлся он.

Это было электронное письмо от кого-то, кто называл себя Луцием Квинкцием Цинциннатом, римским патрицием, жившим в V столетии до н. э., занимавшимся сельским трудом и назначенным римским диктатором для защиты города от врагов. В основном его помнят за то, что он сделал после победы над врагами Рима: он тут же добровольно сложил с себя диктаторские полномочия и вернулся к земледелию. Объявленный «образцом гражданской добродетели», Цинциннат стал символом использования политической власти в интересах общества и ограничения личной власти и даже отказа от нее ради общего блага.

Письмо начиналось так: «Безопасность общения между людьми имеет для меня очень большое значение»; далее автор предлагал воспользоваться зашифрованным файлом PGP, чтобы Цинциннат мог сообщить мне то, в чем, как он сказал, я был явно заинтересован. Программа шифрования данных PGP была создана в 1991 году, и эта аббревиатура означает «Защита личного пространства». Впоследствии данная программа была преобразована в сложную схему защиты электронной переписки и других форм электронной коммуникации от хакеров и постороннего наблюдения.

Она помещает каждое электронное сообщение в защитную оболочку, которая представляет собой код из сотен и даже тысяч произвольных чисел и букв, чувствительных к регистру. Наиболее хорошо технически оснащенные разведывательные службы мира, к которым, несомненно, относится и Агентство национальной безопасности, обладают программами, способными взламывать коды за одну миллиардную долю секунды. Но благодаря тому что коды PGP весьма длинны, а их цепочки выстроены случайно, даже самым современным программам требуются многие годы, чтобы разгадать их. Агенты разведки, шпионы, борцы за права человека и хакеры, опасающиеся, что их связь прослеживают, пользуются именно этой формой кодирования для защиты своих сообщений.

В письме Цинциннат говорил, что он искал мой «общедоступный ключ» PGP, совершенно особый кодовый набор, позволяющий людям получать зашифрованные сообщения, но не мог его найти. Из этого он заключил, что я не пользуюсь программой PGP, и написал: «Этим вы подвергаете риску всех, кто с вами общается. Я не утверждаю, что зашифрованными должны быть все ваши сообщения, но во всяком случае вам следует предоставить такую возможность обезопасить себя тем, с кем вы ведете переписку».

Затем Цинциннат упомянул сексуальный скандал, связанный с генералом Дэвидом Петрэусом, чья внебрачная связь с журналисткой Полой Бродуэлл положила конец его карьере. Эта связь была обнаружена детективами, проникнувшими в электронную переписку любовников. Если бы Петрэус не поленился зашифровать свои письма, прежде чем отправлять их через почтовую программу *Gmail* или сохранять в «Черновиках», писал Цинциннат, детективы не смогли бы их прочитать. «Шифровка имеет большое значение, причем не только для шпионов и бабников». Установка шифровальной программы почтовых сообщений, — говорил он, — «это насущная мера безопасности для любого, кто хочет с вами общаться».

Чтобы убедить меня последовать его совету, Цинциннат добавил: «Есть люди, с которыми вы бы явно захотели пообщаться, но которые никогда не смогут этого сделать, поскольку не уверены в том, что их письма не будут прочитаны кем-то еще в ходе пересылки».

Затем он предложил мне установить эту программу: «Если вам нужна помощь, дайте мне знать или же сделайте запрос в *Twitter*. Там у вас найдется немало знакомых, разбирающихся в технике, которые будут рады вам помочь». Далее следовала подпись: «Спасибо. Ц.»

Установить шифровальную программу я планировал давно. Уже несколько лет я писал о *WikiLeaks*, разоблачителях, активисте-хакере по имени Аноним и тому подобном. Время от времени я вел переписку с людьми из государственной службы безопасности. Большинство из них очень серьезно относятся к защите собственной переписки и к вопросу нежелательного контроля за ней. Но эта программа сложна, в особенности для кого-то вроде меня, кто слабо разбирается в программировании и в компьютерах. Поэтому до установки программы у меня руки так и не дошли.

Электронное письмо от Ц. на конкретные шаги меня не подвигло. Поскольку мои публикации на темы, игнорируемые другими журналистами, принесли мне известность, то я часто слышал от разных людей предложения заняться «потрясающими историями», которые на самом деле оказывались ерундой. *Обычно я работаю не над одной, а сразу над несколькими историями, поэтому мне нужно что-то совершенно особое, чтобы я бросил все и переключил внимание на что-то новое.* Несмотря на туманный намек на «людей, с которыми я явно захотел бы пообщаться», в письме Ц. не было ничего такого, что меня действительно соблазнило бы. Я прочитал его, но не ответил.

Через три дня Ц. снова написал мне: он хотел узнать, получил ли я его первое письмо. На этот раз я ответил быстро: «Я его получил и буду над этим работать. Кода PGP у меня нет, и я не знаю, как его установить, но постараюсь найти кого-то, кто сможет помочь».

Ц. ответил в тот же день и дал четкие пошаговые инструкции, как установить PGP, — по сути это было пособие вроде «Кодирования для чайников». В конце инструкций, которые мне показались сложными и запутанными, главным образом потому, что я в этом деле мало понимаю, он сказал, что это только «самое элементарное. Если вам не удастся найти кого-либо, кто поможет вам установить и запустить программу, — писал он, — дайте мне знать. У меня есть знакомые почти во всех уголках земного шара, разбирающиеся в криптографии».

Письмо заканчивалось очень выразительно: «Криптографически ваш, Цинциннат».

Однако мне так и не удалось найти время, чтобы заняться криптографией. Прошло семь недель, и эта мысль немного беспокоила меня. А что, если у этого человека есть для меня действительно важная история? Возможно, я пожалею, что не установил кодировочную программу. Помимо всего прочего, я знал, что такая программа могла пригодиться мне в будущем, даже если окажется, что Цинциннат в действительности не представляет собой ничего особенного.

Двадцать восьмого января 2013 года я отправил Ц. письмо о том, что найду человека, который установит мне программу, и на это уйдет день или два.

Ц. ответил на следующий день: «Прекрасная новость! Если вам нужна какая-то дальнейшая помощь или если у вас будут вопросы, не стесняйтесь. Примите мою искреннюю благодарность за поддержку в деле обеспечения безопасности коммуникации! Цинциннат».

Но я опять ничего не сделал, поскольку занимался другими темами и по-прежнему считал, что вряд ли у Ц. есть для меня что-то интересное. Осознанного убеждения ничего не предпринимать я не имел. Просто у меня на тот момент было много других дел, поэтому заниматься установкой шифровальной программы по предложению неизвестного человека в ущерб прочему мне показалось занятием не столь важным.

Итак, Ц. и я оказались в заколдованном кругу. Он не спешил делиться со мной деталями и даже не сказал мне, кто он такой и где работает, так как я не обеспечил кодовую систему переписки. Но без деталей мне трудно было поверить в то, что это дело первостепенной важности и что мне нужно как можно быстрее установить программу.

Поскольку я не предпринимал никаких шагов, Ц. проявил инициативу. Он прислал мне десятиминутный видеоролик «PGP для журналистов». В нем компьютерный голос зачитывал инструкции, как без особых проблем, шаг за шагом установить шифровальную программу. Все это сопровождалось наглядной демонстрацией и схемами.

Но я по-прежнему бездействовал. Именно в этот момент Ц., как он мне рассказал потом, начал нервничать. «Вот я, — думал он, — готовый рисковать своей свободой, а может быть, и жизнью, готовый передать этому типу документы величайшей секретности о самой засекреченной организации страны, что станет абсолютно эксклюзивным материалом для десятков, если не сотен, журналистов! А он даже пальцем не пошевелил, чтобы установить программу защиты!»

Так я чуть не упустил одну из крупнейших утечек информации в истории США, которой суждено было иметь самые серьезные последствия для службы безопасности страны.

Следующие новости ожидали меня спустя десять недель. Восемнадцатого апреля я покинул дом в Рио-де-Жанейро и вылетел в Нью-Йорк, где мне предстояло выступить с рядом докладов об опасности государственного шпионажа за гражданами и о нарушениях в области гражданских свобод, совершаемых под предлогом войны с терроризмом.

Когда самолет приземлился в аэропорту имени Джона Кеннеди, я увидел, что пришло электронное сообщение от кинодокументалиста Лоры Пойтрас. В нем говорилось: «Будешь ли в США на следующей неделе? Хотелось бы кое о чем поговорить, но лучше это сделать при встрече».

Сообщения от Лоры Пойтрас я всегда воспринимаю серьезно. Одна из самых целеустремленных, бесстрашных и независимых личностей, которых я когда-либо знал, Лора делала фильм за фильмом в невероятно рискованных условиях без съемочной группы и поддержки каких-либо информационных агентств — всего лишь скромный бюджет, одна кинокамера и решимость. В самый разгар войны в Ираке она отправилась в «суннитский треугольник»[1] и сняла там фильм «Моя страна, моя страна», в котором откровенно показала жизнь иракцев в период аме-

---

[1] Территория, на которой преобладает арабское суннитское население; приблизительными вершинами «суннитского треугольника» являются города Багдад, Тикрит и Ар-Рамади. — *Примеч. пер.*

риканской оккупации. Этот фильм был выдвинут на премию Американской академии киноискусства.

Свою следующую документальную картину «Присяга» Пойтрас снимала в Йемене, где она несколько месяцев отслеживала судьбы двух йеменцев — телохранителя и водителя Усамы бен Ладена. После этого Пойтрас работала над документальным фильмом о слежке Агентства национальной безопасности за гражданами. Эти три фильма, задуманные как трилогия о роли США в войне против терроризма, сделали ее объектом постоянных угроз со стороны властей, которые она испытывала всякий раз, когда въезжала или выезжала из США.

Лора дала мне ценный урок. Когда мы впервые с ней встретились в 2010 году, ее к тому времени задерживали раз тридцать в аэропортах при въезде в страну по приказу Министерства внутренней безопасности США. Ее допрашивали, ей угрожали, ее материалы и вещи, включая компьютер, камеры и записные книжки, конфисковывались. Но она настойчиво отказывалась обратиться за поддержкой к общественности, боясь, что это может сделать ее дальнейшую работу невозможной. Все изменилось после одного особенно оскорбительного допроса в международном аэропорту Ньюарка. Лора решила, что с нее хватит: «От моего молчания все становится не лучше, а хуже». Она была готова позволить мне написать о ее злоключениях.

Статья, которую я опубликовал в онлайновом политическом журнале *Salon*, детально описывала постоянные допросы, которым подвергалась Пойтрас, и этот материал вызвал большое внимание, письма поддержки и осуждение властей. В следующий раз, когда Пойтрас летела из США, допросов уже не было, документы и вещи у нее не изымали. Далее в течение двух месяцев угроз со стороны властей также не поступало. Впервые за многие годы Лора могла путешествовать беспрепятственно.

Этот урок был мне понятен: чиновники государственной службы безопасности не любят находиться в центре внимания. Они действуют нагло и незаконно только тогда, когда им кажется, что их никто не видит. Секретность, как мы поняли, — это стержень злоупотребления властью, это его движущий механизм. Противоядием такому злоупотреблению может быть только подлинная открытость.

В аэропорту, прочитав сообщение Лоры, я немедленно ответил: «Вообще-то я только что приехал в США. Ты где?» Мы договорились встретиться на следующий день в вестибюле моего отеля *Marriott*, в городке Йонкерс. Там в ресторане мы нашли свободные места и по настоянию Лоры до начала разговора дважды передвинули столики, чтобы удостовериться, что нас никто не слышит. Затем Лора перешла к делу. Она хотела обсудить со мной «крайне важный и деликатный вопрос», поэтому все должно было остаться между нами.

Лора попросила, чтобы я вынул батарею из мобильного телефона или оставил его в номере. «Похоже на паранойю, — сказала она, — но у правительства есть возможности активировать мобильные телефоны и переносные компьютеры на расстоянии, делая из них подслушивающие устройства». Если вы просто выключите телефон или компьютер, прослушка все равно может продолжаться, поэтому единственный способ ее избежать — извлечь аккумулятор. Я слышал об этом от правозащитников и хакеров, но как-то не придал значения данной информации, однако теперь я все воспринял всерьез, поскольку об этом говорила Лора. Поковырявшись в телефоне и поняв, что аккумулятор не извлекается, я отнес аппарат в номер и вернулся в ресторан.

Только после этого Лора начала говорить. Она получила несколько анонимных сообщений по электронной почте, которые показались ей вполне искренними и серьезными. Отправитель утверждал, что имеет доступ к крайне важным секретным документам, обличающим правительство США в слежке за собственными гражданами и гражданами других стран. Он решил предать данные документы огласке через Лору и настойчиво просил, чтобы она это сделала вместе со мной. Тогда я не соединил воедино то, что услышал, с давно забытыми сообщениями от Цинцинната, полученными несколько месяцев назад.

Лора достала из сумки несколько страниц с распечатанными письмами от анонимного отправителя, и я прочитал их за столом от начала до конца. Они были достойны внимания.

Второе письмо, отправленное спустя несколько недель после первого, начиналось так: «Все еще здесь».

Что касается вопроса, который я сразу же мысленно задал себе, — когда он будет готов предоставить документы, — отправитель писал: «Все, что могу сказать, — скоро».

В своих письмах отправитель просил Лору всегда извлекать батареи из телефонов перед началом серьезных разговоров или, по крайней мере, убирать сотовые в холодильник, что уменьшит возможность прослушивания, а затем убеждал ее работать с документами совместно со мной. Потом он перешел к главному:

> «Шок этого начального периода [после первых разоблачений] окажет поддержку, необходимую для того, чтобы сделать Интернет более свободным для всех, но это не будет играть на руку обычному человеку, если только наука не опередит закон. Если мы поймем, как работает механизм нарушения нашей личной свободы, то мы победим. Мы можем гарантировать всем людям равную защиту от неразумной слежки с помощью универсальных законов, но только если техническое сообщество пожелает увидеть угрозу и сможет предложить сверхсложные технические решения. В конечном итоге мы должны воплотить принцип, согласно которому единственная возможность для облеченных властью пользоваться личной свободой наступает только тогда, когда той же свободой пользуются и обычные люди: это свобода, идущая от законов природы, а не от политики человека».

«Он вполне реален, — произнес я, когда закончил читать. — Не могу объяснить почему, но интуитивно я чувствую, что все это серьезно, он является именно тем, за кого себя выдает».

«Мне тоже так кажется, — ответила Лора, — в этом я мало сомневаюсь».

С точки зрения здравой логики наша с Лорой вера в правдивость того, о чем говорил информант, могла быть беспричинной. Мы понятия не имели, кто ей отправляет письма. Этим человеком мог быть кто угодно. Он запросто мог все придумать. Это также могло быть каким-нибудь хитрым трюком правительства с целью вовлечь нас в незаконное сотрудничество с информантом. А возможно, для публикации передавалась ложная информация с целью опорочить нас.

Мы обсудили все эти возможности. Мы знали, что в секретном докладе Министерства обороны США, подготовленном в 2008 году, *WikiLeaks* объявлялся врагом государства. В этом же докладе предлагались способы «потенциального уничтожения» данной структуры и обсуждалась возможность организации утечки в *WikiLeaks* ложной информации (интересно, что эта информация была тайно передана в *WikiLeaks*). Если бы она появилась на сайте *WikiLeaks*, то доверие к нему было бы подорвано.

Лора и я видели эти подводные камни, но мы решили идти вперед, положившись на собственную интуицию. Нечто необъяснимое, но в то же время очень интригующее убеждало нас в том, что автором письма был реальный человек и он говорил о подлинных вещах.

Последние семь лет меня не покидало убеждение о наличии опасной тенденции в вопросе госбезопасности США: это были радикальные теории власти о правах, которыми должно быть наделено правительство, — аресты людей, слежка за гражданами, растущий милитаризм и наступление на гражданские свободы. Журналистов, политических активистов и моих читателей беспокоила эта тенденция, о чем мы все говорили совершенно особым и сходным образом. Вряд ли, размышлял я, об этом стали бы рассуждать с таким знанием дела и с таким убеждением те, кто не разделял нашего чувства тревоги.

В одном из последних писем к Лоре ее корреспондент написал, что он делает заключительные шаги перед тем, как передать нам документы. Ему потребуется еще от четырех до шести недель, поэтому нам предлагалось ждать от него известий. Он заверял нас, что скоро мы их получим.

Спустя три дня я снова встретился с Лорой, на этот раз в Манхэттене. У нее было новое письмо, в котором наш анонимный корреспондент объяснял, почему он готов рисковать своей свободой и вероятным длительным тюремным заключением в случае обнародования этих документов. Теперь я поверил в него еще больше: наш источник существовал на самом деле, но, как я сказал своему партнеру Дэвиду Миранде во время полета домой в Бразилию, я был полностью готов выбросить всю эту ситуацию из головы. «Это может и не произойти. Он может изменить свое решение. Его могут поймать». У Дэвида совершенно замечательная интуиция, и он был на удивление уверен в своем мнении: «Он действительно существует. Это случится, — заявил он, — и это будет делом огромной важности».

Вернувшись в Рио-де-Жанейро, я три недели не получал никаких известий. Я почти перестал думать об информанте, потому что единственное, что мне оставалось делать, — это ждать. Затем 11 мая я получил электронное сообщение от одного технического специалиста, с которым я и Лора работали в прошлом. Слова его были загадочными, но смысл понятен: «Гленн! Я учусь пользоваться программой PGP. У тебя есть адрес, на который я мог бы тебе кое-что переслать, чтобы помочь тебе начать работать на следующей неделе?»

Я был уверен в том, что это «кое-что» являлось тем, что мне нужно, чтобы начать работать с документами информанта. Это, в свою очередь, означало, что Лора получила от нашего анонимного корреспондента то, что мы от него ожидали.

Затем технический специалист отправил через почтовую службу *Federal Express* бандероль, которая должна была прийти через два дня. Я не знал, что в ней — программа или сами документы. Следующие сорок восемь часов я ни о чем другом думать не мог. Бандероль должны были доставить в половине шестого вечера — но время шло, а ее не было. Я позвонил в *FedEx*, и мне сказали, что посылку задержали на таможне по «неизвестным причинам». Прошло два дня, пять дней, затем целая неделя. Каждый день в курьерской службе мне говорили одно и то же: бандероль задержана на таможне по неизвестным причинам.

В какой-то момент у меня возникло подозрение, что вмешалась некая правительственная организация — американская, бразильская или другая, — которая что-то знала, но все-таки мне хотелось думать о более вероятной причине, что это просто случайная бюрократическая проволочка.

Лора отказывалась обсуждать что-либо по телефону или электронной почте, поэтому я не знал о содержимом бандероли.

Наконец, спустя десять дней после отправки я получил бандероль. Я открыл ее и обнаружил две флешки и распечатанную инструкцию по использованию различных компьютерных программ с максимальной защитой, а также множество кодовых фраз для доступа к закодированным аккаунтам электронной почты и другие программы, о которых я и понятия не имел.

Я не понимал, что все это значит. До настоящего момента я и не слышал о существовании этих специальных программ, хотя знал о кодовых фразах, главным образом о длинных паролях, содержащих произвольно организованные последовательности букв из разных регистров, с особой пунктуацией, которые трудно взломать. Поскольку Пойтрас отказывалась говорить по телефону или электронной почте, я был в растерянности: у меня имелось то, чего я ждал, но я не представлял, куда меня все это приведет.

Я решил все выяснить, и выяснить из лучших источников.

На следующий день после доставки бандероли, это было в двадцатых числах мая, Лора сказала, что нам нужно срочно поговорить, но только с помощью криптографического протокола OTR. Я им уже пользовался ранее, у меня была установлена эта программа, имелся личный аккаунт, поэтому мне оставалось только добавить имя Лоры к «списку друзей». Она тут же откликнулась.

Я спросил ее, предоставлен ли мне доступ к секретным документам. Она ответила, что их мне передаст сам источник, а не она. Затем Лора ошеломила меня известием, что нам, возможно, придется отправиться в Гонконг для встречи с источником. Я был в изумлении. Что может делать в Гонконге человек, имеющий доступ к самым секретным документам правительства США? Я предполагал, что наш аноним находится где-то в Мэриленде или северной Вирджинии. Какое отношение ко всему имеет Гонконг? Конечно, мне очень хотелось поехать туда, но мне нужно было узнать больше — зачем, собственно, я туда еду. Однако нежелание Лоры открыто это обсуждать вынудило нас отложить разговор.

Она спросила меня, готов ли я отправиться в Гонконг через несколько дней. Я хотел удостовериться, что поездка будет иметь смысл, поэтому задал вопрос: «Есть ли у тебя подтверждение, что источник — реальное лицо?» Лора ответила: «Конечно, иначе зачем бы я предложила тебе ехать в Гонконг». Я сделал вывод, что она получила какие-то серьезные документы от нашего информанта.

Пойтрас также сообщила о новой проблеме. Источник был обеспокоен тем, как далеко зашли дела, в частности в связи с новым поворотом событий из-за того, что в деле могла оказаться задействованной газета *Washington Post*. Лора сказала, что мне необходимо поговорить с источником напрямую и успокоить его.

В течение часа я получил письмо от него самого.

Сообщение было от Verax@███████. Verax по латыни означает «говорящий правду». Тема письма была такой: «Нужно поговорить». В нем сообщалось: «Я работаю над одним большим проектом вместе с нашим общим другом», — так он давал мне понять, что это был именно он, анонимный источник, имеющий контакты с Лорой.

«Недавно вам пришлось отклонить идею небольшой поездки для встречи со мной. Вам нужно включиться в это дело. Есть ли возможность встретиться и поговорить без предупреждения? Я понимаю, что средств обеспечения безопасности коммуникации у вас немного, но я обойдусь тем, что у вас есть». Он предложил переговорить через OTR и дал имя пользователя.

Я не совсем понимал, что он имеет в виду под фразой «отклонить небольшую поездку», — я просто выразил недоумение, почему он был в Гонконге, но ехать не отказывался. Я отнес это к недопониманию и тут же ответил: «Я сделаю все возможное, чтобы включиться в дело» — и предложил немедленно переговорить через OTR. Я внес его имя и стал ждать.

Через пятнадцать минут мой компьютер издал сигнал, похожий на звон колокола; это означало, что информант вышел на связь. Немного нервничая, я навел курсор на его имя и напечатал: «Привет!». Он ответил, и я начал разговаривать напрямую с тем, кто, как я в тот момент полагал, обнародовал ряд секретных документов о программах США в области наблюдения за гражданами и хотел предать гласности новые документы.

Взяв с места в карьер, я сразу же заявил, что полностью готов заняться его историей. «Я готов сделать все, что нужно, чтобы опубликовать ваши сведения». Источник, чье имя, место работы, возраст и прочее мне все еще были неизвестны, спросил, приеду ли я в Гонконг для встречи с ним. Я не стал интересоваться, почему он был в Гонконге; мне не хотелось, чтобы у него сложилось впечатление, что я выуживаю информацию.

Я решил с самого начала позволить ему взять бразды правления в свои руки. Если он захочет рассказать мне, почему он находится в Гонконге, то расскажет. И если он захочет рассказать, какие документы собирается передать мне, то тоже расскажет. Такая пассивная позиция была для меня непростым делом. Как бывший адвокат, а ныне журналист, я привык давить на человека, чтобы получить ответ, а мне хотелось спросить его о сотне вещей.

Но я подумал, что он находится в непростом положении. Так или иначе, было понятно, что этот человек решил совершить то, что правительство США считает очень серьезным преступлением. Из того, что его крайне волновал вопрос безопасности нашего общения, было ясно, что секретность имела чрезвычайное значение. Я убеждал себя, что поскольку об этом человеке, о его образе мыслей, о его мотивах и опасениях известно так мало, то сдержанность и осторожность с моей стороны необходимы. Мне не хотелось его вспугнуть, поэтому я мирился с тем, что в этом случае информацию давали мне, а не я ее вытягивал из собеседника.

«Конечно, я приеду в Гонконг», — сказал я, все еще не понимая, почему он находится там, а не в другом месте и почему он хочет, чтобы я приехал к нему туда.

В тот день мы проговорили с ним два часа. В первую очередь его беспокоило происходящее с некоторыми документами АНБ, которые с его согласия Пойтрас обсуждала с репортером *Washington Post* Бартоном Геллманом. Материалы касались одной особой истории о программе, называемой PRISM. Эта программа позволяла АНБ получать доступ к частным сообщениям, проходящим через крупнейшие интернет-ресурсы, включая *Facebook, Google, Yahoo!* и *Skype*.

Вместо того чтобы быстро напечатать информацию, газета собрала для ее обсуждения большую группу юристов, которые начали предъявлять свои требования и угрожать. Для источника это было сигналом: *Washington Post* вместо того, чтобы непосредственно воспользоваться подобной исключительной для журналистов возможностью, откровенно струсил. Информант также переживал из-за того, что эти дискуссии в прессе могут повредить его личной безопасности.

«Мне не нравится то, как это развивается, — сказал он мне. — Я хотел, чтобы кто-то другой напечатал эту историю о PRISM, а вы смогли бы заняться более крупными архивами, в особенности теми, которые имеют отношение к массовому шпионажу внутри страны, но теперь я хочу, чтобы именно вы написали об этом. Я читал многие ваши публикации, и я знаю, что вы будете действовать наступательно и бесстрашно».

«Я готов и горю желанием, — ответил я ему. — Давайте решим, что мне нужно сделать».

«Первое служебное задание — добраться до Гонконга», — сказал мой собеседник. Он возвращался к этому вопросу снова и снова: немедленно приезжайте в Гонконг.

Другой важной темой, которую мы обсудили во время той первой беседы, была его цель. Из его электронных писем, адресованных Лоре, я знал, что он счел себя обязанным рассказать всему миру о массовой слежке, которую тайно организовало американское правительство. Но чего он добивался?

«Я хочу организовать всемирное обсуждение таких вопросов, как личная свобода граждан, свобода пользования Интернетом и опасность массового шпионажа за гражданами со стороны государства, — сообщил он. — Я не боюсь того, что со мной может произойти. Я смирился с тем, что моя жизнь может закончиться после того, что я сделаю. Но я знаю, что поступаю правильно».

Затем он сказал нечто удивительное: «Я хочу быть тем человеком, который стоит за этими разоблачениями. Я полагаю, что обязан объяснить, почему я это делаю и чего надеюсь достичь». Он сказал, что написал документ, который хочет разместить в Интернете, когда раскроет себя и объявит о себе как об источнике информации. Это будет манифест против информационного пиратства, осуждающий слежку за гражданами, адресованный для подписи всем людям мира с целью показать, что весь мир выступает в защиту личной свободы граждан.

Несмотря на то что он явно подставлял себя под удар — за это ему могло грозить длительное тюремное заключение, если не большее, — мой собеседник снова и снова повторял, что он «смирился» с такими последствиями. «Я боюсь только одного, что люди увидят эти документы и отмахнутся от них: "Мы предполагали, что такое происходит, но нам нет до этого дела". Единственное, что меня тревожит, — это то, что я рискую своей жизнью неизвестно ради чего».

«Я очень сомневаюсь, что случится именно так», — заверил я его, не будучи убежденным в том, что говорю. Я знал из опыта освещения деятельности АНБ, как трудно пробудить в обществе тревогу по поводу государственной слежки за гражданами: нарушение личных свобод и злоупотребление властью кажутся многим людям какими-то абстракциями, мало их касающимися. Более того, вопрос наблюдения за гражданами очень сложен, поэтому заставить широкую общественность вникать в него весьма непросто.

Но сейчас ситуация была другая. Средства массовой информации не упускают возможность отследить какую-нибудь утечку данных, в особенности когда дело касается самых секретных материалов. А то, что эта утечка исходила от кого-то, кто работал в аппарате государственной безопасности, а не просто от юриста Американского союза защиты гражданских свобод или правозащитника, несомненно, добавляло веса этой информации.

В тот вечер я обсудил с Дэвидом мою поездку в Гонконг. Мне не очень-то хотелось бросать работу и отправляться на другой конец земного шара на встречу с кем-то, о ком я не знал ничего, даже настоящего имени, поскольку у меня не было уверенности в том, что он тот, кем себя назвал. Все это может оказаться пустой тратой времени, или ловушкой, или еще чем-нибудь странным.

«Скажи ему, что хочешь взглянуть на какие-нибудь из документов, чтобы убедиться в том, что все серьезно и что тебе имеет смысл включаться в это», — порекомендовал мне Дэвид.

Как обычно, я последовал его совету. Войдя на следующее утро в программу OTR, я сказал, что планирую отправиться в Гонконг через несколько дней, но сначала хотел бы увидеть какие-нибудь документы, чтобы понять, что за разоблачение готовит мой собеседник.

Он снова предложил мне установить разные программы. После этого в течение пары дней он руководил мной, объясняя, как шаг за шагом устанавливать и использовать каждую программу, в том числе программу защиты сообщений PGP. Понимая, что в этом деле я новичок, он проявил недюжинное терпение, подробно рассказывая, как «навести курсор на синюю иконку, затем нажать на "ОК" и перейти на следующий экран».

Я извинялся за свою нерасторопность, за то, что отнял у него несколько часов на уроки элементарных основ безопасности личной переписки. «Нет проблем, — сказал он, — это не имеет большого значения. А у меня сейчас много свободного времени».

Когда программы были установлены, я получил файл, состоящий приблизительно из двадцати пяти документов. «Просто чтобы дать вам немного почувствовать вкус, но это только самая вершина айсберга», — прокомментировал он, словно поддразнивая меня.

Я открыл файл, пробежался глазами по списку документов и наугад щелкнул кнопкой мыши. Наверху страницы появился гриф, напечатанный красными буквами TOP SECRET// COMINT/NOFORN/.

Это означало, что передо мной совершенно секретный документ, предназначенный для разведки средств связи (COMINT) и не предназначенный для иностранных подданных, в том числе международных организаций или партнеров по коалиции (NOFORN). Итак, вот он передо мной, во всей своей неопровержимости, совершенно секретный документ из Агентства национальной безопасности, одной из самых засекреченных организаций, принадлежащих самому мощному правительству в мире. Никогда еще из АНБ, за всю его шестидесятилетнюю историю существования, не утекал документ такой важности. Теперь в моем распоряжении было более двадцати подобных документов. А человек, с которым я последние два дня беседовал по нескольку часов, собирался мне передать еще больше таких материалов.

Первый документ был руководством для служащих АНБ, предназначенным для ознакомления аналитиков агентства с новейшими средствами ведения коммуникационной разведки. В нем рассматривались в общих чертах типы информации, которую могут запрашивать аналитики (электронные адреса, IP-адрес [интернет-протокол], номера телефонов) и тип данных, получаемых по их запросу (содержимое электронной почты, телефонные метаданные, пароли подключения к чатам). По сути дела, я вел прослушку сотрудников АНБ, дающих инструкции аналитикам агентства о том, как вести прослушку их объектов наблюдения.

Мое сердце колотилось. Пришлось прервать чтение и несколько раз пройтись по дому, чтобы осознать то, что я только что увидел, и прийти в себя, чтобы продолжить чтение файлов. Я вернулся к компьютеру и наугад выбрал следующий документ. Им оказалась презентация в программе *PowerPoint*, озаглавленная PRISM/US-984XN Overview. На каждой последующей странице были логотипы девяти крупнейших интернет-компаний, включая *Google, Facebook, Skype* и *Yahoo!*

Первый слайд рассказывал о программе, с помощью которой АНБ вело то, что называлось «сбором данных непосредственно из серверов следующих поставщиков услуг в США: *Microsoft, Yahoo!, Facebook, Paltalk, AOL, Skype, YouTube, Apple*». В таблице приводились сведения о датах, когда эти компании подключились к данной программе.

И снова я пришел в такое возбуждение, что пришлось прервать чтение.

Мой источник сказал, что отправил мне большой файл, к которому у меня не будет доступа, пока не придет время. Я подумал, что не стоит вдаваться в подробности этих загадочных, но важных слов, поскольку хотел позволить ему самому решать, когда предоставлять мне информацию. Кроме того, я и так был взволнован тем, что имел перед своими глазами.

С первого взгляда на эти документы я осознал две вещи: мне немедленно нужно лететь в Гонконг и мне требуется официальная поддержка для того, чтобы я мог делать репортаж. Это означало, что необходимо обратиться в газету *Guardian* и к ее интернет-сайту, где я девять месяцев назад начал вести ежедневные колонки новостей. Итак, я собирался вовлечь эту газету в то, что, как я уже понимал, вызовет грандиозный скандал в обществе.

Я связался по *Skype* с Джанин Гибсон, главным редактором американского издания *Guardian*. По контракту с газетой я обладал полной редакторской свободой; это означало, что никто не имел права редактировать или даже комментировать мои статьи перед их публикацией. Я писал статьи, а затем отправлял их прямо на сайт. Единственным исключением из этого соглашения было то, что я был обязан извещать редакцию в том случае, если содержание моих материалов могло иметь юридические последствия для газеты или поставить меня, как журналиста, в необычное затруднительное положение. За девять месяцев работы таких ситуаций было очень мало, одна или две, поэтому вопросов ко мне со стороны редакторов *Guardian* почти не возникало.

Но сейчас был именно тот случай, когда о статье нужно было предупредить заранее. Помимо этого, мне требовались деньги на расходы и поддержка газеты.

«Джанин, у меня есть колоссальная история, — начал я. — У меня появился источник, обладающий неограниченным доступом к самым секретным документам Агентства национальной безопасности. Он уже показал мне некоторые материалы, и они потрясающие. Но он говорит, что это не все. По какой-то причине он находится в Гонконге, понятия не имею, почему. Он хочет, чтобы я приехал к нему, и тогда он отдаст мне остальные материалы. То, что он уже передал мне, и то, что я увидел, свидетельствует о просто шокирующих...»

Гибсон прервала меня: «Как ты мне звонишь?»

«По *Skype*».

«Мне кажется, нам не следует обсуждать эти вещи по телефону, а тем более по *Skype*», — мудро заметила она и предложила мне немедленно прилететь в Нью-Йорк, чтобы обсудить эту историю при личной встрече.

Мой план, о котором я поведал Лоре, состоял в следующем: по прибытии в Нью-Йорк показать документы людям из *Guardian* и пообещать им потрясающую историю, чтобы они отправили меня в Гонконг на встречу с источником. Лора согласилась дождаться меня в Нью-Йорке, после чего мы вместе собирались вылететь в Гонконг.

На следующий день ночным рейсом я вылетел из Рио-де-Жанейро в Нью-Йорк и утром около 9 часов утра остановился в манхэттенском отеле, после чего встретился с Лорой. Первым делом мы отправились в магазин и купили ноутбук, который я не планировал подключать к Интернету. Организовать слежку через такое устройство гораздо сложнее. Для этого разведывательной службе вроде АНБ пришлось бы прибегнуть к более изощренным методам, например через физический доступ к компьютеру и внедрение в его жесткий диск устройства для ведения прослушки и наблюдения. Если держать компьютер все время при себе, то такого вторжения можно избежать. Я буду работать на новом компьютере с секретными материалами, в частности с документами АНБ.

Я засунул новый компьютер в рюкзак, и мы с Лорой прошли пять кварталов по Манхэттену в редакцию *Guardian* в районе Сохо.

Гибсон уже ждала нас. Я прошел с ней в ее кабинет, где к нам присоединился ее заместитель Стюарт Миллер. Лора осталась ждать. Гибсон не знала Лору, а мне хотелось, чтобы мы смогли поговорить свободно. Я не подозревал, как редакторы *Guardian* отреагируют на то, что я им скажу. Раньше я с ними не работал, тем более с материалами, хотя бы отдаленно напоминающими по своей важности те, что я им принес.

После того как я загрузил файлы от нашего информанта в новый компьютер, Гибсон и Миллер уселись рядом и стали изучать документы, периодически восклицая «Ну и ну!», «Вот это да!» и подобное. Я сидел на диване, наблюдая за тем, как они читают. Их лица стали выражать глубочайшее удивление, когда до них начала доходить суть прочитанного. Каждый раз, когда они заканчивали просматривать один документ, я вставал и открывал им следующий. Их изумление нарастало.

Помимо двадцати пяти документов из АНБ источник прислал свой манифест, который он собирался опубликовать, чтобы читатели могли подписать его и тем самым высказаться в пользу защиты конфиденциальности информации и против слежки. Манифест звучал драматично и сурово, но этого и следовало ожидать, принимая во внимание тот драматичный и суровый выбор, который сделал наш источник, выбор, который перевернет всю его жизнь. Мне было понятно, почему кто-то, на чьих глазах втайне от общества происходило создание разветвленной системы государственного шпионажа за гражданами, неподконтрольной никому, вдруг забил тревогу по поводу увиденного и той опасности, которую представляет эта система. Конечно, все, что он писал, звучало бескомпромиссно; его настолько это взволновало, что он решился на самый отчаянный поступок. Я понимал причину такой принципиальности, но волновался по поводу того, как Гибсон и Миллер воспримут манифест. Мне не хотелось, чтобы они решили, что мы имеем дело с человеком с неустойчивой психикой: я провел немало часов, беседуя с Цинциннатом, после чего сделал вывод о том, что это человек необычайно рациональный и склонный к продуманным решениям.

Мои страхи быстро подтвердились. «Кому-то все это покажется сумасшествием», — произнесла Гибсон.

«Да, кто-то из читателей и людей из прессы, настроенных в пользу АНБ, может сказать, что это несколько смахивает на историю с Тедом Качинским[1], — согласился я. — Но в конечном счете самое важное — это документы, а не он или мотивы, побудившие его передать материалы нам. А кроме того, у любого, кто идет на такие крайние меры, будут крайние мысли. Это неизбежно».

Наряду с манифестом Сноуден написал обращение к журналистам, которым он передавал архив. В этом призыве он пытался объяснить свое решение и цели, а также предсказывал, каким чудовищем его попытаются выставить:

«Мой единственный мотив — проинформировать людей о том, что делается во имя них и что делается против них. Правительство США в заговоре со своими сателлитами, в первую очередь входящими в "Пять глаз"[2] — Соединенным Королевством, Канадой, Австралией и Новой Зеландией, опутали мир сетью тайной всепроникающей слежки, от которой невозможно спрятаться. Они охраняют эту сеть от контроля со стороны граждан за завесой лжи и секретности и скрываются от возмущения общественности

---

[1] Американский математик, анархист и террорист, рассылавший бомбы по почте; приговорен к пожизненному заключению. — *Примеч. пер.*

[2] «Пять глаз» — разведывательный альянс пяти названных англоязычных стран. — *Примеч. пер.*

на случай утечек информации, преувеличивая необходимость сохранения этой информации в тайне...

Прилагаемые документы подлинные и оригинальные, и я их передаю, чтобы люди поняли, как действует глобальная пассивная система наблюдения за гражданами, чтобы люди могли организовать защиту от этой системы. В тот день, когда я пишу это, все новые коммуникационные записи поглощаются, вносятся в каталоги этой системой и поступают на хранение на многие годы, для чего во всем мире создаются "хранилища данных о населении" (эвфемистически называемые "системой сбора и обработки данных"). Крупнейший из таких центров находится в штате Юта. Я молюсь о том, чтобы внимание общественности и дебаты по этому вопросу привели к изменениям, но имейте в виду, что политика, проводимая людьми, со временем меняется и даже Конституцию можно нарушить, когда того требуют аппетиты политиков. Вспомним исторические слова: "Нам более не стоит верить человеку — во избежание проступка нам следует сковать его цепями шпионажа"».

Я тут же узнал в последнем предложении перифразированную цитату из высказывания Томаса Джефферсона от 1798 года, которую я часто приводил в своих работах: «В вопросах власти нам не следует более доверять человеку — во избежание злоупотребления нам следует сковать его цепями Конституции».

Изучив все документы, в том числе обращение Сноудена, Гибсон и Миллер согласились со мной. «В общем, — решила Гибсон спустя два часа после моего прилета, — тебе нужно как можно скорее ехать в Гонконг, например завтра».

Итак, *Guardian* был на нашей стороне. Моя миссия в Нью-Йорке выполнена. Теперь я знал, что Гибсон, по крайней мере в данный момент, поддерживала мысль о яркой и напористой публикации в газете. Во второй половине дня мы с Лорой встретились с сотрудником *Guardian*, отвечающим за командировки, чтобы как можно быстрее организовать нашу поездку в Гонконг. Лучшим вариантом был прямой шестнадцатичасовой рейс компании *Cathay Pacific* из аэропорта Джона Кеннеди на следующее утро. Но не успели мы порадоваться предстоящей встрече с нашим источником, как возникли осложнения.

К конце рабочего дня Гибсон заявила, что хочет подключить к работе репортера Юэна Макаскилла, являющегося сотрудником *Guardian* уже двадцать лет. «Он великолепный журналист», — сказала она. Принимая во внимание весь объем работы, за которую мы взялись, я осознавал, что мне понадобится помощь других журналистов из *Guardian*, и теоретически не имел ничего против этого предложения. «Я бы хотела, чтобы Юэн поехал с вами в Гонконг», — добавила она.

Я не знал Макаскилла. И, что более важно, его не знал наш источник. И он думал, что в Гонконг приеду только я с Лорой. А Лора, которая планирует все с особой точностью, могла прийти в ярость от того, что наши планы внезапно меняются.

Я был прав. «Нет, нет и нет, — ответила она. — Мы не можем в последнюю минуту просто так подключить к делу нового человека. И я его совсем не знаю. Кто может за него поручиться?»

Я попытался объяснить ей решение Гибсон. Я тогда не мог полностью доверять редакторам *Guardian*, в особенности когда речь шла о такой серьезной истории, но я мог предположить, что то же самое они испытывали по отношению ко мне. Учитывая риск, на который шла газета, я рассуждал, что им наверняка хотелось подключить к работе кого-то, кого они хорошо знают, кто с ними долго работал, кто будет информировать их о контактах с источником и кто будет гарантией того, что вся затея выигрышная. Помимо этого Гибсон должна была получить полную поддержку и одобрение лондонской редакции *Guardian*, в которой меня знали еще меньше. По всей вероятности, Гибсон хотела включить в игру кого-то, кто успокоит людей в Лондоне, а для этого Юэн был, безусловно, лучшей фигурой.

«Меня это не интересует, — ответила Лора. — Третий человек, которого мы не знаем, привлечет ненужное внимание или напугает источника». В виде уступки Лора предложила, чтобы Юэн отправился за нами через несколько дней после того как мы установим контакт с источником и войдем к нему в доверие. «Ты можешь повлиять на них. Скажи им, что Юэна посылать нельзя, пока мы все не подготовим».

Я пришел к Гибсон, предлагая условия вроде бы удобного компромисса, но она стояла на своем. «Юэн может поехать в Гонконг с вами, но не будет встречаться с источником, пока вы с Лорой не скажете ему, что почва готова».

Было очевидно, что для *Guardian* важно, чтобы Юэн летел с нами. Гибсон нужны гарантии того, что в Гонконге все будет происходить так, как надо. Кроме того, ей было необходимо развеять сомнения начальства в Лондоне. Но Лора также твердо стояла на том, что мы должны лететь одни. «Если источник увидит нас в аэропорту с кем-то третьим, кого он не знает, он психанет и прекратит контакт. Нет, это исключено». Подобно дипломату из Госдепартамента, выполняющему челночные операции и безрезультатно пытающемуся примирить враждующие стороны на Ближнем Востоке, я снова отправился к Гибсон. На этот раз она дала туманный ответ, из которого можно было заключить, что Юэн отправится в поездку через два дня после нашего отлета. Или же мне хотелось в ее словах услышать именно это.

Так или иначе, от человека, занимающегося командировками, в тот вечер я узнал, что билет Юэну был заказан на следующий день, на наш рейс. Его все-таки отправляли тем же самолетом.

Когда мы ехали в машине в аэропорт, между мной и Лорой произошла первая и единственная стычка. Я сообщил ей известие, как только машина отъехала от гостиницы, и Лора тут же взорвалась от возмущения. Я ставил под удар все наши договоренности, говорила она. Было нечестно подключать к делу нового человека на таком позднем этапе. Она не могла доверять кому-то, кто не зарекомендовал себя работой в столь щекотливом деле, поэтому она возлагала на меня всю вину за то, что я позволил газете поставить наш план под угрозу срыва.

Сказать Лоре, что ее волнения беспочвенны, я не мог, но я попытался хотя бы убедить ее в том, что таково было условие *Guardian*, поэтому выбора не было. И что Юэн сможет встретиться с источником, только когда к этому будем готовы мы.

Лору это не убедило. Чтобы умерить ее гнев, я даже предложил ей не ехать, что она тут же отвергла. Мы сидели в скорбном молчании и раздражении минут десять, пока машина пробивалась через пробки на пути в аэропорт.

Я понимал, что Лора права: все должно было происходить иначе, и решил нарушить наше молчание, сказав ей об этом. Затем я предложил ей не обращать на Юэна никакого внимания, исключить из игры, притвориться, что он не с нами. «Мы же работаем вместе, — увещевал я Лору, — нам незачем воевать друг с другом. Подумай о том, что стоит на кону, — вряд ли это последний раз, когда что-то идет не так, как нам хочется». Я пытался убедить Лору в том, что нам нужно работать вместе, чтобы преодолевать препятствия. Вскоре спокойствие восстановилось.

Мы подъезжали к аэропорту имени Джона Кеннеди, когда она достала из рюкзака флешку. «Угадай, что это!» — спросила Лора с совершенно серьезным видом.

«Что?»

«Документы, — ответила она, — причем абсолютно все».

Юэн уже был у выхода на посадку, когда пришли мы. Лора и я вели себя с ним вежливо, но холодно, давая понять, что он посторонний, что пока роли у него нет — он ее получит только тогда, когда мы будем готовы ее дать. Он был единственной причиной нашего раздражения, поэтому мы обращались с ним как с лишним чемоданом, который приходилось тащить на себе. Это было не очень красиво по отношению к нему, но меня в тот момент больше волновали сокровища на Лориной флешке и значение того, что мы делаем.

В машине перед полетом Лора преподала мне пятиминутный урок о том, как обращаться с системой защиты на компьютере, и сказала, что в полете она собирается спать. Она вручила мне флешку и предложила, чтобы я познакомился с ее набором документов. По ее словам, по прибытии в Гонконг наш источник организует мне полный доступ к моему собственному набору документов.

После взлета я извлек мой новый компьютер, не имеющий соединения с Интернетом, вставил флешку и выполнил указания для загрузки файлов.

Все следующие шестнадцать часов я занимался исключительно тем, что читал документ за документом, лихорадочно отрываясь от них, чтобы сделать пометки в блокноте. Многие из файлов были такими же важными и шокирующими, как и первый документ о программе PRISM, с которым я познакомился еще в Рио-де-Жанейро. Многие из документов были еще более поразительными.

Одним из первых я прочитал решение суда, следующее из Федерального закона «О контроле деятельности служб внешней разведки» (FISA). Суд FISA был создан по решению Конгресса в 1978 году после того, как Комиссия Чёрча обнаружила, что правительство США десятилетиями вело незаконное прослушивание телефонных разговоров. Идея создания этого суда заключалась в том, что правительству разрешалось продолжать ведение электронного прослушивания, но для предотвращения злоупотреблений в этой сфере перед началом прослушивания необходимо было получить разрешение суда FISA. Я никогда ранее не видел решений этого суда. Вряд ли их видел кто-то еще. Суд FISA является одной из самых тайных организаций в структуре правительства. Все его решения автоматически становятся секретными документами, и лишь небольшая горстка людей имеет к ним доступ.

Решение суда, с которым я ознакомился в самолете на пути в Гонконг, было удивительным по ряду причин. Оно постановляло, что компания *Verizon Business* должна предоставлять АНБ «все детальные записи разговоров 1) между США и зарубежными странами и 2) ведущимися внутри США, включая местные телефонные разговоры». Это означало, что АНБ тайно и без разбора собирало информацию о телефонных разговорах по крайней мере десяти миллионов американцев. Фактически никто не мог себе представить, что правительство Обамы занимается такой деятельностью. Теперь я об этом не только знал, но и имел доказательство в виде тайного постановления суда.

Кроме этого, решением суда особо оговаривалось, что прослушивание телефонных разговоров американцев осуществляется в соответствии с разделом 215 «Патриотического акта»[1]. Еще более поразительной была совершенно радикальная интерпретация решения суда.

Столь спорным введение «Патриотического акта» после событий 11 сентября 2011 года делал раздел 215, который понижал уровень, при котором необходимость прослушивания менялась с «наличия достаточного основания» до «обоснованно», когда дело касалось получения правительством того, что именовалось «записью деловых разговоров». Это означало, что ФБР, если ему требовалось получить сугубо секретные и нарушающие неприкосновенность личности документы, такие как истории болезни, сведения о банковских операциях или телефонные разговоры, достаточно было квалифицировать эти документы как «важные» для предстоящего расследования.

Но никто, ни воинственно настроенные сенаторы-республиканцы, одобрившие в 2001 году «Патриотический акт», ни самые рьяные борцы за гражданские свободы, представлявшие этот законопроект в невероятно пугающем свете, не могли вообразить, что этот закон позволит американскому правительству собирать информацию обо всех гражданах без исключения. Но именно об этом свидетельствовало секретное постановление суда FISA, которое я читал на пути в Гонконг и согласно которому компании *Verizon* предлагалось передавать АНБ сведения обо всех телефонных разговорах, ведущихся ее американскими абонентами.

В течение двух лет сенаторы-демократы Рон Вайден из Орегона и Марк Юдалл из Нью-Мексико в ходе поездок по стране предупреждали американцев о том, что они будут «потрясены, узнав

---

[1] Полное наименование: Акт «О сплочении и укреплении Америки путем обеспечения надлежащими средствами, требуемыми для пресечения и воспрепятствования терроризму» 2001 года, — федеральный закон, принятый в США в октябре 2001 года, который дает правительству и полиции широкие полномочия по надзору за гражданами. Принят после террористического акта 11 сентября 2001 года. — *Примеч. пер.*

о том, как тайно интерпретирует закон» правительство Обамы и как оно использует его, наделяя себя широкими и тайными полномочиями в области шпионажа за гражданами. Но поскольку эти разведывательная деятельность и «тайная интерпретация» подпадали под категорию секретной информации, то эти два сенатора, бывшие членами сенатской комиссии по разведывательной деятельности, не имели права раскрывать общественности, какие именно угрозы они обнаружили, несмотря на то что, решив обнародовать такую информацию, они бы пользовались юридической защитой, даваемой членам Конгресса по Конституции США.

Как только я увидел постановление суда FISA, я сразу же понял, что это лишь часть нарушений и программ прослушивания, о которых пытались предупредить сограждан Вайден и Юдалл. Я осознал значение постановления суда. Мне не терпелось опубликовать его; я был уверен, что такая публикация спровоцирует землетрясение, что за этим последуют требования открыть тайную деятельность правительства и поставить ее под контроль общественности. И это был лишь один из сверхсекретных документов, которые я читал на пути в Гонконг.

Но мое внимание снова переключилось на значение действий нашего источника. Такое уже происходило трижды: когда я впервые увидел электронные письма, полученные Лорой; когда я говорил с ним; и когда я прочитал те двадцать с лишним документов, которые он переслал мне. Только сейчас я действительно почувствовал и начал понимать подлинную степень важности этой информации.

Несколько раз во время полета к моему месту у переборки самолета подходила Лора. Как только я видел ее, то вскакивал и мы стояли безмолвные, пораженные тем, с чем познакомились.

Лора уже несколько лет работала над темой наблюдения со стороны АНБ и сама неоднократно испытывала на себе его слежку. Я начал освещать угрозу неподконтрольного слежения за гражданами еще в 2006 году, когда опубликовал свою первую книгу, предупреждающую о беззаконных и недопустимых методах работы АНБ. И я и Лора вели борьбу с секретностью, скрывающей правительственный шпионаж: как назвать действия организации, спрятанной под несколькими слоями секретности? В данный момент нам удалось пробить брешь в стене. В наших руках были тысячи документов, которые правительство пыталось всячески утаить от общественности. У нас были неоспоримые доказательства того, что правительство нарушало личную свободу американцев и граждан других стран.

Читая документы, я обнаружил две удивившие меня вещи. Первое — это то, насколько хорошо были структурированы все материалы. Наш источник создал бесчисленное количество папок, в которые были вложены другие папки, а в них в свою очередь были также вложены папки. Каждый документ занимал отведенное ему место. Я не нашел ни одного файла, который находился бы не там, где нужно.

Я потратил несколько лет, защищая, как мне представлялось, героические действия Челси (тогда еще Брэдли) Мэннинга, рядового американской армии, обвиненного в раскрытии секретных документов. Его настолько ужаснули военные преступления и постоянная ложь американского правительства, что он решил пожертвовать своей свободой и отправил секретные армейские документы в *WikiLeaks*.

Мэннинг подвергся порицанию (как я считаю, несправедливо и ошибочно) за то, что якобы организовал утечку документов, на которые, в отличие от Дэниэла Эллсберга, как это утверждают критики, даже не удосужился взглянуть. Этот довод, каким бы безосновательным он ни был (Эллсберг являлся одним из самых активных защитников Мэннинга, и совершенно ясно, что Мэннинг по крайней мере просмотрел документы), часто используют, чтобы умалить героизм поступка Мэннинга.

Было очевидно, что ничего подобного нельзя сказать о нашем источнике из АНБ. Не было никакого сомнения в том, что он внимательно изучил все переданные нам документы, четко понимал значение каждого из них, а затем организовал их в тщательно продуманную структуру.

Второе, что удивило меня при знакомстве с архивом данных, — это тот объем лжи, исходящей от правительства, который наш источник пометил особым образом. Одну из первых папок он назвал «BOUNDLESS INFORMANT[1] (АНБ обманывает Конгресс)». В папке были десятки документов с огромными цифрами, показывающими, сколько телефонных разговоров и электронных писем перехватывает это агентство. В ней также были доказательства того, что АНБ следит за телефонными разговорами и электронной перепиской миллионов американцев ежедневно. «BOUNDLESS INFORMANT» — таково было название программы АНБ, предназначенной для ежедневной оценки результативности его деятельности с математической точностью. Из одного графика в этом файле следовало, что за период в тридцать один день, закончившийся в феврале 2013 года, одно из подразделений АНБ собрало свыше трех миллиардов единиц сообщений из одной только системы коммуникации США.

Источник предоставил точные доказательства того, что руководители АНБ вводят Конгресс в заблуждение по поводу своей деятельности, делая это прямо и неоднократно. В течение ряда лет сенаторы просили АНБ предоставить приблизительные цифры в отношении числа американцев, чьи разговоры и переписка отслеживались. Руководители АНБ утверждали, что не могут дать ответ на этот вопрос, поскольку такими данными они не располагают, тогда как на самом деле все эти сведения присутствуют в документах о программе «BOUNDLESS INFORMANT».

Еще более важным, как и документ о компании *Verizon*, был файл, доказывающий, что главный чиновник в администрации Обамы, отвечающий за государственную безопасность, директор Национальной разведки США Джеймс Клеппер обманывал Конгресс, когда 12 марта 2013 года на вопрос сенатора Рона Вайдена «Собирает ли АНБ какие-либо сведения о миллионах или сотнях миллионов американцев?» лаконично ответил «Нет, сэр».

---

[1] От англ. «Безграничный информатор». — *Примеч. пер.*

За шестнадцать часов почти непрерывного чтения мне удалось ознакомиться лишь с малой долей всего архива. Но когда самолет произвел посадку в Гонконге, я уже точно знал две вещи. Первое: наш источник был глубоко осведомленной и политически проницательной личностью, полностью отдающей себе отчет в важности большинства из документов. Он был также очень прагматичным и организованным. То, как он отбирал, анализировал и классифицировал тысячи документов, которые теперь находились у меня, лишний раз доказывало это. Второе: трудно отрицать, что это классический разоблачитель. Кто как не разоблачитель будет доказывать, что самые высокопоставленные чиновники национальной службы безопасности беззастенчиво врут Конгрессу о шпионаже за своими гражданами?

Я понимал, что чем сложнее правительству и его союзникам будет опорочить обличителя, тем мощнее окажется эффект его разоблачений. В данном случае любимые средства, наподобие «у него неустойчивая психика» и «он наивен», не сработают.

Незадолго до посадки я прочитал еще один файл. Хотя он назывался «ПРОЧТИ МЕНЯ_ПЕРВЫМ ДЕЛОМ», заметил я его только к самому концу полета. Документ еще раз объяснял, почему этот человек решил так поступить, чего он ожидал в результате своих действий, и по тону напоминал манифест, который я показал редакторам *Guardian*.

Но в данном документе были факты, отсутствовавшие в других. В нем было имя источника — я его впервые увидел именно в этом файле, — а также четкое предсказание того, что бы с ним случилось, если бы он открыл себя. Документ заканчивался упоминанием скандала в АНБ, произошедшего в 2005 году:

«Многие будут порочить меня за то, что я не воспринял национальный релятивизм, что я не сумел абстрагироваться от проблем моего общества и взглянуть вдаль, на внешнее зло, которое нам не подчиняется и за которое мы не несем ответственности. Но быть гражданином означает контролировать собственное правительство, прежде чем пытаться контролировать других. Здесь, у себя дома, мы имеем правительство, которое очень неохотно позволяет нам осуществлять такой контроль, даже в ограниченном виде, оно отказывается отчитываться, когда совершаются преступления. Когда какие-нибудь юнцы, находящиеся на обочине нашего общества, совершают мелкие нарушения, мы, все общество, отворачиваемся и делаем вид, что не замечаем, как они вынуждены нести невыносимый груз ответственности за свои проступки в самой крупной тюремной системе мира. Но когда богатейшие и крупнейшие провайдеры телекоммуникационной связи в стране совершают десятки миллионов преступлений, о которых становится известно обществу, то Конгресс обходит первый закон нашего государства и предоставляет задним числом своим элитарным друзьям гражданский и уголовный иммунитет в отношении преступлений, за которые положены самые длительные тюремные заключения.

В этих компаниях… работают лучшие юристы в стране, и эти компании могут не беспокоиться о последствиях своих действий. Что происходит, когда в результате расследования оказывается, что чиновники самого высокого ранга, среди которых особо можем назвать вице-президента страны, лично совершают такие преступные деяния? Если вы полагаете, что расследование должно быть остановлено, что его результатам должен быть присвоен гриф "архи-сверх-секретно", что эти результаты должны находиться в специальном разделе "Крайне важная информация", именуемом STLW (STELLARWIND), что в будущем подобных расследований проводиться не должно, так как они идут вразрез с национальными интересами, что мы должны "смотреть вперед, а не назад" и что вместо того, чтобы закрыть незаконную программу, ее следует продолжать и расширять с еще большим размахом, то тогда вы желанный гость в коридорах американской власти, ибо так все и есть, и чтобы доказать это, я публикую данные документы.

Я понимаю, что пострадаю за свои действия и что предоставление этой информации общественности означает мой конец. Я буду удовлетворен, если тайный федеральный закон, подотчетность закону не для всех и исполнительная власть, с которой невозможно бороться, хотя бы на мгновение окажутся перед глазами общественности. Если вы хотите помочь, вступайте в сообщество открытых источников информации и боритесь за то, чтобы сохранить свободный дух прессы и Интернета. Я побывал в самых темных уголках правительства и знаю, что там боятся света».

Эдвард Джозеф Сноуден, номер карточки социального страхования ----

Кодовое имя в ЦРЦ «--»

Идентификационный номер в Управлении -------

Бывший старший советник | Агентство национальной безопасности США, под корпоративным прикрытием

Бывший оперативный сотрудник | ЦРУ, под дипломатическим прикрытием

Бывший преподаватель | Военная разведка США, под корпоративным прикрытием

Глава 2
Десять дней в Гонконге

Мы прилетели в Гонконг в воскресенье вечером, 2 июня, и запланировали встретиться со Сноуденом сразу по прибытии в отель. Войдя в номер, снятый в отеле W в фешенебельном округе Коулун, я включил компьютер и начал искать информанта в защищенном чате, которым мы с ним пользовались. Он уже ждал меня, как это было почти всегда.

Обменявшись обычными фразами о том, как прошел перелет, мы начали прорабатывать детали нашей встречи.

«Можете приехать ко мне в отель», — сказал он.

Это был первый сюрприз — то, что он остановился в отеле. Я до сих пор не понимал, зачем он приехал в Гонконг, но в тот момент подразумевалось, что он будет там прятаться. Я представлял себе, что он найдет какую-нибудь лачугу, дешевую квартирку, которую можно позволить себе, не получая регулярно зарплату, но отнюдь не то, что он открыто и с комфортом поселится в отеле, где будет ежедневно вынужден за что-то расплачиваться.

Изменив планы, мы отложили встречу до утра. Это было решение Сноудена, который задал режим гиперосторожности и шпионского приключения на все последующие дни.

«Вы привлечете к себе больше внимания, если будете выходить по ночам, — пояснил он. — Выглядит странно, если два американца, едва зарегистрировавшись в отеле, сразу же куда-то отправляются. Более естественным будет поехать утром».

Сноуден боялся слежки властей Гонконга и Китая так же, как и американцев. Он опасался, что за нами будут ходить местные агенты безопасности. Я понимал, что он знает, о чем говорит, и что он глубоко связан с разведорганами США, поэтому согласился с его решением, хотя и был разочарован тем, что не познакомлюсь с ним лично до утра. Время в Гонконге ровно на 12 часов опережает нью-йоркское, день и ночь меняются местами, поэтому я почти не спал ни в эту ночь, ни накануне в самолете. Смена часовых поясов была причиной бессонницы лишь отчасти; я не мог справиться с волнением, вздремнул часа полтора, самое большое два, и до конца нашего пребывания в Гонконге так и не вошел в обычный ритм.

На следующий день Лора и я встретились в лобби, нас ожидало такси, в нем мы и отправились в отель к Сноудену. Лора уже проработала с ним детали встречи. Она не хотела разговаривать в такси, опасаясь, что водитель может быть агентом. Я уже не относился к этим страхам как к паранойе, однако, несмотря на ограничения, все же старался выпытать у Лоры, каков план.

Мы должны были подняться на третий этаж отеля Сноудена, где располагались конференц-залы. Он выбрал из них «идеально расположенный», достаточно удаленный от постоянного «человеческого трафика», как он это обозначил, но вместе с тем и не слишком изолированный и спрятанный от людских глаз, чтобы привлечь внимание к нам, пока мы будем ждать его.

Когда мы поднялись на третий этаж, Лора предупредила, что у выбранной нами аудитории я должен буду спросить у служащего отеля, есть ли здесь открытый ресторан. Этот вопрос подаст сигнал Сноудену, который будет неподалеку, что за нами нет слежки. В конференц-зале нам нужно сесть на диван «рядом с гигантским аллигатором», который, конечно, был, как поспешила уточнить Лора, не живым крокодилом, а декорацией, элементом интерьера.

Было назначено два времени встречи: 10:00, а затем 10:20. Если Сноуден задержится более чем на две минуты после первого назначенного времени, мы должны будем покинуть зал и вернуться позже.

«Как мы узнаем его?» — спросил я Лору. Нам по-прежнему не было известно о нем практически ничего: ни возраста, ни какой он расы, ни как он выглядит — ничего.

«У него в руках будет кубик Рубика», — ответила Лора.

Я громко рассмеялся — ситуация казалась такой надуманной, неправдоподобной, невероятной. «Международный сюрреалистический триллер в Гонконге», — подумал я про себя.

Такси остановилось у отеля *Mira*, который располагался в том же оживленном коммерческом районе Коулун. Куда ни кинь здесь взгляд — кругом высотки из стекла и бетона и шикарные магазины. Я снова был удивлен тем, что Сноуден остановился не в скромном, а в огромном дорогом отеле, номер в котором стоил, как я представлял себе, не одну сотню долларов. Я был озадачен: как человек, который собирается раздуть скандал с Агентством национальной безопасности и вынужден соблюдать секретность, едет в Гонконг и думает спрятаться там в пятизвездочном отеле в самом центре города? Но смысла разгадывать загадку не было — через несколько минут я встречусь с тем, кто наверняка знает ответы на все мои вопросы.

Отель *Mira*, как многие гонконгские здания, оказался размером с целую деревню. Мы с Лорой потратили по меньшей мере четверть часа, бродя по коридорам в поисках места встречи, много раз поднимаясь на лифтах, проходя по внутренним мостам, уточняя дорогу у встречных. Когда нам показалось, что мы близки к цели нашего путешествия, неуверенным голосом я задал оговоренный вопрос очередному служащему отеля — и нам пришлось выслушать инструкцию о всевозможных вариантах в смысле ресторана.

За углом мы увидели открытую дверь, а за ней — огромного зеленого пластикового аллигатора, распростертого на полу. Как было условлено, мы подошли к дивану в центре комнаты, в которой больше не было никакой мебели, и уселись в нервном безмолвном ожидании. Комната была довольно маленькой и вряд ли имела какую-то определенную функцию, в ней просто стоял диван и лежал на полу бутафорский аллигатор, поэтому никто в нее не заходил. Через пять долгих минут, проведенных в молчании, мы, поскольку никто не появился, вышли и отыскали другой зал, где можно было провести пятнадцать минут до следующего назначенного времени.

В 10:20 мы вернулись к аллигатору и вновь сели на диван, лицом к стене с большим зеркалом. Через две минуты я услышал, как кто-то зашел в комнату.

Вместо того чтобы обернуться, я продолжал смотреть в зеркало, в котором возникло отражение подходившего к нам человека. Я повернулся, только когда он был в нескольких шагах от нашего дивана.

Первое, на что упал мой взгляд, — это несложенный кубик Рубика, который человек крутил в левой руке. Эдвард Сноуден произнес «Привет!», но не протянул руку для пожатия, чтобы все выглядело так, как будто встреча была случайной.

Как они договорились между собой, Лора спросила его о еде в отеле, и он ответил, что она никуда не годится. И что самое удивительное во всей этой истории — встреча действительно была для нас всех очень большим сюрпризом.

Сноудену в тот момент было двадцать девять лет, но он казался по крайней мере на несколько лет моложе. На нем была белая футболка с какой-то тусклой надписью, джинсы и модные очки «под ботаника». Он носил бородку, не слишком, впрочем, густую, но выглядел так, будто начал бриться совсем недавно. Двигался он четко с выправкой военного, но был довольно бледен и худ, и еще — как у всех нас троих в тот момент — в нем чувствовалась сосредоточенность и настороженность. Но все равно у него был вид чудаковатого компьютерщика из университетского кампуса.

В ту минуту я был озадачен. Не задумываясь об этом глубоко, я все же по ряду обстоятельств воображал себе, что Сноуден будет старше, лет пятидесяти или шестидесяти. Прежде всего, с учетом того факта, что он имел доступ ко многим закрытым документам, я считал, что он занимает высокую должность в системе национальной безопасности. Кроме того, его решения и действия были, безусловно, продуманными и опирались на анализ информации, из чего я делал вывод, что он является ветераном политической сцены.

И наконец, я видел, что он готов рискнуть собственной жизнью, возможно, провести ее остаток в тюрьме — чтобы открыть миру то, что, по его убеждению, мир должен узнать. Поэтому мне представлялся человек, находящийся в конце своей карьеры. Мне казалось, что тот, кто принимает такие экстремальные решения и готов к самопожертвованию, должен пройти через долгие годы, даже десятилетия расставания с иллюзиями.

Увидев же, что источником ошеломляющих материалов из АНБ является столь молодой человек, я был совершенно сбит с толку. Я судорожно начал высчитывать вероятность того, что все это фальшивка. Может быть, я напрасно потратил свое время, перелетев через океан? Каким образом такой молодой человек мог получить доступ к информации подобного рода? Как этот человек мог быть настолько информированным и опытным в делах разведки и шпионажа, каким, безусловно, казался наш источник? Может быть, даже подумалось мне на минуту, это его сын, помощник или любовник, который сейчас отведет нас к нему. В моей голове закрутились всевозможные варианты, ни один из которых не казался разумным.

«Ну, пойдемте со мной», — произнес он напряженно. Мы с Лорой двинулись за ним. По дороге мы обменивались формальными любезными фразами. Я был слишком ошеломлен и заинтригован, чтобы говорить; я видел, что и Лора испытывает те же чувства.

Сноуден казался настороженным; он оглядывался в поисках возможной слежки или тревожных признаков, так что мы следовали за ним большей частью в молчании. Не представляя себе, куда он нас ведет, мы вошли в лифт, поднялись на десятый этаж, где и оказался его номер. Сноуден вынул из кошелька карточку-ключ и открыл дверь.

«Входите, — сказал он. — Извините за беспорядок, но я практически не выхожу из номера уже пару недель».

В комнате действительно было не убрано: на столе — тарелки с недоеденной едой из ресторана, повсюду разбросана одежда.

Сноуден освободил стул и предложил мне сесть, а сам разместился на кровати. Поскольку комната была маленькой, расстояние между нами составляло не более полутора метров. Разговор поначалу шел трудно, напряженно и казался натянутым.

Сноуден сразу же позаботился о нашей безопасности, спросив, с собой ли у меня мобильный телефон. Телефон мог работать только в Бразилии, однако Сноуден настоял, чтобы я вынул батарейку или положил его в холодильник мини-бара, что по крайней мере не позволит спецслужбам разобрать, о чем мы беседуем в номере.

Сноуден подтвердил мне то, о чем Лора говорила еще в апреле, — что правительство Штатов может дистанционно активировать мобильные телефоны, превращая их в прослушивающие устройства. Так что я знал, что такая технология существует, но опасения в связи с тем, что она может применяться, казались мне близкими к параноидальным. Однако я был среди тех, кто заблуждался на этот счет. Правительство уже долгие годы применяло эту технологию в расследованиях уголовных преступлений. В 2006 году некий федеральный судья, председательствовавший на суде над криминальной группой, вынес решение о том, что использование Федеральным бюро расследований так называемых «бродячих жучков», превращающих мобильные телефоны частных лиц в прослушивающие устройства путем дистанционной активации, является законным.

Убрав мой сотовый в холодильник, Сноуден снял с постели подушки и заложил щель под дверью.

«Это для того, чтобы снаружи нас никто не мог услышать», — пояснил он. «В номере могут быть микрофоны и камеры, но мы будем обсуждать то, что так или иначе появится в новостях», — прибавил он будто в шутку.

Я с трудом мог оценить ее. Я не имел никакого представления, кто такой Сноуден, где он работает, что в действительности им движет, что он успел сделать, так что я не мог сказать, что нам на самом деле угрожает, следят ли за нами, а также о многом другом. Меня не оставляло ощущение неуверенности.

Лора осталась стоять, не произнося ни слова и, видимо, пытаясь справиться с напряжением, начала распаковывать камеру и штатив, устанавливать и настраивать их. Затем она поставила микрофоны передо мной и перед Сноуденом.

Мы обсуждали ее планы о том, как снимать нас в Гонконге: в конце концов, она была документалистом, делавшим фильм об АНБ, и мы должны были стать существенной частью ее проекта. Я это знал, но не был готов к тому, что она сразу начнет записывать.

Было какое-то несоответствие между тем, что мы тайно встречались с источником, совершившим серьезное преступление против правительства Соединенных Штатов, с одной стороны, и съемками этой встречи, с другой стороны.

Через несколько минут Лора была готова.

«Я начинаю снимать», — предупредила она нас так, словно это было абсолютно естественно. От осознания того, что съемка вот-вот начнется, напряжение усилилось. Мой разговор со Сноуденом и без того шел тяжело, а когда заработала камера, он стал еще более формальным и менее дружелюбным, движения — скованными, а речь — замедленной. За многие годы мне довелось прочитать немало лекций о том, как слежка меняет поведение человека; исследования показали, что люди, которые знают, что за ними наблюдают, ведут себя скованно, тщательно заботясь о том, что говорят. Теперь я на себе почувствовал это и получил наглядное свидетельство такой динамики.

Осознав бессмысленность вежливых фраз, которыми мы пытались обмениваться, мы наконец прямо заговорили о цели нашей встречи.

«У меня к вам множество вопросов, и я буду просто по очереди задавать их, и, если вы не против, мы с этого и начнем», — предложил я.

«Хорошо», — согласился Сноуден. Было видно, что и он почувствовал облегчение от того, что мы перешли к делу.

На тот момент у меня было две цели. Поскольку все мы понимали, что существует серьезный риск того, что его в любую минуту могут арестовать, мне, прежде всего, хотелось узнать как можно больше о нем самом: его жизни, работе, о том, что заставило его сделать свой ошеломляющий выбор, что он предпринял, чтобы получить эти документы, и на что рассчитывал в Гонконге. Кроме того, я был намерен выяснить, честен ли он и готов ли на полное сотрудничество, не скрывает ли он нечто важное о себе и собственном поступке.

Несмотря на то что в течение восьми лет я писал на политические темы, я собирался использовать другие навыки, более соответствующие моменту. До этого я был судебным адвокатом, и в мои задачи в этом качестве входило получение свидетельских показаний. В этой ситуации юрист сидит за столом лицом к лицу со свидетелем на протяжении долгих часов, а то и дней.

Закон принуждает свидетеля не уклоняться от дачи показаний и заставляет честно отвечать на каждый из поставленных вопросов. Главная цель — обнаружить ложь, несоответствие в показаниях свидетеля, все выдуманное им для того, чтобы скрыть правду. Во время работы адвокатом получение показаний было одним из моих самых любимых дел, и я разработал всевозможные тактики, позволяющие мне расколоть свидетеля. Я обрушивал на него безжалостный шквал вопросов, часто повторяющихся, но задаваемых в различном контексте, с разных заходов и точек зрения, позволявших оценить правдоподобие всей истории.

Эта агрессивная тактика, к которой я обратился в день встречи, отличалась от тактики общения со Сноуденом в онлайне, когда я мог оставаться пассивным и вежливым собеседником. Не считая выходов в туалет и перекусов, я задавал ему вопросы непрерывно в течение пяти часов. Я начал с раннего детства, первых школьных лет, с его работы до того, как он попал в разведку и органы безопасности. Я расспрашивал его обо всех мелочах, которые он мог припомнить. Сноуден, как я выяснил, родился в Северной Каролине и вырос в Мэриленде. Он был сыном федеральных служащих, принадлежащих к нижней прослойке среднего класса (его отец тридцать лет проработал в Пограничной охране).

Сноуден так и не окончил колледж, его больше интересовал Интернет, чем учеба.

Почти сразу я понял, что передо мной тот самый человек, с которым я беседовал в онлайновом чате. Сноуден оказался рационально мыслящим интеллектуалом; в его мышлении чувствовалась методичность. Его ответы были четкими, ясными и убедительными.

Практически всегда они точно соотносились с тем, о чем я спрашивал, были вдумчивыми и обоснованными. Он не пытался уклониться и не рассказывал диких неправдоподобных историй, которые так характерны для людей эмоционально нестабильных или страдающих психологическими расстройствами. Его уравновешенность и сосредоточенность внушали веру в правдивость его слов.

Несмотря на то что впечатление о людях формируется у нас и в процессе онлайнового общения, все же, чтобы понять, кем человек является на самом деле, с ним нужно встретиться лично. Я быстро почувствовал облегчение и отбросил первоначальные сомнения в том, с кем я имею дело.

Но вместе с тем я по-прежнему был настроен скептически, поскольку осознавал, что доверие к тому, что мы делаем, зависит от правдивости сведений, которые Сноуден сообщит о себе.

Несколько часов мы говорили с ним о его работе и его интеллектуальной эволюции. Как у многих американцев, политические взгляды Сноудена поменялись после событий 11 сентября: они стали более «патриотическими». В 2004 году двадцатилетний Сноуден записался в Вооруженные силы, собираясь участвовать в войне против Ирака, которая, как ему казалось в то время, была продиктована благородным стремлением освободить иракский народ из-под гнета. Однако уже через несколько недель базовой подготовки он увидел, что речь идет, скорее, об уничтожении арабов, чем о чьем-то освобождении. В результате несчастного случая на тренировке он сломал обе ноги и был вынужден уволиться из армии. К этому моменту его иллюзии относительно истинных целей войны рассеялись.

Однако Сноуден все еще продолжал верить в добродетельность правительства Соединенных Штатов, поэтому решил последовать примеру многих членов своей семьи и устроился на работу в федеральное учреждение. Не имея оконченного университетского образования, он тем не менее сумел создать для себя определенные возможности; так, еще до того, как ему исполнилось восемнадцать, он работал на технической должности с оплатой тридцать долларов в час и с 2002 года стал сертифицированным системным инженером *Microsoft*. Однако карьера в федеральном правительстве ему виделась как нечто благородное и вместе с тем перспективное с профессиональной точки зрения, и он начал работать в качестве охранника в Центре исследований языка *(CASL)* Университета Мэриленда, здание которого тайно управлялось и использовалось АНБ. Как он рассказал, в его намерения входило получить допуск к работе со сверхсекретными документами и затем покончить с технической работой, заявив о себе.

Имея неоконченное высшее образование, Сноуден обладал большими способностями к техническим наукам, что проявилось еще в отроческом возрасте. В сочетании с его интеллектом эти качества, несмотря на юный возраст и отсутствие формального образования, позволили ему быстро продвинуться по службе, пройдя путь от охранника до технического эксперта ЦРУ — эту должность он получил в 2005 году.

Он пояснил, что разведка страдала от недостатка технически подкованных сотрудников. Управление превратилось в такую огромную и разветвленную систему, что с трудом отыскивало людей для ее технического обеспечения. Агентству национальной безопасности пришлось обращаться к нетрадиционному поиску талантов. Они стали принимать людей с достаточными компьютерными навыками, очень молодых и иногда неамбициозных, даже тех, кто отнюдь не блистал в университетах и колледжах. Для них интернет-культура оказывалась более стимулирующей средой, чем формальная система образования и личное общение. Сноуден быстро доказал свою ценность в качестве члена ИТ-команды Агентства, будучи, очевидно, более способным и компетентным, чем большинство его старших коллег с высшим образованием. Сноудену показалось, что он попал в нужное место, где его знания будут вознаграждены, невзирая на отсутствие формального образования.

В 2006 году он перешел с контрактной работы в ЦРУ на полную штатную ставку, что давало ему еще больше возможностей. В 2007-м он узнал, что ЦРУ ищет сотрудника для работы в компьютерной системе с пребыванием за рубежом. Благодаря блестящим рекомендациям своего начальства он получил эту должность и оказался в Швейцарии. Три года, до 2010-го, он прожил в Женеве под дипломатическим прикрытием. По описанию Сноудена, он был далеко не «простым сисадмином». Он стал ведущим техническим специалистом и экспертом по кибербезопасности в Швейцарии, разъезжая по региону для решения самых сложных проблем. ЦРУ выбрало его лично для обеспечения кибербезопасности участия президента США в саммите НАТО, проходившем в 2008 году в Румынии. Несмотря на такие успехи, именно работая на ЦРУ, Сноуден почувствовал серьезное разочарование в действиях правительства.

«Поскольку технические специалисты имели доступ к компьютерным системам, я тоже видел немало секретных вещей, — рассказывал мне Сноуден, — и многие из них мне не понравились. Я начал понимать, что то, что мое правительство в действительности делает в мире, совершенно отличается от того, чему учили меня. Осознание этого заставляет переоценить свои взгляды и начать задавать себе вопросы».

Один из примеров, который он смог привести, — попытка офицеров ЦРУ завербовать швейцарского банкира с тем, чтобы получать от него конфиденциальную информацию о финансовых операциях лиц, которые интересовали Соединенные Штаты. Сноуден рассказал, как один из секретных агентов вступил с банкиром в дружеские отношения, однажды напоил его и уговорил сесть за руль. Полиция остановила банкира и арестовала его за вождение в нетрезвом состоянии, и тут агент ЦРУ лично предложил ему всяческую помощь при условии, что банкир будет сотрудничать с Агентством. В конце концов вербовка провалилась.

«Они сломали человеку жизнь за то, что даже не удалось, и потом просто умыли руки», — рассказал он. Сноудену не понравилась не только схема, но и то, как агент рассказывал о методах, которые они использовали, чтобы поймать добычу.

Еще одним поводом к разочарованию стали попытки Сноудена привлечь внимание начальства к тем вопросам, связанным с компьютерной безопасностью и системами, которые, по его мнению, находились за границами морали. Однако, по его словам, эти усилия почти всегда были неудачными.

«Мне говорили, что это не входит в мои обязанности, или что я не владею достаточной информацией, чтобы делать подобные выводы, или что согласно должностным инструкциям я не должен обращать на это внимания».

Среди коллег у него появилась репутация человека, от которого слишком много неприятностей, что не способствовало хорошему расположению к нему начальства.

«Именно тогда я стал по-настоящему понимать, как просто развести власть и ответственность и что чем больше власти, тем меньше контроля и отчетности».

Ближе к концу 2009 года Сноуден, уже лишившийся всяческих иллюзий, решил, что готов уйти из ЦРУ. Именно тогда, по окончании своей миссии в Женеве, он впервые задумался о том, чтобы раскрыть перед миром тайны, которые, по его мнению, демонстрировали безнравственность происходящего.

«Почему же вы не сделали этого тогда?» — задал я ему вопрос.

Тогда он думал или хотя бы надеялся, что с избранием на пост президента Барака Обамы какие-то из худших вещей будут реформированы. Обама вступал в должность с обещаниями ограничить полномочия органов национальной безопасности, оправдываемые якобы борьбой с терроризмом. Сноуден ожидал, что некоторые особо кричащие нарушения со стороны разведывательных служб и военных можно будет предотвращать.

«Но потом стало понятно, что Обама не просто продолжит этот курс, но во многих случаях и усилит его, — пояснил Сноуден. — Тогда я понял, что не могу ждать появления лидера, который придет и все исправит. Лидер — это тот, кто действует первым и служит примером людям, не дожидаясь, когда начнут действовать другие».

Сноудена волновало также, какой ущерб может нанести раскрытие информации, которую он узнал о ЦРУ. «Когда вы раскрываете секреты ЦРУ, вы можете навредить людям», — сказал он, имея в виду тайных агентов и информаторов.

«Мне не хотелось делать этого. Но, выдавая секреты АНБ, я помешал бы злоупотреблениям со стороны системы. Это больше устраивало меня».

Таким образом, Сноуден вернулся в АНБ, на этот раз поступив на работу в корпорацию Dell, имеющую контрактные отношения с Агентством. В 2010 году он был направлен в Японию, где получил гораздо более высокий уровень допуска к секретным материалам о слежке, чем имел до сих пор.

«То, что я увидел, по-настоящему потрясло меня, — говорил он. — Я мог в режиме реального времени наблюдать за дронами, предназначенными для слежки за людьми, которых могли и убить. Можно держать под надзором целые деревни и знать, что делает там каждый житель. Я увидел, как АНБ следит за тем, как человек сидит и набирает текст в Интернете. Я начал осознавать, какой проникающей способностью обладают инструменты слежения АНБ. И при этом почти никто не знает, что происходит».

Он чувствовал все большую потребность, обязанность рассказать всем о том, что он видит.

«Чем дольше я оставался в Японии по заданию АНБ, тем отчетливее становилось мое понимание того, что я больше не способен держать все в себе. Я чувствовал, что не могу и далее помогать скрывать это от общества».

Впоследствии, когда личность Сноудена была раскрыта, журналисты пытались изобразить его как этакого простака, айтишника невысокого уровня, который случайно получил доступ к секретным материалам. Но это далеко не так.

Работая и на ЦРУ, и на АНБ, Сноуден, как он рассказал мне, все время проходил обучение и стал кибернагентом высочайшего уровня, одним из тех, кто взламывает военные и гражданские системы других стран, перехватывает информацию и готовит атаки, не оставляя за собой ни следа. В Японии это обучение велось особенно интенсивно. Там Сноуден освоил самые сложные методы защиты электронных данных от разведывательных служб других стран и получил официальный сертификат кибернагента высшего звена. Он был отобран Учебной академией Объединенного управления оценки контрразведывательных угроз ЦРУ для преподавания методов контрразведки на ее китайском участке.

Те меры безопасности, которые мы сами предприняли при проведении встречи и на которых настаивал Сноуден, он освоил и даже помогал разрабатывать ЦРУ, а в особенности АНБ.

В июле 2013 года публикацией в газете *New York Times* слова Сноудена были подтверждены: «Работая по контракту в Агентстве национальной безопасности, Эдвард Дж. Сноуден прошел обучение в качестве хакера» и «превратился в эксперта кибербезопасности уровня, который АНБ не может найти вовне». Обучение, которое он прошел в АНБ, утверждает *New York Times*, стало «ключевым для перевода его на работу с более сложными системами кибербезопасности». В статье говорилось также, что файлы, к которым Сноуден имел доступ, подтверждают, что он был переведен «на участок активного электронного шпионажа и систем ведения кибервойн, на котором АНБ изучает компьютерные системы других стран, крадет информацию или готовится к нападениям».

Несмотря на то что, задавая вопросы, я старался придерживаться хронологии, иногда я не мог удержаться, чтобы не заглянуть вперед, чаще всего просто от нетерпения. Мне очень хотелось добраться до самой сути того, что составляло для меня самую удивительную загадку этой истории с того момента, как я начал общение со Сноуденом: что же в действительности подвигло его отказаться от карьеры, сознательно превратиться в преступника, раскрыть государственные тайны, стать разоблачителем? Что это были за мотивы, которые много лет барабанной дробью звучали в его голове?

Я пытался по-разному задавать Сноудену этот вопрос, и он отвечал, но объяснения казались мне или искусственными, или лишенными настоящего чувства и убеждения.

Он охотно говорил о системах и технологиях АНБ, но гораздо меньше — когда речь заходила о нем как о субъекте действия, например в ответ на мое предположение, что он совершил мужественный, экстраординарный поступок, — это давало бы всему психологическое объяснение. Его ответы представлялись в большей степени абстрактными, чем прочувствованными, поэтому они и казались мне неубедительными. Мир имеет право знать, что делается против частной жизни, — так он считал и говорил мне, что чувствовал моральное обязательство выступить против нарушений, что, не рассказав о тайной угрозе тем ценностям, которыми он дорожил, испытывал бы угрызения совести.

Я поверил, что эти политические ценности действительно существовали для него, но мне хотелось понять личные мотивы, заставившие его пожертвовать своей жизнью и свободой для защиты этих ценностей, и я чувствовал, что не получаю правдивого ответа на этот вопрос. Может, такого ответа у него и не было, а может, как многие американские мужчины, особенно взращенные в культуре системы национальной безопасности, он сопротивлялся углублению в собственную психику. Но мне надо было это выяснить.

Кроме всего прочего, я хотел быть уверенным в том, что он сделал свой выбор с полным и рационалистическим пониманием последствий такого поступка. Мне не хотелось подвергать его огромному риску, пока я не получил подтверждения тому, что он делает это совершенно независимо и от собственного имени, имея перед собой ясную цель.

Но, в конце концов, Сноуден дал мне ответ, который показался мне прочувствованным и близким к реальности.

«Достоинства человека измеряются не тем, что он говорит о своих убеждениях, а тем, что он делает в защиту этих убеждений, — сказал он. — Если твои поступки не отвечают твоим убеждениям, то эти убеждения ненастоящие».

Каким образом он пришел к такому способу оценки того, чего он в действительности стоит? Откуда взялось это убеждение, что его действия будут считаться нравственными только в том случае, если он пожертвует собственными интересами для большего блага?

«Из разных событий и впечатлений», — считает Сноуден.

Он вырос на многочисленных книгах по греческой мифологии, и большое влияние на него оказала книга Джозефа Кэмпбелла «Тысячеликий герой», которая, как поведал Сноуден, позволила отыскивать общие сюжеты во всем, что происходит с каждым человеком. Первый урок, который он извлек из этой книги, — это то, что «только мы сами наполняем свою жизнь смыслами через свои поступки, а историю — тем, что мы создаем этими поступками». Люди — это лишь то, что определяет их через их же поступки. «Я не хочу быть тем, кто боится защитить свои принципы действиями».

Эта тема, этот моральный конструкт для самоидентификации и оценки собственного достоинства снова и снова вставали перед ним на его интеллектуальном пути, в том числе, как он пояснил с некоторым смущением, он размышлял об этом, когда играл в компьютерные игры.

Урок, который Сноуден извлек из компьютерных игр, по его словам, заключался в том, что всего один человек, даже не имеющий никакой власти, может противостоять большой несправедливости. «Часто герой — это обычный человек, который сталкивается со смертельной несправедливостью со стороны могущественных сил и должен выбрать — бежать ли ему в страхе или сражаться за свои убеждения. История также дает примеры того, как, казалось бы, обычные люди имели решимость бороться за правду и побеждали самых грозных противников».

Сноуден был не первым, от кого я узнал, что компьютерные игры повлияли на его мировоззрение. Несколько лет назад, услышав такое, я лишь усмехнулся бы, но постепенно мне пришлось признать, что для поколения Сноудена они играют не менее серьезную роль в формировании политических убеждений, моральных принципов, понимания собственной роли, чем литература, телевидение, кино. Часто компьютерные игры предлагают молодым людям сложные нравственные дилеммы, заставляют их думать — особенно тех, кто склонен к подобным размышлениям.

Первые мысли Сноудена о морали сформировали, по его словам, его «модель того, кем мы хотим быть и почему» и переросли в серьезный анализ собственных этических обязательств и психологических барьеров. «Страх перед последствиями заставляет человека оставаться пассивным и послушным, — пояснил он. — Но как только перестаешь чувствовать привязанность к вещам, которые на самом деле ничего не значат, — деньгам, карьере, физической безопасности, — этот страх можно преодолеть».

Также одно из центральных мест в его представлениях о мире занял Интернет. Как и для многих людей его поколения, Интернет являлся для него неким отдельным инструментом для выполнения конкретных заданий. Это был целый мир, в котором развивался его ум и формировалась его личность, место, которое само по себе дает свободу, позволяет исследовать вселенную, дарит возможность интеллектуального роста и миропонимания.

Для Сноудена эти уникальные возможности Интернета были не подвергаемой сомнению ценностью, которую следовало сохранить любой ценой. Он пользовался Интернетом подростком, исследуя мир и общаясь с людьми из самых отдаленных мест, самого разного воспитания и происхождения — с теми, с кем он никогда бы не встретился при других обстоятельствах.

«Самое главное, Интернет позволил мне ощутить, что такое свобода, и исследовать, каков мой потенциал как человека».

Как только мы начинали говорить о ценности Интернета, Сноуден, видимо, оживлялся и говорил страстно.

«Для многих детей Интернет — это средство самовыражения. Через него они узнают, кто они на самом деле и кем они хотят быть, но в будущем это возможно, только если сохранится наше право на частную жизнь и анонимность, право на ошибку без последующих преследований. Я боюсь, что мы — последнее поколение, которое имело эту свободу».

Мне, наконец, стало ясно, что сыграло такую роль в его решении.

«Я не хочу жить в мире, где нарушены права на частное пространство, где нет свободы, где уничтожена уникальная ценность Интернета», — говорил Сноуден.

Он почувствовал себя призванным сделать все, что в его силах, чтобы остановить эту тенденцию. Или, если быть более точным, чтобы дать возможность другим сделать свой выбор — защищать или не защищать свои принципы.

Сноуден несколько раз повторил, что его цель — не разрушить потенциал АНБ, а помешать ему вторгаться в частную жизнь.

«Не мне делать этот выбор», — подчеркнул он тогда. Нет, он хочет, чтобы американские граждане и люди во всем мире узнали, что делают с их правами.

«Я не собирался разрушать эти системы, — уверял он, — но хотел дать людям возможность решать, желают ли они жить так дальше».

Часто разоблачителей вроде Сноудена демонизируют, считают аутсайдерами или лузерами, которые действуют не по убеждению, а из-за отчужденности и разочарования собственными неудачами. Со Сноуденом все получилось совершенно наоборот. В его жизни было все, что обладало бы ценностью для других. Его решение опубликовать документы означало, что он отказывается от девушки, с которой у него были длительные отношения и которую он любил, от жизни в райском уголке на Гавайях, от любящей семьи, стабильной карьеры, неплохой зарплаты, жизни, полной всяческих возможностей.

После того как в 2011 году срок его пребывания в Японии закончился, Сноуден вновь поступил на работу в корпорацию *Dell*, на этот раз в офис ЦРУ в Мэриленде. С учетом бонусов его заработок должен был составить в том году порядка $200 тыс., а в его задачи входила разработка совместно с *Microsoft* и другими технологическими компаниями систем безопасности, предназначенных для хранения документов и данных для ЦРУ и других агентств.

«Мир становился все хуже, — так рассказывал Сноуден о данном периоде. — На этой должности я, прежде всего, увидел, что государство, и особенно АНБ, работает рука об руку с частными IT-компаниями, добиваясь того, чтобы получить полный доступ к переписке и разговорам людей».

В тот день в течение пяти часов интервью — и за все время, которое мне довелось беседовать с ним в Гонконге, — Сноуден почти не менял интонаций — стоически спокойных, четких. Но когда он подошел к тому, что было им обнаружено и что окончательно подвигло его к действию, его речь стала эмоциональной, почти возбужденной.

«Я понял, — рассказывал он, — что они создают систему, цель которой — вообще уничтожить всяческую приватность, везде, во всем мире. Сделать так, чтобы никто не мог общаться через электронные средства в обход АНБ».

Именно осознание этого укрепило Сноудена в решении стать разоблачителем. В 2012 году корпорация *Dell* переводит его из Мэриленда на Гавайи. Часть 2012 года он проводит, сохраняя документы, которые, по его мнению, должен увидеть мир. Он отбирает некоторые другие материалы не для публикации, а для того, чтобы журналисты могли познакомиться с контекстом, в котором созданы системы, о которых им предстояло писать.

В начале 2013 года Сноуден понял, что ему для завершения картины требуется одна подборка документов, которую он хотел представить миру, но к которой не имел доступа, работая в *Dell*. Эти документы он мог достать, лишь заняв другую должность — и его на нее в конце концов назначили. Это должность аналитика по инфраструктурным решениям, в качестве которого он смог получить допуск к хранилищу материалов, непосредственно касающихся слежки АНБ.

Не оставляя своей цели, Сноуден подал заявление на вакантную должность, открывшуюся на Гавайях в *Booz Allen Hamilton*, одной из крупнейших частных компаний в США, имеющих контрактные отношения с государственными агентствами безопасности, в которой нашли приют немало бывших государственных служащих. Чтобы занять эту должность, он пошел на понижение зарплаты, но получил доступ к тому необходимому массиву документов, которые, по его мнению, были нужны для полноты картины деятельности АНБ по наблюдению за гражданами. И действительно, ему удалось собрать информацию о секретном отслеживании со стороны АНБ целой телекоммуникационной инфраструктуры внутри Соединенных Штатов.

В середине мая 2013 года Сноуден попросил о двухнедельном отпуске с целью лечения от эпилепсии, болезни, о наличии которой у себя он узнал всего за год до этого. Он собрал чемоданы, взял с собой несколько флеш-накопителей с документами АНБ и четыре пустых ноутбука, которые собирался использовать в различных целях.

Своей девушке он тоже не сказал, куда едет; но это не выглядело необычно, поскольку, разъезжая по служебным делам, он не имел возможности сообщать об этом. Он не хотел посвящать ее в свои планы, чтобы не подвергать преследованиям после того как его личность будет установлена.

20 мая он прибыл с Гавайев в Гонконг, поселился в отеле Mira под своим настоящим именем и с тех пор оставался здесь.

Сноуден проживал в отеле довольно открыто, расплачивался собственной кредитной картой, поскольку, как он понимал, каждое его действие будет тщательно изучаться правительством, средствами массовой информации, практически всеми, кто этого пожелает. И он хотел предотвратить заявления о том, что он иностранный агент, оснований для которых было бы больше, если бы он скрывался все это время. По его словам, он готовился показать, что означают его действия, что никакого заговора не было и что он действовал в одиночку. Перед гонконгскими и китайскими властями он представал как обычный бизнесмен, а не как скрывающийся изгнанник.

«Я не собираюсь скрывать ни кто я, ни что я, — сказал он. — У меня нет причин прятаться в угоду теориям заговора и кампаниям по охоте на ведьм».

Затем я задал Сноудену вопрос, который вертелся у меня в голове с самого первого нашего разговора в онлайне: почему, решив показать миру документы, он выбрал Гонконг в качестве пункта назначения? Его ответ характерным образом показал, что это решение основывалось на тщательном анализе.

Его главной целью, сказал он мне, было обеспечение его собственной физической безопасности в период работы над документами вместе со мной и Лорой. Если бы американские власти раскрыли его планы относительно документов, они бы попытались остановить его, арестовать или даже убрать. Гонконг, несмотря на полунезависимость, является китайской территорией, и Сноуден посчитал, что американским агентам действовать против него здесь будет сложнее, чем в других странах, например небольших латиноамериканских государствах, таких как Эквадор или Боливия, которые он тоже рассматривал в качестве возможного места укрытия. Кроме того, Гонконг наверняка проявил бы бóльшую волю и имел больше возможностей для противостояния давлению со стороны США, чем какое-либо европейское государство, к примеру Исландия.

И хотя главным соображением для Сноудена при выборе страны оставалось его стремление предъявить общественности документы, оно все же не было единственным. Он предпочел место, где еще были привержены политическим ценностям, значимым для него самого. Он пояснил, что народ Гонконга, хотя и находится под жестким правлением Китая, боролся, чтобы сохранить базовые политические свободы и благоприятный климат для инакомыслия. Сноуден подчеркнул, что лидеры Гонконга избираются демократическим путем, здесь проводятся демонстрации протеста, в том числе ежегодный марш в память о жертвах расстрела [студентов] на площади Тяньаньмэнь.

У него имелся выбор среди других стран, которые предоставили бы ему еще большую защиту от возможных преследований со стороны Штатов, в том числе и континентальный Китай. И среди них, безусловно, были государства с большей политической свободой. Однако именно Гонконг мог обеспечить Сноудену физическую безопасность в благоприятной политической обстановке.

Конечно, у этого решения были и свои недостатки, и Сноуден о них знал: в частности, связь с государством Китай давала много дополнительных поводов для его очернения. Однако идеального во всех отношениях выбора не существовало.

«Все варианты имели какие-то изъяны», — повторил он не один раз, но Гонконг дал ему ту меру безопасности и свободы передвижения, которую трудно было бы найти где-либо еще.

Как только я узнал все детали истории, у меня появилась еще одна цель: убедиться в том, что Сноуден понимает, что может случиться с ним, когда его личность его, как источника, будет установлена.

Администрация Обамы начала против подобных разоблачителей кампанию, которую люди из политических кругов называли беспрецедентной. Президент страны, чья выборная кампания строилась на утверждении, что это будет «самая прозрачная администрация в истории», обещавший защиту разоблачителям, которых он называл «благородными» и «мужественными» людьми, теперь предпринимал действия, прямо противоречащие этим заявлениям.

Администрация Обамы в соответствии с законом о шпионаже 1917 года подвергла преследованиям фактически вдвое больше правительственных служащих, раскрывших секретную информацию — всего семь человек, — по сравнению со всеми предшествующими администрациями за всю историю Соединенных Штатов взятыми вместе. Акт о шпионской деятельности, принятый во время Первой мировой войны, позволил Вудро Вильсону объявить противозаконными выступления несогласных против войны; были введены жестокие наказания: пожизненное заключение и даже смертная казнь.

Без сомнений, на Сноудена закон обрушился бы всей своей мощью. Министерство юстиции обвинило бы его в преступлениях, за которые полагалось пожизненное заключение, и можно было предположить, что его объявили бы изменником.

«Как вы думаете, что будет с вами, когда источник информации будет раскрыт?» — задал я этот вопрос.

Сноуден ответил сразу, из чего можно было заключить, что он много раз задавался им сам.

«Скажут, что я нарушил Закон о шпионаже. Что совершил тягчайшие преступления. Что я помогал врагам Америки. Что поставил под удар национальную безопасность. Я уверен, что в моем прошлом раскопают каждую мелочь, возможно, раздуют ее или даже что-то сфабрикуют, чтобы представить меня преступником».

В тюрьму он попасть не хотел.

«Я попытаюсь избежать этого. Но если результат будет именно такой, и я знаю, что шанс очень велик, то я некоторое время назад решил, что к чему бы меня ни приговорили, я смогу с этим жить. Единственное, с чем я не смог бы смириться, — с тем, что я ничего не сделал».

С этого первого дня и в дальнейшем я находился под большим впечатлением от решимости Сноудена и его трезвого осознания того, что с ним может произойти. Ни разу я не видел, чтобы он проявил хоть каплю сожаления, страха или волнения. Без тени сомнения он говорил о своем выборе, о его возможных последствиях и был готов принять их.

В Сноудене чувствовалась сила, которая помогла ему принять решение. Говоря о том, что может сделать с ним правительство, он не терял своего потрясающего самообладания. Было удивительно видеть молодого, двадцатидевятилетнего человека, который так относился к угрозе провести десятки лет или всю жизнь в тюрьме для особо опасных преступников — перспективе, способной навести леденящий ужас на каждого, — и это восхищало. Его мужество оказалось для нас заразительным: мы с Лорой много раз пообещали друг другу и Сноудену, что все, что бы мы ни предприняли с этой минуты, будет проявлением уважения к его выбору. Я чувствовал себя обязанным рассказать историю Сноудена именно в том духе, который определял его поступок, — смелости, коренившейся в убеждении в своей правоте, и бесстрашия перед преследованиями и угрозами, которые могли посыпаться от официальных лиц, желавших скрыть свои действия.

Через пять часов, в течение которых продолжалось интервью, я отбросил все сомнения в правдивости заявлений Сноудена и его мотивах, взвешенных и искренних. Перед нашим уходом он вновь вернулся к тому, о чем упомянул уже много раз: Сноуден настаивал, чтобы он был указан в качестве источника получения документов, причем открыто, в первой же статье, которую нам удастся опубликовать.

«Каждый, кто делает что-то значимое, должен объяснить людям, зачем он это делает и чего надеется достичь», — сказал он.

Сноуден не хотел разжигать страх, который мог возникнуть в правительстве, если бы он скрывался. Кроме того, он был уверен, что АНБ и ЦРУ обнаружат источник утечек сразу же после наших публикаций. Он не предпринимал попыток замести следы, поскольку не желал, чтобы его коллеги попали под расследование или против них были выдвинуты обвинения. Он утверждал, что приобретенные навыки и нечеткая работа систем АНБ позволили бы сохранить инкогнито, если бы он задался такой целью, даже несмотря на ту сверхсекретную информацию, которую ему удалось скопировать. Тем не менее он предпочел оставить какие-то электронные «отпечатки», которые означали, что скрывать остальное уже не имеет смысла.

И хотя у меня не было желания помогать правительству в обнаружении источника, раскрывая его личность, Сноуден убедил меня, что, так или иначе, это неизбежно. Но главное, он сам был полон решимости предстать перед глазами общественности, но не хотел давать возможности властям сказать в этом деле первое слово.

Единственное, чего боялся Сноуден, — это того, что раскрытие его личности затмит суть его разоблачений.

«Я замечаю, как СМИ стремятся персонализировать любой скандал, и правительство постарается напасть на разоблачителя, сделать историю из меня самого», — подчеркнул он.

В его планы входило сразу же открыть свое имя и после этого исчезнуть из виду, чтобы внимание сосредоточилось на АНБ и его шпионской деятельности.

«После того как я назову себя и расскажу о себе, — говорил он, — я не буду общаться ни с какими СМИ. Я не хочу, чтобы из меня сделали историю».

Я предложил не раскрывать имя Сноудена в первой же статье, а подождать неделю, чтобы не отвлекать внимания от главного. Идея была проста: публиковать большие статьи одну за другой, излагая информацию в шокирующей журналистской версии, начав с сути и закончив раскрытием источника. В конце нашей первой встречи мы пришли к соглашению и выработали план.

Все оставшееся время в Гонконге я каждый день встречался и разговаривал со Сноуденом. Ночами я мог спать не более двух часов, да и то принимая снотворное. Остальное время я писал статьи на основе документов Сноудена, а когда они начали публиковаться, давал интервью, обсуждая эти материалы.

Сноуден позволил нам с Лорой решать, о каких случаях следует сообщать, в какой последовательности и каким образом их представлять. Однако в нашу первую встречу Сноуден — как он делал это многократно до того и впоследствии — подчеркивал, как важно, чтобы мы тщательно подбирали все материалы.

«Я выбирал документы, руководствуясь тем, насколько они интересны для общественности, — объяснил он нам. — Но я полагаюсь на ваше журналистское чутье, и вы можете публиковать только те из них, которые следует узнать публике и которые не нанесут вреда невинным людям».

Именно по этой причине, из тех, которые мне известны, Сноуден решил употребить нашу способность сгенерировать общественный резонанс, не допуская того, чтобы у американских властей были основания для преследования других людей из-за документов, которые мы опубликуем.

Сноуден также делал акцент на том, что публикация документов должна происходить журналистскими методами — подразумевая под этим работу со СМИ и подготовку статей, которые создавали бы контекст для материалов, — а не в форме одновременной публикации только текстов документов. Правильный подход создаст основу для юридической защиты, а кроме того, позволит представить общественности разоблачающие данные последовательно и рационально.

«Если бы я хотел разом выложить все документы в Интернете, я бы смог это сделать сам, — пояснил он. — Но мне нужно, чтобы вы убедились, что каждый случай в действительности имел место, и чтобы люди узнали то, что им следует знать».

Мы согласились, что на этих условиях и будем публиковать материалы. Несколько раз Сноуден подчеркивал, что с самого начала он хотел, чтобы его историей занялись именно мы с Лорой, потому что мы способны подать ее агрессивно и не испугаемся угроз со стороны властей. Он часто упоминал *New York Times* и другие крупные издания, которым приходилось по требованию властей отказываться от серьезных публикаций.

Вместе с тем ему хотелось, чтобы журналисты имели возможность неторопливо и скрупулезно проработать документы, дабы убедиться в неопровержимости представленных фактов, и чтобы все статьи были тщательно выверены.

«Некоторые документы, которые я вам даю, не для публикации, но для того, чтобы вы сами поняли, как работает эта система, и могли правильно написать об этом», — разъяснил он.

В конце первого дня в Гонконге, покинув номер Сноудена, я вернулся в гостиницу и в течение ночи написал четыре статьи, надеясь, что *Guardian* немедленно начнет их публикацию. Надо было спешить: мы должны проработать как можно больше документов со Сноуденом, прежде чем это станет неосуществимо по той или иной причине.

Было еще кое-что. В такси по пути в аэропорт JFK[1] Лора сказала мне, что она поговорила с некоторыми серьезными СМИ и журналистами относительно документов Сноудена. Среди этих журналистов был и Бартон Геллман, дважды лауреат Пулитцеровской премии, когда-то работавший в *Washington Post*, а ныне сотрудничающий с ней внештатно. Лоре не удалось убедить кого-либо поехать с ней в Гонконг, но Геллман, который давно занимался темой слежки, весьма заинтересовался этой историей.

По Лориной рекомендации Сноуден согласился передать «некоторые документы» Геллману, с тем чтобы тот вместе с Лорой подготовил публикацию для *Washington Post* по нескольким конкретным разоблачениям.

Я с уважением относился с Геллману, но не к *Washington Post*, которая представлялась мне пастью массмедийного чудища,

---

[1] Аэропорт им. Дж. Кеннеди. — *Примеч. ред.*

воплощая в себе все худшие качества американских средств массовой информации: чрезмерная близость к властям, трепет перед институтами национальной безопасности, нежелание печатать несогласных.

Собственный аналитик газеты Говард Курц еще в 2004 году писал, что газета систематически предоставляет трибуну голосам в пользу военного вторжения в Ирак, стараясь заглушать или полностью замалчивать оппозиционные мнения. Новости в *Washington Post*, по тогдашнему заключению Курца, подавались «чрезвычайно однобоко», в пользу вторжения. Редакционная колонка «WP» всегда шла в ногу с самыми голосистыми и безрассудными апологетами американского милитаризма, секретности и слежки.

Таким образом, *Washington Post* был предложен лакомый кусок, который она не заслужила и который не предложил ей сам источник — Сноуден (согласившись, однако, с рекомендацией Лоры). Безусловно, мой первый разговор по Интернету со Сноуденом вырос из его раздражения позицией газеты, продиктованной страхом.

Одна из моих многих претензий к *WikiLeaks* заключалась в том, что на протяжении нескольких лет эта организация многократно передавала информацию крупнейшим медийным агентствам, которые делали все, чтобы защитить власти и усилить собственное влияние. Эксклюзивные материалы о сверхсекретных документах поднимали статус издания и журналиста, опубликовавших информацию. Поэтому имело больший смысл отдавать такие сведения независимым журналистам и средствам массовой информации, тем самым заставляя общественность прислушиваться к их голосам, повышая их авторитет и влияние.

Хуже всего, и я знал это, что *Washington Post* будет послушно выполнять неписаные правила, которые действуют для официальных массмедиа в отношении государственных секретов. Согласно этим установкам, позволяющим властям держать разоблачения под контролем, минимизируя или даже сводя на нет их резонанс, редактор прежде всего информирует государственные органы о том, что собирается публиковать его издание, а органы национальной безопасности в свою очередь сообщают ему, каковы могут быть последствия разоблачений в отношении государственной безопасности. Затем ведутся длительные переговоры насчет того, что будет и не будет напечатано. В лучшем случае информация публикуется со значительным опозданием. Часто же заведомо сенсационные материалы не проходят.

Именно этими соображениями руководствовалась *Washington Post*, опубликовав в 2005 году материал о существовании «черных мест» — секретных тюрем ЦРУ, пытаясь скрыть их местоположение в различных странах, что позволило ЦРУ продолжать эту противозаконную практику.

Аналогичным образом *New York Times* пыталась скрыть существование программы по прослушиванию телефонных разговоров АНБ в течение года после того как журналисты Джеймс Райзен и Эрик Лихтблау были готовы опубликовать эту информацию в середине 2004 года Президент Буш вызвал издателя газеты Артура Зальцберга и главного редактора Билла Келлера в Овальный зал Белого дома, чтобы объяснить им, что они станут пособниками террористов, если раскроют общественности, что АНБ следит за американскими гражданами без законных на то оснований. Газета подчинилась требованиям и задержала публикацию статьи на *пятнадцать месяцев* — вплоть до конца 2005 года, когда президент Буш был переизбран на своем посту (сокрытие факта, что разговоры американцев могут прослушиваться на незаконных основаниях, способствовало этому переизбранию). И даже тогда *New York Times* опубликовала статью лишь потому, что разочарованный таким ходом событий Райзен собирался выпустить книгу с разоблачениями, и газета не захотела, чтобы собственный репортер ее же и обошел.

Кроме того, нужно упомянуть и о том, в каком тоне подается крупными газетами материал о злоупотреблениях со стороны государства. Журналистская культура США заставляет репортеров избегать всяческих четких формулировок и декларативных заявлений, использовать в материалах официальные формулировки, относиться к ним уважительно, какими бы недобросовестными они ни были на самом деле. Их политика, по определению колумниста Эрика Уэмпла из *Washington Post*, является половинчатой: никогда не говорить ничего определенного, но с одинаковой степенью уверенности печатать материалы в защиту властей и реальные факты, разводя разоблачительные обвинения до состояния запутанной, непоследовательной, часто незначительной новости. Помимо прочего, упор делается на официальной позиции, даже если это заведомо обман или лицемерие.

В тот момент это была журналистика страха и раболепия, когда и *New York Times*, и *Washington Post*, и многие другие издания отказывались использовать слово «пытки» в материалах о методах допроса, принятых в американских тюрьмах в период правления Буша, хотя это же слово без сомнений употреблялось для описания тех же методов, применяемых правительствами других стран. Массмедиа потерпели крах, пытаясь обелить безосновательные заявления правительства относительно Саддама [Хусейна. — *Примеч. пер.*] и Ирака, чтобы оправдать военные действия в глазах американской общественности. Эти заявления строились на ложных фактах, которые СМИ не стремились проверить, а старательно раздували.

Есть еще одно неписаное правило, призванное защищать власти: издание публикует лишь несколько документов разоблачительного характера, а затем прекращает публикацию. Чтобы смягчить удар от разоблачений Сноудена, газета могла напечатать несколько статей о собранном им архиве документов, что позволило бы ей снискать одобрение общественности, сорвать куш в виде призов, а затем изданию следовало замолчать — так что никаких перемен произойти не могло.

Итак, Сноуден, Лора и я сошлись во мнении, что настоящая публикация документов АНБ должна быть агрессивной по подаче, одна статья — следовать за другой, до тех пор пока не будут освещены все вопросы, представляющие интерес для общественности, невзирая на то, вызовет ли материал гнев или угрозы в наш адрес.

Еще во время нашего первого разговора Сноуден разъяснил, почему он не доверит свою историю ведущим средствам массовой информации, сославшись на случай с сокрытием *New York Times* сведений о прослушке АНБ.

Он пришел к выводу, что замалчивание газетой информации в очень значительной мере повлияло на исход выборов 2004 года. «Сокрытие этой истории изменило ход истории», — сказал он. Сноуден был полон решимости представить документы о программах слежки АНБ как о беспрецедентном случае, чтобы возбудить общественную дискуссию с реальными последствиями, а вовсе не ради сенсации, которая принесет славу журналисту, но которой невозможно ничего достичь. Это должно было стать бесстрашным разоблачением, которое вынудит правительство повиниться и вызовет в нем панику, подтвердит правоту действий Сноудена и заставит общественность недвусмысленно осудить АНБ, — то есть тем, что *Washington Post*, безусловно, запретит делать своим репортерам в отношении правительства. Я понимал, что все, что ни сделает *Washington Post*, может лишь ослабить эффект от разоблачений. То, что они получили ряд документов Сноудена, казалось мне противоречащим всему, чего мы пытались достигнуть.

Но, как обычно, Лора предъявила мне убедительные доводы в пользу публикации в газете. Прежде всего, ей представлялось полезным привлечь официальный Вашингтон, что затруднило бы путь к отрицанию и объявлению наших действий противозаконными. Если любимая газета официального Вашингтона сообщит о сделанных разоблачениях, властям будет сложно демонизировать тех, кто был с ними связан.

Кроме того, Лора честно призналась, что когда ни она, ни Сноуден на протяжении некоторого времени не имели возможности связаться со мной из-за того, что я не мог воспользоваться криптографической системой, и она осталась один на один со всем грузом сверхсекретных документов АНБ, предоставленных ей нашим источником, она чувствовала необходимость найти кого-то, кому бы она могла доверить этот секретный материал, или какую-либо организацию, которая обеспечила бы ей защиту. Ей также не хотелось отправляться в Гонконг в одиночку. И поскольку Лора не могла поговорить со мной с самого начала, а источник хотел найти еще кого-то, кто мог бы помочь с публикацией материалов по PRISM, она пришла к выводу, что есть смысл обратиться к Геллману.

Я принял все объяснения, но так и не смог согласиться с решением работать с *Washington Post*. На мой взгляд, идея привлечь официальный Вашингтон была чрезвычайно рискованной и противоречивой и при этом соответствовала тем неписаным правилам СМИ, которых я стремился избежать. Мы были такими же профессиональными журналистами, как и репортеры *Washington Post*, но предоставление газете документов, с тем чтобы защитить самих себя, в моем понимании, подкрепляло те основы, против которых мы выступали. И хотя Геллман подготовил потрясающую и важную публикацию, Сноуден с самых первых наших бесед начал выражать сожаление по поводу задействования газеты, хотя он самостоятельно принял эту рекомендацию Лоры.

Сноуден был расстроен тактикой проволочек, безрассудным вовлечением такого количества людей, которые без всяких предосторожностей обсуждали то, что он сделал, и особенно тем страхом, который был продемонстрирован бесчисленными консультациями с паникерами-адвокатами. Сноуден испытывал особенное раздражение в отношении Геллмана, который по приказанию редакторов и адвокатов *Washington Post* решительно отказался поехать в Гонконг для встречи с ним и работы над документами.

По крайней мере, по словам Сноудена и Лоры, адвокаты *Washington Post* посоветовали Сноудену не лететь в Гонконг, Лоре они рекомендовали то же, отказавшись от первоначального предложения оплатить ее поездку. Все это имело абсурдные объяснения, основанные на страхе, что разговоры о прослушке во время нахождения в Китае, который имеет мощную программу прослушивания, могут быть подслушаны китайскими властями, что, в свою очередь, будет рассматриваться американским правительством как неумышленная передача секретных сведений китайцам и послужит основанием для уголовного преследования *Washington Post* и Геллмана по закону о шпионаже.

Сноуден был взбешен, хотя высказывался об этом сдержанно. Он поставил на кон собственную жизнь, подвергнув ее опасности, чтобы эта история вышла наружу. Он был практически не защищен, а между тем огромная медийная машина, имевшая всяческую юридическую и организационную поддержку, не хотела рисковать и не могла послать в Гонконг журналиста для встречи с ним.

«Я готов отдать им всю эту чрезвычайную историю, рискуя лично, — говорил он, — а они даже не хотят прилететь».

Таково рабское, осторожное поведение нашей «противостоящей правительству» прессы, о котором я говорил долгие годы.

Однако дело было сделано: некоторые документы были переданы *Washington Post*, и ни он, ни я уже ничего не могли изменить. Однако во вторую ночь в Гонконге после встречи со Сноуденом я подумал, что не *Washington Post* с ее проправительственной ориентацией, страхом, половинчатостью позиций должна определять, как будут поняты действия Сноудена и АНБ. Кто бы первый ни рассказал эту историю, это сыграет определяющую роль в том, как она будет представлена общественности и как ее будут обсуждать; и я решил, что это буду я и газета *Guardian*. Чтобы материал возымел должный резонанс, нельзя было подчиняться неписаным правилам официальной журналистики, призванным смягчать эффект разоблачений и защищать правительство, что сделала бы *Washington Post*, — надо было сломать их. Я выбрал собственный путь.

Итак, в своем номере я закончил работу над четырьмя отдельными статьями. Первая была о тайном распоряжении, отданном Судом FISA, обязавшем одну из крупнейших американских телефонных компаний *Verizon* передавать АНБ все записи телефонных переговоров всех граждан США. Во второй статье говорилось о программе прослушивания, принятой в правление администрации Буша и основанной на сверхсекретном (2009) внутреннем отчете генерального инспектора АНБ; в третьей я рассказывал о той самой программе BOUNDLESS INFORMANT, о которой читал в самолете; и четвертая была о программе PRISM, о которой я впервые узнал еще дома в Бразилии. Последняя история заставляла меня торопиться: именно этот документ готовилась напечатать *Washington Post*. Для немедленной публикации нам необходимо было привлечь *Guardian*. С наступлением гонконгского вечера — раннее утро в Нью-Йорке — я с нетерпением стал ждать, когда редакторы *Guardian* проснутся. Каждые пять минут я проверял, не появилась ли Джанин Гибсон в чате *Google* — именно так мы с ней обычно общались. Увидев ее имя, я сразу же послал ей сообщение: «Нам надо поговорить».

К тому моменту мы все понимали, что общаться ни по телефону, ни через гугловский чат нельзя — это было слишком небезопасно. Почему-то нам не удалось связаться через OTR, программу чата с криптографическим шифрованием, и Джанин предложила использовать *Cryptocat*, новый ресурс для защиты от слежения, который и стал главным каналом нашего общения на все время моего пребывания в Гонконге.

Я рассказал ей о сегодняшней встрече со Сноуденом, сообщив, что удостоверился в его личности и убедился в подлинности предоставленных им документов, а также что уже написал ряд статей. Джанин особенно заинтересовалась историей с *Verizon*.

«Отлично, — отозвался я. — Статья готова. Если нужны небольшие правки, давай их сделаем».

Я повторил Джанин, как важно опубликовать материалы незамедлительно.

«Давай их печатать».

Однако была одна проблема. Редакторы *Guardian* встречались с юристами газеты, которые выразили беспокойство. Джанин сообщила, что именно ей сказали адвокаты *Guardian*: публикация секретных документов, возможно (впрочем, маловероятно), будет расценена американским правительством как преступление в нарушение закона о шпионской деятельности, даже если речь идет о газете. Особую опасность в этом смысле представляли документы, относящиеся к радиоэлектронной разведке. В прошлом государство не преследовало массовые издания, но только в тех случаях, когда эти СМИ придерживались неписаных правил и когда чиновники имели возможность предварительно знакомиться с материалами и высказывать мнение относительно того, не повредит ли публикация национальной безопасности.

Такие консультации, как объяснили адвокаты *Guardian*, позволяют газетам продемонстрировать, что они не имеют намерения нанести публикацией сверхсекретных документов урон национальной безопасности, и поэтому для уголовного преследования нет оснований.

Однако никогда еще не было утечки документов АНБ, не говоря уже о степени секретности и масштабе разоблачений Сноудена. Адвокаты предупреждали нас о возможности уголовного преследования не только Сноудена, но и — примечательно для администрации Обамы — самой газеты. Всего за несколько недель до моего прибытия в Гонконг стало известно, что обамовское Министерство юстиции получило постановление суда, разрешавшее чтение электронных сообщений и записей телефонных переговоров журналистов и редакторов *Associated Press* для выяснения источника опубликованных ими материалов.

Практически сразу после этого появилось новое свидетельство еще более агрессивной атаки на репортерскую деятельность: Министерство юстиции возбудило дело против шефа вашингтонского бюро *Fox News* Джеймса Розена как соучастника источника, раскрывшего секретную информацию, — за то, что он работал с ним для получения этих материалов.

Уже на протяжении нескольких лет журналисты отмечали, что администрация Обамы осуществляет беспрецедентные нападки на журналистику. Однако эпизод с Розеном существенно обострил ситуацию. Сотрудничество с источником, которое рассматривается как «пособничество и подстрекательство», выводило журналистское расследование за рамки законности! Но никогда ни одному журналисту не удалось еще получить секретную информацию, не работая с ее источником. Создавшийся климат заставлял юристов при средствах массовой информации, не исключая *Guardian*, проявлять чрезмерную осторожность и даже страх.

«Они говорят, что ФБР может прийти, закрыть штаб-квартиру и изъять файлы», — поведала мне Гибсон.

Мне показалось это смехотворным: сама мысль о том, что американские власти могут закрыть в США крупнейшую газету *Guardian*, провести рейд в офисах, была из того рода предположений, которые раз и навсегда заставили меня, как юриста, возненавидеть адвокатов за бесполезные и осторожные советы. Но я понимал, что Гибсон не может просто игнорировать или отбросить эти соображения.

«Что это будет означать в нашем случае? — задал я ей вопрос. — Когда мы сможем напечататься?»

«Не скажу точно, Гленн, — ответила она. — Сначала надо во всем разобраться. Завтра мы снова встречаемся с адвокатами, тогда и выясним».

Я действительно волновался. Я не представлял себе, как будут реагировать редакторы *Guardian*. Мое независимое сотрудничество с газетой и тот факт, что я написал несколько статей, консультируясь с редактором по теме, совсем не такой секретной, как эта, не давали мне возможности реально оценить неизвестные мне факторы. Вся эта история была совершенно особого рода, и невозможно было предугадать, кто и как прореагирует, поскольку ничего подобного раньше не случалось. Вполне возможно, что редакция испугается и затихнет под угрозами властей. Есть вероятность, что они решат потратить несколько недель на переговоры с правительством. А может быть, они выберут собственную безопасность и предпочтут, чтобы историей занялась *Washington Post*.

Я стремился как можно скорее напечатать статью о *Verizon*: у нас на руках имелся документ FISA, и совершенно очевидно, что он был подлинным. Не было ни одной причины медлить с тем, чтобы американские граждане узнали, что правительство делает с их частной жизнью, — ни одной минуты. Кроме того, я чувствовал ответственность перед Сноуденом. Он сделал свой выбор — мужественный, осмысленный, бесстрашный. Я был полон решимости придать публикациям тот же дух, восстановить справедливость во имя той жертвы, которую приносил наш источник. Только смелая журналистская публикация способна была пробить атмосферу страха, который испытывали перед властями репортеры и их источники. Параноидальные рекомендации юристов и медлительность *Guardian* — вот что было противопоставлено журналистскому бесстрашию. В ту же ночь я позвонил Дэвиду и поделился своей нарастающей тревогой в отношении *Guardian*. Я также обсудил ситуацию с Лорой. Мы сошлись на том, чтобы дать *Guardian* для публикации первой статьи время до следующего дня, после чего мы начнем искать другие возможности.

Через несколько часов Юэн Макаскилл заглянул ко мне в номер, чтобы узнать новости о Сноудене, с которым он еще не был знаком. Я поделился с ним опасениями по поводу промедления.

«Не волнуйся, — подбодрил он меня. — Они очень агрессивны». Так он отозвался о *Guardian*. Алан Расбриджер, в течение длительного времени возглавлявший эту британскую газету, как уверял Юэн, «был крайне заинтересован» в этой истории и «полон решимости опубликовать ее».

Я по-прежнему считал Юэна выразителем корпоративных интересов, но уже с бо́льшим доверием отнесся к его словам, поскольку увидел и его собственное стремление быстрее опубликовать материал. Когда он ушел, я сообщил Сноудену о том, что с нами приехал еще и Юэн Макаскилл, назвав его «нянькой» газеты и предложив им встретиться на следующий день.

Я объяснил ему, что привлечение Юэна для нас важно, так как благодаря ему редакция будет чувствовать себя достаточно комфортно, печатая наш материал.

«Это не проблема, — прореагировал на мои разъяснения Сноуден. — Но теперь он присматривает за вами. Поэтому они прислали его сюда».

Их встреча действительно имела большое значение. На следующее утро Юэн пришел вместе с нами в отель к Сноудену и в течение двух часов задавал ему вопросы, часто на те же темы, что и я накануне.

«Откуда я могу знать, что вы тот, за кого себя выдаете? — в конце интервью спросил Юэн. — Есть ли у вас какие-то доказательства?»

В ответ Сноуден вынул пачку документов: свой уже просроченный дипломатический паспорт, старую карточку сотрудника ЦРУ, водительское удостоверение и удостоверения государственных организаций.

Мы вышли из его номера вместе с Юэном.

«Я полностью убедился в том, что он настоящий, — сказал Юэн. — У меня ноль сомнений».

Причин откладывать больше не было.

«Я позвоню Алану, как только мы вернемся в отель, и скажу, что мы можем сразу же начинать публикацию».

С этого момента Юэн являлся полноправным членом нашей команды. Довольно быстро Лора и Сноуден стали чувствовать себя при нем свободно, и я, признаться, тоже. Мы пришли к выводу, что наши сомнения совершенно необоснованны: под внешней мягкостью и добродушием скрывался бесстрашный репортер, готовый подать эту историю в точности так, как всем нам представлялось необходимым. Юэн, по крайней мере как он сам считал, был здесь не для того, чтобы наложить какие-то институциональные ограничения, но для того, чтобы способствовать публикации, а иногда и помочь преодолеть эти ограничения. И действительно, в течение нашего пребывания в Гонконге голос Юэна звучал наиболее радикально среди наших голосов; он выступал в пользу разоблачений, к которым не были пока готовы ни я, ни Лора, ни даже Сноуден.

Я скоро осознал, что его решение — подавать материал агрессивно и через *Guardian* — является ключевым, в этом случае у нас за спиной будет Лондон. Именно так и получилось.

Как только в Лондоне настало утро, мы с Юэном принялись звонить Алану. Я хотел как можно яснее дать понять, чего я ожидал — даже требовал: чтобы *Guardian* в тот же день начала публикацию, а я мог бы четко уловить позицию газеты. В этот момент — а это был лишь мой второй полный день в Гонконге — я мысленно был готов отдать историю кому-нибудь еще, если бы я вдруг почувствовал, что лондонское издание тянет время.

Я высказался без обиняков: «Я готов опубликовать статью о *Verizon* и не вижу причин, почему бы нам не сделать это прямо сейчас, — сказал я Алану. — Будет ли какая-то задержка?»

Он заверил меня, что задержки не будет.

«Я согласен. Мы готовы печатать. Сегодня днем Джанин в последний раз встретится с адвокатами. Уверен, что после этого мы начнем публиковать».

Я заговорил об истории PRISM, что заставляло меня торопить с публикацией. Но Алан удивил меня: он хотел начать не просто с АНБ в целом, а конкретно со статьи о PRISM, утерев нос *Washington Post*.

«Почему мы должны их ждать?» — сказал он.

«Меня это устраивает».

Лондонское время на четыре часа опережает нью-йоркское, поэтому пришлось подождать, пока Джанин придет на работу и встретится там с адвокатами. В Гонконге был уже вечер, который я провел с Юэном, завершая работу над статьей о PRISM, уже уверенный в том, что Расбриджер подаст ее в нужной степени агрессивно.

Мы закончили статью и в тот же день переслали ее, используя криптографический шифр, Джанин и Стюарту Миллеру в Нью-Йорк. Таким образом, к печати были готовы две сенсации: о *Verizon* и PRISM. Мое терпение и воля к ожиданию были на исходе. Джанин встретилась с адвокатами в пятнадцать часов по нью-йоркскому времени — в три ночи по гонконгскому — и просидела с ними два часа. Все это время я бодрствовал, дожидаясь результата. Когда мы наконец связались, я хотел услышать от нее только одно: что мы сию минуту приступаем к печати статьи по *Verizon*.

Но ничего подобного не произошло. Она объявила мне, что еще остались «существенные» юридические вопросы. Когда они будут разрешены, *Guardian* должна сообщить в государственные органы о наших планах, что, как я понимал, даст им возможность заставить нас отказаться от публикации. Именно эту политику я ненавидел и всегда выступал против нее. Я вполне допускал, что *Guardian* позволит властям остановить публикацию, или с ней будут тянуть неделями, или попытаются смягчить ее эффект.

«Похоже, публикация сможет появиться не сейчас, а через несколько дней или недель, — написал я Джанин, пытаясь выразить словами в чате все свое раздражение и нетерпение. — Я еще раз повторяю, что я предприму все необходимые шаги, чтобы эта история появилась сейчас».

Я пригрозил, неявно, но недвусмысленно: если я не смогу разместить статьи в *Guardian* сейчас, я найду для этого другое место.

«Я поняла», — ответила она кратко.

В Нью-Йорке был уже конец рабочего дня. Я понимал, что если это не произойдет сейчас, то публикация отложится на весь следующий день. Я был разочарован и в тот момент испытывал большую обеспокоенность. *Washington Post* работала над статьей о PRISM, и Лора, которая готовилась поставить под этой историей свою подпись, получила известие от Геллмана о том, что они собираются публиковать ее в воскресенье, то есть через пять дней.

Обсуждая ситуацию с Дэвидом и Лорой, я понял, что не хочу больше ждать *Guardian*. Мы сошлись на том, что я начну искать альтернативу в качестве «плана Б» в случае, если публикация будет и дальше откладываться. Звонки в *Salon*, с которым я сотрудничал много лет, а также в *Nation* быстро принесли плоды.

И там, и там мне в течение нескольких часов дали ответ, что они будут счастливы начать тотчас же печатать статьи о деятельности АНБ. Мне предложили всю необходимую поддержку и адвокатов, готовых сразу же приступить к анализу статей.

Уверенность в том, что у меня есть уже два крупных издания, согласившихся напечатать статьи и рвущихся это сделать, придала мне бодрости. Однако в разговорах с Дэвидом мы пришли к мнению, что у нас есть еще один, более сильный вариант: просто создать собственный сайт под названием *NSAdisclosures.com* и начать выкладывать на нем статьи, не прибегая к помощи никаких средств массовой информации. Как только мы опубликуем информацию о том, что имеем в своем распоряжении огромный запас секретных документов о слежке со стороны АНБ, мы сможем принять на работу к нам редакторов, юристов, ученых, привлечь спонсоров — создать целую команду из числа волонтеров, движимых лишь стремлением к правде и страстью к конфликтной журналистике. Они и подготовят публикацию, которая станет одним из крупнейших разоблачений в истории США.

С самого начала я верил, что эти документы не только прольют свет на секретную практику слежки АНБ, но и выявят динамику коррупции официальной журналистики. Одна из самых значительных историй в современном мире за долгие годы будет рассказана благодаря новой и независимой модели репортерской работы, отчужденной от деятельности крупной массмедийной организации, — меня это чрезвычайно привлекало. Эта идея основывалась на том, что Первая поправка гарантирует свободу прессы и возможность осуществлять значимые журналистские публикации вне зависимости от принадлежности к крупным средствам массовой информации.

Бесстрашие этого поступка — а мы собирались опубликовать тысячи сверхсекретных документов АНБ, не имея защиты, какую имеют крупные медийные корпорации, — вдохновит других людей и поможет прорвать царящую ныне атмосферу страха.

Той ночью я почти не спал. Утро в Гонконге я провел, обзванивая людей, мнению которых доверял, — друзей, адвокатов, журналистов, с которыми тесно сотрудничал. Все они давали мне один и тот же совет, который не был для меня удивительным: это слишком рискованно, чтобы действовать в одиночку, вне существующей системы средств массовой информации. Мне нужны были аргументы, и они представили вполне убедительные.

На исходе утра, когда все предупреждения прозвучали, я вновь позвонил Дэвиду, одновременно беседуя с Лорой в онлайне. Дэвид настаивал на том, что публикация в *Salon* или *Nation* — путь неуверенности и страха, «шаг назад», как он это назвал, и что в случае дальнейшего промедления со стороны *Guardian* только размещение материалов на вновь созданном сайте соответствует духу бесстрашия, который мог бы вдохновить людей во всем мире. Поначалу скептически относившаяся к этой идее Лора согласилась, наконец, с тем, что такой дерзкий поступок — создание глобальной сети людей, выступающих за прозрачность действий АНБ, — вызовет массивную, мощную и эмоциональную реакцию.

Итак, во второй половине дня в Гонконге мы пришли к общему решению: если *Guardian* не пожелает напечатать материалы к концу этого дня, который еще не начинался на Восточном побережье, я уезжаю и незамедлительно выкладываю статью о *Verizon* на нашем новом веб-сайте. Я осознавал, как велик риск, но был в восторге от нашей идеи. Кроме того, этот альтернативный план укрепит мои позиции в предстоявшем сегодня обсуждении с *Guardian*. Я понимал, что уже не так к ним привязан в смысле публикации, а высвобождение из каких-то ограничений всегда придает сил. В разговоре со Сноуденом в тот же день я поведал ему о нашем плане.

«Рискованно, но смело, — пришел его ответ. — Мне нравится».

Мне удалось пару часов поспать. Проснувшись в середине дня далеко за полдень по гонконгскому времени, я вновь был вынужден ждать, когда начнется рабочее утро среды в Нью-Йорке. Я понимал, что мне предстоит выдвинуть *Guardian* своего рода ультиматум. Мне хотелось двигаться вперед.

Как только Джанин вышла в онлайн, я спросил ее о планах.

«Мы публикуемся сегодня?»

«Надеюсь», — был ответ.

Ее неуверенность меня рассердила. *Guardian* все еще собиралась связаться утром с АНБ, чтобы сообщить о нашем намерении. Лора сказала, что график публикаций будет, только когда от них придет ответ.

«Не понимаю, почему мы ждем, — из-за отсрочек, которые делала *Guardian*, я потерял терпение. — С такой явной сенсацией мы должны кого-то слушать, публиковаться нам или нет!»

Я считал, что правительство не должно выступать в качестве партнера редакции, когда она принимает решение о публикации тех или иных материалов, и я видел, что против нашего сенсационного сообщения о *Verizon* не может быть выдвинуто сколь-нибудь внятного аргумента с точки зрения национальной безопасности. Материал о *Verizon*, в котором фигурировало простое постановление суда, доказывал практику систематического сбора информации о телефонных переговорах американских граждан. Мысль о том, что «террористы» получат поддержку в виде такой информации, была смехотворной: всякий террорист, способный хотя бы зашнуровать собственные ботинки, знает, что государство пытается отследить его телефонные переговоры. Люди, которые узнают что-то новое из нашей статьи, — это не «террористы», а американские граждане.

Джанин повторила мне сказанное адвокатами *Guardian*, настаивая, что я неправ, если думаю, что газета подвергнется угрозам в результате публикации. Напротив, уверяла она, это чисто юридическая практика, когда газета должна выслушать то, что обязаны произнести властные органы. Она обещала, что ее не испугают и не поколеблют абстрактные и необоснованные ссылки на национальную безопасность.

Я не исходил из возможности угроз в отношении *Guardian*; я просто ничего не знал об этом.

Меня волновало, что власти могут, по меньшей мере, оттянуть публикацию. *Guardian* умела подавать материалы агрессивно и дерзко, и в этом была одна из причин, почему я прежде всего обратился именно сюда. Я понимал, что они имеют право предупредить меня о том, что они будут делать в худшей для нас ситуации, но не мог думать об этом. Заявления Джанин меня обнадежили. Я согласился с ней.

«Но еще раз: я считаю, что необходимо публиковать сегодня, — набирал я текст. — Я не хочу больше ждать».

Примерно в полдень по нью-йоркскому времени Джанин сообщила мне, что АНБ и Белый дом проинформированы о том, что планируется опубликовать сверхсекретные материалы. Однако ответа не последовало. В то утро Белый дом назначил Сьюзен Райс новым советником президента по национальной безопасности.

Журналист *Guardian*, который занимался проблемами национальной безопасности, Спенсер Акерман имел хорошие контакты в Вашингтоне. Он сообщил Джанин, что официальные лица «заняты» этим назначением.

«Они считают, что отвечать нам сию минуту нет необходимости, — писала мне Джанин. — Но ответ все же должен скоро прийти».

С трех утра до трех пополудни никаких новостей не появилось ни у меня, ни у Джанин.

«У них есть крайний срок для ответов или они отвечают, когда сочтут нужным?» — с сарказмом спросил я. Джанин сказала, что *Guardian* просила АНБ ответить «до конца текущего дня».

«Что, если они не ответят к этому времени?» — продолжал я нетерпеливо вопрошать.

«Тогда и будем решать», — написала Джанин.

И вдруг она добавила, что дело осложняет одно обстоятельство. Алан Расбриджер, ее босс, только что вылетел из Лондона в Нью-Йорк, чтобы проследить за публикацией материалов по АНБ. Это означало, что с ним нельзя будет поддерживать связь в течение семи последующих часов или около того.

«Ты можешь опубликовать эту статью без Алана?»

Вероятным ответом было «нет», тогда шансов на то, что статья выйдет сегодня, почти не оставалось. Самолет, на котором Алан летел в Нью-Йорк, должен был приземлиться в аэропорту Дж. Кеннеди поздно ночью.

«Посмотрим», — отозвалась она.

Это был один из тех организационных барьеров на пути агрессивной журналистики, которых я и пытался избегать, начав сотрудничество с *Guardian*: юридические проволочки, консультации с официальными лицами, организационная иерархия, боязнь рисков, ожидание.

Через несколько минут, в 3:15 пополудни по нью-йоркскому времени мне прислал сообщение Стюарт Миллер, заместитель Джанин: «Они перезвонили. Джанин разговаривает с ними».

Мне показалось, что окончания разговора я ждал вечность. Примерно через час Джанин связалась со мной и поведала, что у нее происходило. На линии было около десятка высокопоставленных чиновников из самых разных организаций, включая АНБ, Минюст и Белый дом. Сначала они высказывались снисходительно, но доброжелательно, подчеркивая, что она не вполне понимает значение или «контекст» судебного постановления по *Verizon*. Они предложили встретиться с ней «как-нибудь на следующей неделе» для разъяснения ситуации.

Когда Джанин сообщила им, что хочет напечатать материал сегодня же и сделает это, если не услышит каких-то очень конкретных или особых возражений, ее собеседники стали более агрессивными и почти угрожали из-за ее несогласия дать им время на поиск аргументов против публикации. Ее назвали «несерьезным журналистом», а *Guardian* — «несерьезной газетой».

«Ни одно нормальное издание не стало бы публиковать материал столь спешно, не встретившись предварительно с нами», — заявляли они, с очевидностью пытаясь выиграть время.

Помню, что я мысленно согласился с их утверждением. В том-то и было дело. Действующие правила позволяли властям контролировать и нейтрализовать процесс сбора публикуемой информации, сводя на нет антагонизм прессы и правительства. И для меня крайне важно было дать им понять с самого начала, что в нашем случае эта вредоносная тактика неприменима. Наши материалы должны публиковаться по другим правилам, которые определят существование независимых, а не раболепных средств массовой информации.

Меня порадовало дерзкое и уверенное настроение Джанин: она не раз повторила вопрос, каким образом публикация повредит национальной безопасности, но так и не получила конкретного и определенного ответа. Но ни в каком случае она не могла опубликовать материалы сегодня. В конце нашего разговора она сказала: «Я попробую связаться с Аланом, тогда мы решим, что можно сделать».

Я подождал полчаса и затем прямо спросил ее: «Будем мы публиковать сегодня или нет? Вот все, что я хочу знать». Джанин ушла от ответа. Алан был недоступен. Понятно, что Джанин находилась в чрезвычайно трудной ситуации: с одной стороны, государственные чиновники США обвиняют ее в безответственности, с другой — я требую от нее бескомпромиссных решений. И ко всему — главный редактор издания летит сию минуту в самолете, а это означало, что вся тяжесть самого трудного за всю 90-летнюю историю газеты решения со всеми вытекающими из него последствиями легла только на ее плечи.

Оставаясь на связи с Джанин, я все это время держал телефонную трубку, переговариваясь с Дэвидом.

«Уже почти пять вечера, — доказывал мне Дэвид. — Это крайний срок, который ты им дал. Пора решить. Или они начинают печатать сейчас, или ты говоришь им, что не работаешь с ними».

Он был прав, но я медлил. Разрыв с *Guardian* в тот момент, когда я готов опубликовать один из самых значительных разоблачительных материалов в истории США, обернулся бы большим скандалом. Он бы чрезвычайно повредил самой *Guardian*, поскольку мне удалось бы представить общественности некоторые объяснения, которые бы, в свою очередь, позволили им защищаться, возможно, за мой счет. Мы могли устроить этот цирк, этакое шоу, которое не пойдет на пользу никому из нас. Что еще хуже, это отвлечет внимание от того, что должно оставаться в фокусе, — от разоблачений АНБ.

Я также должен был признать, что присутствовал элемент и моего личного страха: публикация сотен, если не тысяч, сверхсекретных файлов АНБ сама по себе была рискованной даже под вывеской такой крупной организации, как *Guardian*. Делать это одному, без ее защиты, было куда более опасно. У меня в голове звучали разумные предостережения моих друзей и адвокатов.

Поскольку я медлил с ответом, Дэвид продолжил: «У тебя нет выбора. Если газета побоится печатать это, то там тебе нет места. Ты не можешь действовать, руководствуясь страхом, иначе ты ничего не достигнешь. Этот урок преподал тебе Сноуден».

Вместе с Дэвидом мы придумали, что я напишу Джанин в чате: «Уже пять вечера, это крайний срок, который я дал. Если мы не печатаем это немедленно — в течение следующих тридцати минут, я разрываю контракт с *Guardian*. Я уже почти нажал на «Отправить» и... передумал. В этой записке звучала явная угроза — этакий виртуальный ультиматум. Если бы я ушел из *Guardian* при сложившихся обстоятельствах, все стало бы достоянием общественности, в том числе и этот разрыв. Поэтому я смягчил тон следующего сообщения Джанин: «Я понимаю, что у тебя свои соображения и ты поступаешь так, как считаешь нужным. Но мне надо идти вперед и сделать то, что я считаю нужным. Мне жаль, что у нас не получилось». И я отправил сообщение.

Через пятнадцать минут в моем номере зазвонил телефон. Это была Джанин.

«Мне кажется, ты ужасно несправедлив», — сказала она, очевидно расстроенная: если бы я сейчас порвал с *Guardian*, у которой не было ни одного документа, газета потеряла бы публикацию.

«По-моему, это ты поступаешь нечестно, — ответил я. — Я несколько раз спрашивал тебя, когда вы собираетесь публиковать материал, а ты каждый раз уходила от ответа».

«Мы будем печатать сегодня, — сообщила Джанин. — Начнем минут через тридцать, не позже. Мы просто вносим финальные правки, работаем над заголовком и форматом. Будем готовы не позже пяти тридцати».

«О'кей, если таков план, то вопросов нет, — отозвался я. — Тридцать минут я готов подождать».

В 5:40 Джанин прислала мне мгновенное сообщение с ссылкой, которую я мечтал увидеть уже несколько дней. Заголовок гласил: «АНБ ежедневно записывает телефонные переговоры миллионов клиентов *Verizon*», а в подзаголовке говорилось: «Эксклюзивно: сверхсекретное постановление суда, обязавшее *Verizon* передавать все данные о телефонных звонках, указывает на масштаб программ внутренней слежки администрации Обамы».

За этим следовала ссылка на полный текст постановления Суда FISA. В первых трех абзацах статьи рассказывалась вся история:

Агентство национальной безопасности получает записи телефонных разговоров миллионов клиентов компании *Verizon*, одного из крупнейших провайдеров телекоммуникационных услуг США, согласно принятому в апреле сверхсекретному судебному постановлению.

Постановление, копия которого была получена *Guardian*, требовало от *Verizon* «в текущем порядке, ежедневно» предоставлять АНБ информацию обо всех телефонных вызовах в этой системе как внутри США, так и состоявшихся между Штатами и другими странами.

Благодаря этому документу впервые было доказано, что администрация президента Обамы в беспрецедентном масштабе массово и без исключений собирала материалы о разговорах миллионов американских граждан, независимо от того, подозревались ли они в правонарушениях.

Реакция на статью была мгновенной и мощной, такого я себе не мог даже представить. Она стала главной новостью всех национальных программ новостей широковещательных компаний и основной темой политических и медийных дискуссий. Практически все национальные ТВ-компании — телеканалы *CNN*, *MSNB*, *NBC*, программы *Today*, *Good Morning America* и другие — засыпали меня просьбами об интервью. Многие часы я провел в Гонконге, отвечая на вопросы благожелательно расположенных интервьюеров — что было совсем необычным для меня как человека, пишущего на политические темы и часто вступающего в конфликт с официальной прессой. Все репортеры воспринимали нашу историю как огромное событие и настоящую сенсацию.

Представитель Белого дома, как можно было предположить, отстаивал программу массового сбора информации в качестве «важного инструмента в защите нации от террористической угрозы». Председатель комитета по разведке Сената США Дайэнн Файнстайн, одна из наиболее приверженных сторонников концепции национальной безопасности и слежения за гражданами США, использовала ставший стандартным аргумент 11 сентября, указав репортерам на необходимость программы в условиях, когда «люди хотят, чтобы их страна была безопасной».

Но практически никто уже не принимал всерьез эти рассуждения. В редакторской публикации про-обамовской *New York Times* была дана жесткая отповедь такой политике администрации. В редакторской статье, озаглавленной «Засада Президента Обамы» газета писала: «Мистер Обама подтверждает прописную истину, что исполнительная ветвь будет использовать все возможности, которые дает ей власть, и с большой вероятностью превысит ее». Высмеивая повторяемые администрацией аргументы, направленные на оправдание программы, газета заявляла: «администрация потеряла всяческое доверие». (Сделав столь острое заявление, *New York Times* без каких-либо комментариев со своей стороны спустя несколько часов после публикации смягчила формулировку, добавив к фразе слова «по этому вопросу».)

Сенатор от демократов Марк Юдалл заявил, что «такого рода широкомасштабная слежка задевает интересы каждого из нас и является со стороны правительства перегибом, который шокирует американцев». Американский союз защиты гражданских свобод *(ACLU)* заявил, что «с точки зрения гражданских свобод программа является не просто тревожным знаком... Она выходит за пределы оруэлловских предсказаний и вновь доказывает, до какой степени втайне попираются базовые демократические права по воле неподотчетных разведывательных агентств». Бывший вице-президент США Эл (Альберт. — *Примеч. пер.*) Гор дал в *Twitter* ссылку на нашу статью и написал: «Только мне кажется, что повальная слежка — это вопиюще возмутительно?»

Вскоре после публикации *Associated Press* получила подтверждение от одного из сенаторов, имя которого не называлось, того, что мы серьезно подозревали: программа массового сбора записей телефонных переговоров действует многие годы и ведется через всех крупных провайдеров телекоммуникационных услуг, а не только *Verizon*.

За семь лет, в течение которых я писал и выступал по вопросам деятельности АНБ, я не видел столь громадного общественного интереса и такого накала страстей, которые вызвало это разоблачение. У меня не было времени анализировать, почему резонанс был столь мощным, почему материал вызвал такую волну интереса и негодования, — выгоднее было воспользоваться этим преимуществом, а не разбирать его.

Примерно в полдень по гонконгскому времени я закончил свои интервью телекомпаниям и отправился в номер Сноудена. Оказалось, что он смотрит канал *CNN*. Приглашенные гости программы обсуждали АНБ, выражая удивление масштабами слежки. Ведущие негодовали, что все это делалось секретно. Практически каждый из гостей отрицал существование программы массовой слежки.

«Это на всех каналах, — сказал Сноуден, очевидно возбужденный. — Я смотрел все интервью. Все только об этом и говорят».

В эту минуту я почувствовал настоящее удовлетворение. Не произошло того, чего больше всего боялся Сноуден, — что он пожертвует своей жизнью ради разоблачений, до которых никому не будет дела, — с первого дня к этой теме не было безразличия. Мы с Лорой помогли Сноудену развязать в обществе дискуссию — и теперь он мог видеть, как разворачивается этот процесс. Согласно плану Сноудена, его имя должно было выплыть наружу после первой недели публикаций, так что мы оба понимали, что его дни на свободе, вполне вероятно, сочтены, и арест может случиться в самом ближайшем будущем.

Удручающая уверенность в том, что он очень скоро окажется под ударом — за ним станут охотиться, возможно, заключат в тюрьму как преступника, — сопровождала меня во всем, что бы мы ни делали. Его, казалось, это не волновало вовсе, но меня заставляло встать на защиту его выбора, донести до всего мира значение тех разоблачений, для которых он жертвовал собственной жизнью. Старт был отличным, и это было только начало.

«Все думают, что это сенсация на один день, одиночное разоблачение, — прокомментировал Сноуден. — Они не знают еще, что это вершина айсберга, что дальше будет больше».

Он развернулся ко мне: «Что будет дальше и когда?»

«PRISM, — ответил я. — Завтра».

Я вернулся в свой отель, но, несмотря на то что это была шестая бессонная ночь, так и не смог отключиться из-за мощного выброса адреналина. В 4:30 дня я принял снотворное как последнюю надежду хоть на какой-нибудь отдых, завел будильник на 7:30 вечера и тут же получил сообщение, что редакторы *Guardian* в Нью-Йорке собираются выйти со мной на связь в Интернете.

В тот день Джанин рано появилась в онлайне. Мы обменялись поздравлениями и поделились восторгом по поводу реакции на статью. Сразу же почувствовалось, как круто изменился тон нашего общения — мы вместе только что совершили серьезный журналистский поступок. Джанин гордилась статьей. А я гордился тем, как она выстояла перед угрозами правительства и взяла на себя ответственность опубликовать этот материал. *Guardian* выступила бесстрашно и с честью.

Оглядываясь назад, я осознал, что, несмотря на видевшееся нам промедление, *Guardian* действовала потрясающе быстро и дерзко: она сделала больше, чем могли бы сделать какие-либо другие средства массовой информации, сравнимые с ней по масштабу и статусу. И сейчас Джанин дала понять, что газета не собирается почивать на лаврах.

«Алан настаивает, чтобы мы публиковали материал по PRISM сегодня», — сообщила она. Это совпадало с моим желанием.

Разоблачение PRISM представлялось тем более важным, что эта программа позволяла АНБ получить практическим все, чего бы она ни пожелала, через интернет-компании, которые сотни миллионов людей во всем мире сегодня используют как основное средство коммуникации. Это стало возможным благодаря законам, которые правительство Соединенных Штатов приняло после 11 сентября и которые наделили АНБ большими полномочиями по наблюдению за американскими гражданами и практически ничем не ограниченным правом осуществлять массовую слежку за целыми странами.

Основой для развернутых программ слежения АНБ послужили Поправки к закону «О контроле деятельности служб внешней разведки» 2008 года. Они были поддержаны двумя партиями Конгресса США во времена правления президента Буша вслед за скандалом о незаконном прослушивании со стороны Агентства национальной безопасности, результатом которого стала легализация главных положений незаконной бушевской программы. Когда эта скандальная история выплыла на поверхность, оказалось, что Буш втайне наделил АНБ правом прослушивать разговоры американских и других граждан в Соединенных Штатах, оправдывая это необходимостью выявлять террористическую активность. Эти поправки имели юридическое преимущество перед требованием закона о получении разрешения суда, необходимого для проведения прослушивания внутри страны, и вследствие этого по меньшей мере тысячи граждан в Соединенных Штатах подверглись тайной слежке.

Несмотря на протесты по поводу незаконности данной программы, Суд FISA в 2008 году не положил конец этой схеме, а юридически закрепил определенные ее части. Закон основывается на различии между понятиями «лица в США» (американские граждане и все те, кто на законных основаниях пребывает на территории Соединенных Штатов) и все остальные. Чтобы непосредственно следить за телефонными переговорами и электронной перепиской лиц в США, АНБ действительно должна получить индивидуальное разрешение Суда FISA.

Что же касается «остальных», где бы они ни находились, не требуется никаких индивидуальных разрешений и постановлений, даже если эти лица ведут переписку или переговоры с лицами в США. Согласно разделу 702 Закона 2008 года, АНБ должна лишь раз в год представлять в Суд FISA общие сведения о целях на текущий год — основной критерий заключается в том, что программа слежки должна способствовать «законному сбору разведсведений за рубежом» — а затем агентство получает общее разрешение на осуществление слежки. Резолюция Суда на этих документах, по сути, разрешила АНБ осуществлять слежку за любыми иностранными гражданами и требовать от телекоммуникационных и интернет-компаний предоставления доступа ко всем переговорам всех без исключения неамериканцев, в том числе и тех, кто общался с «лицами в США» через чаты *Facebook*, почтовые службы *Yahoo!*, поисковые системы *Google*.

Агентство не было обязано ни представлять в суде доказательства того, что человек в чем-то подозревается, ни отфильтровывать резидентов США, за которыми в результате также осуществлялась слежка.

Однако первым делом редакция *Guardian* должна была поставить правительство в известность о нашем намерении опубликовать материалы по PRISM. И снова мы обозначили для него крайним сроком конец текущего дня по нью-йоркскому времени. Таким образом, у чиновников был целый день для ответа, и мы лишали их оснований для неизбежных в противном случае жалоб на недостаток времени. Однако не менее важным было получить комментарии интернет-компаний, которые, согласно документам АНБ, предоставили Агентству в рамках PRISM прямой доступ к своим серверам: *Facebook*, *Google*, *Apple*, *YouTube*, *Skype* и всех остальных.

Впереди опять были долгие часы ожидания, и я вернулся в номер Сноудена, который вместе с Лорой прорабатывал различные вопросы. Перейдя важную черту — опубликовав первое разоблачение, Сноуден проявлял большее внимание к своей безопасности. Когда я вошел, он подложил под дверь дополнительные подушки. Иногда, собираясь показать мне что-то на своем компьютере, он накрывался с головой, чтобы скрытые камеры, возможно, закрепленные на потолке, не могли зафиксировать, как он вводит пароли.

Зазвонил телефон, и мы замерли: кто бы это мог быть? Сноуден снял трубку очень неуверенно и не сразу: выяснилось, что персонал отеля, видя табличку «Не беспокоить» на двери его номера, спрашивал, не желает ли он, чтобы номер убрали.

«Нет, спасибо», — коротко отозвался он.

Напряжение чувствовалось уже тогда, когда мы впервые встретились в номере Сноудена; теперь же, после того как мы начали публиковать материалы, оно только нарастало. *Мы не знали, сумело ли АНБ установить источник утечки.* Если да, удалось ли им выяснить, где находится Сноуден. Знали ли об этом агенты Гонконга или китайцы? В любой момент в номер Сноудена могли постучать и положить мгновенный и неприятный конец нашей общей работе. Фоном работал телевизор, и казалось, что в нем кто-то без перерыва упоминает АНБ. После появления статьи о *Verizon* новостные программы заговорили об этой истории как о чем-то большем, чем о «неизбирательном массовом сборе сведений», «записи локальных телефонных переговоров», нарушениях в сфере «осуществления надзора». Мы обсуждали наши новые статьи и вместе с Лорой наблюдали за реакцией Сноудена на тот ажиотаж, причиной которого был он сам.

В два часа ночи по гонконгскому времени, когда статья о PRISM вот-вот должна была быть напечатана, со мной связалась Джанин.

«Произошло нечто странное, — рассказала она. — Технологические компании с негодованием отрицают то, что есть в документах АНБ. Они говорят, что ничего не слышали о PRISM».

Мы принялись находить различные объяснения для такого поведения. Может быть, в документах АНБ возможности компаний были преувеличены. Может быть, компании давали ложную информацию или же люди, выступавшие от их имени, не имели представления о договоренностях своих организаций с АНБ. Могло быть и так, что само название «PRISM» было внутренним кодовым названием программы, неизвестным компаниям.

Какими бы ни были причины, но нам пришлось переписывать статью, не только чтобы упомянуть в ней о непризнании своего участия телекоммуникационными компаниями, но и для того, чтобы перенести фокус внимания на странное несовпадение между документами АНБ и заявлениями компаний.

«Давайте не будем сосредоточиваться на том, кто из них говорит правду. Просто обозначим несогласованность, и пусть они ответят на это публично, — предложил я. — Мы хотели, чтобы эта история подняла в обществе открытую дискуссию об обязательствах интернет-индустрии перед пользователями; если версия этих компаний придет в противоречие с документами АНБ, они должны будут объясниться перед всем миром».

Джанин согласилась, и через два часа прислала мне новый вариант истории о PRISM под заголовком:

> «Программа PRISM АНБ открывает доступ к пользовательским данным Apple, Google и других компаний».
>
> — Сверхсекретная программа PRISM предусматривает прямой доступ к серверам компаний, среди которых Google, Apple и Facebook.
>
> — Компании утверждают, что ничего не знали о программе, действовавшей с 2007 года.

После нескольких выдержек из документов АНБ, характеризовавших PRISM, в статье сообщалось: «Несмотря на то что в представленном документе говорится, что программа осуществляется при содействии этих компаний, все компании, ответившие на просьбу *Guardian* прокомментировать ситуацию, отрицают, что что-либо знали о подобных программах». Мне статья понравилась, и Джанин пообещала опубликовать ее в течение получаса. Пребывая в нетерпеливом ожидании, я услышал сигнал, оповещавший о сообщении в чате. Оно было от Джанин, но в нем было не то, что я ожидал увидеть.

«*Washington Post* только что опубликовала свою статью о PRISM», — сообщила она.

Как? Почему, хотел я понять, *Washington Post* изменила график и поспешила отправить статью в печать на три дня раньше намеченных сроков? Лора быстро выяснила у Бартона Геллмана, что *Post* узнала о наших намерениях после того, как официальные лица утром встречались с представителями *Guardian* по поводу PRISM. Одно из этих лиц, зная что *Washington Post* работает над аналогичной историей, сообщило ее редакции о нашей статье, посвященной PRISM. Чтобы мы их не обошли, они быстро изменили график.

Я почувствовал еще большее возмущение: официальное лицо использовало эту предпубликационную процедуру, предусмотренную для защиты национальной безопасности, чтобы дать возможность своей любимой газете первой напечатать материал.

Сразу после этого мое внимание привлекла взрывная реакция на статью *Washington Post* в *Twitter*. Начав читать комментарии пользователей, я заметил, что в статье чего-то не хватает: несоответствия между версией АНБ и заявлениями интернет-компаний. Статья под заголовком «Девять интернет-компаний США предоставляют данные разведывательным агентствам США и Великобритании в крупной секретной программе», авторство которой принадлежало Геллману и Лоре, рассказывала о том, что «Агентство национальной безопасности имеет возможность непосредственно подключаться к центральным серверам девяти ведущих интернет-компаний США, изымать записи аудио- и видеочатов, фотографии, электронные сообщения, документы и журналы соединений, которые позволяют аналитикам отслеживать иностранные объекты». В статье утверждалось, что «все девять компаний были осведомлены о своем участии в программе PRISM».

Наша статья о PRISM вышла спустя десять минут, с иначе расставленными акцентами и более осторожная по тону, откровенно сообщающая об активном отрицании интернет-компаниями своего участия в программе.

И снова реакция была взрывной. Более того, она была международной. В отличие от телефонных компаний, таких как *Verizon*, которые базируются, как правило, в одной стране, интернет-компании — это глобальные гиганты. Миллиарды людей во всем мире, на каждом континенте, используют *Facebook*, *Gmail*, *Skype* и *Yahoo!* как главное средство коммуникации. Известие, что эти компании заключили секретное соглашение с АНБ предоставлять доступ к переговорам своих клиентов, вызвало шок у пользователей всего мира.

Люди начали понимать, что предшествующая статья о *Verizon* — не разовое событие: две опубликованные статьи свидетельствовали о серьезной утечке в АНБ.

Публикация материалов по PRISM ознаменовала собой последний из многомесячной череды дней, когда я мог прочитывать всю свою почту, не говоря уже о том, чтобы отвечать на полученные электронные сообщения. Просматривая почтовый ящик, я видел названия практически каждого из крупных мировых средств массовой информации с просьбами об интервью: в мире поднималась волна обсуждений, которую хотел поднять Сноуден, — и всего через два дня после появления первой статьи. Я помнил о том, что впереди — публикация огромного массива документов, думал о значении этих событий в моей жизни и о том, чем это станет для всего мира. Я пытался представить себе, как правительство США ответит на публикацию, когда осознает, с чем оно столкнулось.

Как и накануне, раннее утро в Гонконге я провел, просматривая американские телепрограммы, выходящие в прайм-тайм. Этот режим сохранился на все время моего пребывания в Гонконге: ночью я работал над материалами для *Guardian*, давал интервью средствам массовой информации до середины дня и затем шел в отель к Сноудену работать вместе с ним и Лорой. Часто в три или четыре часа ночи я брал такси, ехал на телестудию, постоянно держа в уме инструкции по «оперативной безопасности», которые дал Сноуден: никогда не расставаться со своим компьютером и во избежание взлома или кражи нигде не оставлять флешку с документами. Я разгуливал по безлюдным улицам Гонконга с тяжелым рюкзаком за плечами, когда и куда бы я ни направлялся. Делая каждый шаг, я боролся с паранойей и часто ловил себя на том, что оглядываюсь через плечо, крепче сжимая лямки всякий раз, когда ко мне кто-то приближался.

Закончив с интервью телекомпаниям, я направлялся в номер Сноудена, где вместе с ним и Лорой — иногда к нам присоединялся Макаскилл — продолжал работу, прерываясь, только чтобы взглянуть на экран телевизора. Мы были поражены положительной реакцией, тем, насколько заинтересованной в этих разоблачениях оказалась пресса, какими злыми были комментарии — не в адрес тех, кто извлек информацию на свет, но из-за чрезвычайного масштаба слежки, которой мы подвергаемся.

Я чувствовал теперь, что можно применять одну из предусмотренных нами стратегий, отвечая уверенно и дерзко на тактику правительства, которое оправдывало такого рода слежку событиями 11 сентября. Я начал опровергать надоевшие и предсказуемые обвинения в наш адрес: что мы ставим под угрозу национальную безопасность, что мы — пособники террористов, что мы совершаем преступление, раскрывая государственные тайны.

Я должен был доказывать, что это очевидные манипуляции государственных чиновников, которых мы поймали на том, чего они стыдились и что портило их репутацию. Подобные атаки не могли удержать нас от дальнейших публикаций, и мы, невзирая на запугивание и угрозы, выполняли свой журналистский долг. Мне хотелось с полной ясностью дать понять: попытки запугивания и демонизации будут тщетными. Несмотря на все нападки, большинство средств массовой информации высказывались в поддержку нашей работы. Это было для меня удивительным, поскольку после 11 сентября (хотя и до этого события) массмедиа в США, как правило, являлись выразителями верноподданнических настроений и преданности правительству и поэтому были враждебны, а иногда и жестко враждебны по отношению ко всякому, кто разглашал его секреты.

Когда *WikiLeaks* начал публиковать секретные документы, относящиеся к военным действиям в Иране и Афганистане, в частности дипломатическую переписку, со стороны журналистов раздались призывы наказать *WikiLeaks*, что было достаточно удивительным: сами институты, призванные обеспечивать прозрачность действий власть имущих, не только осуждают, но и пытаются криминализировать один из самых значительных за многие годы актов по восстановлению правды! Вся вина *WikiLeaks* заключалась в том, что эта организация получила информацию от источника в правительстве и представила ее миру — этим средства массовой информации занимаются от начала времен.

Я ожидал, что и на меня будет направлена враждебность американских средств массовой информации, особенно когда мы продолжили публиковать документы и когда стал очевидным беспрецедентный масштаб утечки. Я сам нередко выступал с резкой критикой периодических изданий и многих их руководителей и, по моему рассуждению, естественным образом становился магнитом для их агрессивных нападок. Но оказалось, что у меня немало друзей в традиционных средствах массовой информации. Работу большинства из них я в прошлом часто, публично и беспощадно критиковал. Можно было ожидать, что они накинутся на меня при первой представившейся возможности, однако эта неделя после наших публикаций показала совершенно противоположное, причем одобрение высказывалось не только в виртуальных беседах со мной.

В четверг, на пятый день пребывания в Гонконге, я пришел в номер Сноудена, и он сразу же сообщил, что у него «немного тревожные» новости. Устройство, установленное у него в доме на Гавайях, где он жил со своей девушкой, подключенное к Интернету, зафиксировало, что к нему приходили два сотрудника АНБ — сотрудник кадровой службы и «офицер полиции» — и искали его.

Сноуден был почти уверен, что это означает, что АНБ идентифицировало его как возможный источник утечки, однако я отнесся к его подозрениям скептически.

«Если бы они думали, что это вы, они бы послали орды агентов ЦРУ, а может быть, и отряд полиции особого назначения, а не одного офицера АНБ и сотрудника по кадрам».

Я считал, что это была рутинная процедура для случаев, когда сотрудник АНБ отсутствует в течение нескольких недель без объяснения причин. Однако Сноуден предположил, что такой визит был намеренно незначительным, чтобы не привлекать излишнего внимания, или же он являлся попыткой отыскать и конфисковать улики.

Что бы ни означали эти новости, они лишь подчеркивали необходимость быстро подготовить статью и видеоматериал, в котором мы раскрыли бы личность Сноудена как источника разоблачительной информации. Мы были уверены, что мир должен впервые услышать о Сноудене, его действиях и мотивах от него самого. Нельзя допустить, чтобы это было сделано в ходе направленной против него кампании правительства США, когда он будет вынужден прятаться или будет заключен в тюрьму и не сможет говорить сам за себя.

В наши планы входило опубликовать еще две статьи, одну на следующий день, в пятницу, другую через день, в субботу. Тогда в воскресенье мы смогли бы дать большой материал о Сноудене, сопроводить его видеоинтервью и текстом этого интервью с вопросами и ответами, которые мог бы подготовить Юэн.

Лора провела предшествующие сорок восемь часов, редактируя видеопленку с первым интервью Сноудена мне, которое, по ее мнению, было слишком подробным и вместе с тем слишком фрагментарным, поэтому его нельзя было пускать в таком виде. Она хотела сейчас же начать записывать новое интервью, более короткое и сфокусированное на определенных вещах, и составила список примерно из двадцати конкретных вопросов, которые я должен был задать Сноудену. Пока Лора настраивала камеру и усаживала нас для съемки, я набросал еще несколько вопросов от себя.

«Э-э-э... меня зовут Эд Сноуден. Мне двадцать девять лет, — так начинался знаменитый теперь фильм. — ...Я работал на АНБ в компании *Booz Allen Hamilton* на Гавайях в качестве инфраструктурного аналитика».

Сноуден давал четкий, бесстрашный, рациональный ответ на каждый вопрос: почему он решил опубликовать эти документы? Почему это было для него настолько важно, что он был готов пожертвовать своей свободой? Какие разоблачительные материалы он считал самыми важными? Было ли что-либо криминальное или незаконное в этих документах? Как ему представляется его будущее?

Приводя примеры незаконной и всепроникающей слежки, он оживлялся и говорил страстно, но когда я спросил его, ожидает ли он каких-то последствий для себя, он напряженно ответил, что боится за свою семью и девушку, которых правительство может подвергнуть преследованиям. Он принял решение избегать контактов с ними, но, по его словам, не мог обеспечить им полную защиту.

«Только одно не дает мне ночью уснуть — что будет с ними», — сказал он, и глаза его заблестели — я видел его таким в первый и последний раз.

Пока Лора редактировала видео, мы с Юэном заканчивали две очередные статьи. Третья статья, опубликованная в тот же день, рассказывала о сверхсекретной президентской директиве, подписанной Б. Обамой в ноябре 2012 года. Согласно ей Пентагон и соответствующие агентства должны были разработать серию агрессивно-наступательных кибероперации, которые могут быть развернуты по всему миру. В первом же абзаце статьи можно было прочесть: «В президентской директиве, копию которой удалось получить *Guardian*, говорится: "Старшие офицерские чины национальной безопасности и разведки" должны были "подготовить перечень потенциальных целей кибератаки Соединенных Штатов за рубежом"».

Четвертая статья, которая вышла, как и планировалось, в субботу, рассказывала о программе отслеживания изменения данных BOUNDLESS INFORMANT, принятой АНБ. В материале описывались документы, свидетельствовавшие о том, что АНБ собирает, анализирует и хранит миллиарды записей телефонных звонков и электронных сообщений, которые прошли через американские телекоммуникационные сети. В статье также поднимался вопрос о том, не лгали ли офицеры АНБ перед лицом Конгресса, когда отказались отвечать о количестве прослушиваемых коммуникационных сетей, действующих в стране, заявив, что Агентство не хранит таких записей и не имеет возможности их собирать.

После публикации статьи о BOUNDLESS INFORMANT Лора и я планировали встретиться в отеле Сноудена. Перед тем как выйти из своего номера на эту встречу, я присел на кровать, и вдруг из ниоткуда всплыло воспоминание о моем анонимном респонденте под ником Цинциннат, с которым я переписывался шесть месяцев назад и который забрасывал меня просьбами установить программу шифрования PGP, чтобы он мог направить мне важную информацию. В связи с происходящим я подумал, что, возможно, у него есть для меня что-то серьезное. Я не мог припомнить его электронного адреса, но поиском по ключевому слову мне удалось отыскать одно из его старых сообщений.

«Привет, хорошие новости, — написал я ему. — Лучше поздно, чем никогда; наконец, у меня есть электронный адрес с PGP. Если вы все еще заинтересованы, я готов переговорить». Я нажал «Отправить».

Сноуден встретил меня в своем номере и насмешливо произнес: «Кстати, Цинциннат, которому вы только что послали сообщение, — это я».

Несколько минут я переваривал это заявление и собирался с мыслями. Тем, кто много месяцев назад безуспешно пытался заставить меня пользоваться почтой с криптографическим шифром, был Сноуден? До того как выйти на Лору или кого-либо другого, он пытался связаться со мной! И наш первый с ним контакт мог состояться не в мае, всего четыре недели назад, а за много месяцев до этого...

Теперь ежедневно мы проводили втроем долгие часы. Между нами установилась тесная связь. Неловкость и напряжение первой встречи трансформировались в отношения сотрудничества, доверия, общности целей. Мы понимали, что происходит одно из самых значительных событий нашей жизни. После публикации статьи о BOUNDLESS INFORMANT наше настроение, относительно спокойное, которое нам удавалось сохранять все предшествующие дни, сменилось тревожным напряжением: меньше двадцати четырех часов нас отделяло от того момента, когда личность Сноудена будет раскрыта, и это, как мы понимали, изменит все, прежде всего для него. Это был короткий, чрезвычайно интенсивный и принесший нам удовлетворение период, который мы прожили вместе. Один из нас, Сноуден, скоро покинет нашу группу, возможно, на долгое время окажется в заключении — это омрачало нашу работу с самого начала, по крайней мере я так чувствовал. Казалось, что только Сноудена это мало волнует. В наши разговоры все чаще проникал мрачный юмор.

«Я забиваю нижнюю койку в Гуантанамо, — шутил Сноуден относительно наших перспектив. — Это должно войти в приговор. Вопрос в том, в чей — ваш или мой». Но большей частью он сохранял немыслимое в его положении спокойствие. Даже теперь, когда часы отсчитывали, может быть, последние минуты его свободы, Сноуден по-прежнему отправлялся в постель в десять тридцать — и так каждый день моего пребывания в Гонконге. Он придерживался режима, когда мне с трудом удавалось урвать не более двух часов беспокойного сна.

«Все, я на боковую», — обычно объявлял он, отправлялся спать на семь с половиной часов и появлялся на следующее утро совершенно свежим.

Мы выразили удивление его способностью спокойно отдыхать в таких обстоятельствах, на что Сноуден ответил, что чувствует себя совершенно умиротворенным и удовлетворенным тем, что он сделал, поэтому сон его легок.

«Думаю, мне недолго осталось спать на удобной подушке, — пошутил он. — Так что надо наслаждаться».

В воскресенье после полудня по гонконгскому времени Юэн и я вносили последние правки в статью, представлявшую миру Сноудена, а Лора заканчивала редактировать видео. С Джанин, которая появилась в чате, когда в Нью-Йорке начиналось утро, я переговорил о том, как важно правильно подать эту информацию, и о своей персональной ответственности перед Сноуденом и уважении к его выбору. Я начал больше уважать и своих коллег в *Guardian* — как профессионалов и смелых людей. Но сейчас, в статье, которая представит Сноудена, я должен был просмотреть каждую правку, большую или малую.

Позже в тот же день Лора пришла в мой номер показать нам с Юэном видео. Мы молча просмотрели втроем запись. Лора сработала блестяще: сюжет был сдержанным, монтаж — превосходным, но наибольший эффект давало то, что Сноуден говорит от своего имени. В его речи была убежденность, страсть, решимость — все, что заставило его действовать. Я знаю: его смелость, с которой он признавался в том, что сделал, способность взять на себя ответственность за свои действия, нежелание скрываться и становиться объектом вдохновят миллионы.

Больше всего тогда мне хотелось, чтобы мир мог убедиться в бесстрашии Сноудена. Правительство США в последнее десятилетие очень старалось продемонстрировать свою ничем не ограниченную власть. Оно начинало войны, пытало и заключало в тюрьмы людей без предъявления обвинения, с помощью беспилотников безнаказанно бомбило цели. И тот, кто открыто говорил об этом, не чувствовал себя в безопасности: разоблачители преследовались и подвергались нападениям. Тщательно культивируемая система демонстрации силы в отношении тех, кто бросал сознательный вызов, помогала правительству убеждать людей по всему миру в том, что его власть не ограничена ни законом, ни этическими принципами — ни Конституцией, ни моралью: смотрите, что мы можем сделать и сделаем с людьми, которые встают у нас на пути!

Сноуден игнорировал эту угрозу. *Мужество заразительно.* Я знал, что его пример может вдохновить на подобный смелый поступок многих и многих людей.

В 14:30 по восточному времени в воскресенье, 9 июня *Guardian* опубликовала статью, в которой Сноуден представал перед миром: «Эдвард Сноуден. Разоблачитель программ слежки АНБ». В подзаголовке давалась ссылка на двадцатиминутное видео Лоры; в первой строчке говорилось: «Человек, ответственный за одну из крупнейших утечек информации в политической истории США, — 29-летний Эдвард Сноуден, бывший технический специалист ЦРУ и сотрудник компании, взаимодействующей с оборонным комплексом, *Booz Allen Hamilton*». В статье рассказывалась история Сноудена, назывались его мотивы, утверждалось, что «Сноуден войдет в историю как один из самых последовательных разоблачителей, стоящий в одном ряду с Дэниэлом Эллсбергом и Брэдли Мэннингом». Мы приводили цитату из одного из первых сообщений, присланных нам с Лорой: «Я понимаю, что мне придется пострадать за свои действия... Но я буду счастлив, если секретные акты, присвоенное право миловать и наказывать, управлять миром, который я так люблю, выйдут наружу хотя бы ненадолго».

Реакция на статью и видео была более бурной, чем что-либо, с чем я сталкивался, будучи автором. Сам Эллсберг, написавший на следующий же день в *Guardian*, заявил, что еще «не случалось в американской истории более значительной утечки, чем представленные Эдвардом Сноуденом материалы АНБ, — включая утечку "Документов Пентагона" сорокалетней давности».

Только за первые несколько дней сотни тысяч людей поделились ссылкой на статью на своих страницах в *Facebook*. Почти три миллиона человек посмотрели интервью на канале *YouTube*. Многие видели его в онлайне на сайте *Guardian*. Общей реакцией был шок и восхищение мужеством Сноудена.

Лора, Сноуден и я следили за ней вместе, одновременно я обсуждал с двумя специалистами по вопросам стратегии *Guardian*, кому мне следует дать первые интервью. Мы сошлись на том, что это будут программы *Morning Joe* на канале *MSNBC*, а вслед за этим — программа *Today NBC* — обе передачи идут в эфире рано утром и на весь день зададут тон освещению истории Сноудена.

Но в пять утра, до того как я был готов давать эти интервью, поступил телефонный звонок — это был мой давний читатель, который живет в Гонконге и с которым я периодически общался в течение недели. Он указал мне на то, что весьма скоро весь мир примется искать Сноудена в Гонконге и что он очень рекомендует ему срочно нанять в городе влиятельных адвокатов. Мой собеседник предлагал двух лучших специалистов по правам человека, которые хотели бы представлять Сноудена. Не могли бы они втроем приехать сейчас в мой отель? Мы договорились встретиться около восьми утра. Я поспал пару часов до того, как он позвонил в семь утра — на час раньше условленного времени.

«Мы уже здесь, — сообщил он, — в отеле, внизу. Со мной два адвоката. Лобби забито репортерами с камерами. СМИ ищут отель, в котором проживает Сноуден, и они непременно найдут; адвокаты говорят, что очень важно переговорить с ним раньше, чем СМИ его отыщут».

Едва проснувшись, я надел первое, что попалось мне под руку, бросился к двери, распахнул ее, и меня ослепили вспышки фотоаппаратов: репортеры, очевидно, подкупили кого-то из персонала отеля, чтобы узнать, в каком номере я остановился. Две женщины представились как репортеры гонконгской редакции *Wall Street Journal*; другие, в том числе один с большим фотоаппаратом, были из *Associated Press*.

Они засыпали меня вопросами и, окружив, следовали за мной к лифту. Протиснувшись в него, они задавали один вопрос за другим, на большинство из которых я давал короткие, односложные, ничего не значащие ответы. Внизу в лобби к ним присоединилась целая толпа других репортеров и людей с камерами. Я пытался отыскать своего читателя с его адвокатами, но стоило мне сделать два шага, как на моем пути вновь кто-то возникал. Меня тревожило, что вся эта орда будет меня преследовать и адвокатам не удастся попасть к Сноудену. В конце концов, я решил устроить в лобби импровизированную пресс-конференцию, ответить на вопросы и отправить журналистов восвояси. Минут через пятнадцать большинство из них удалились.

Но тут же я неожиданно увидел Джилл Филлипс, главного юриста газеты *Guardian*. Она остановилась в Гонконге на пути из Австралии в Лондон, чтобы провести юридическую консультацию для меня и Юэна. Она сказала, что хочет проанализировать все способы, которыми *Guardian* может защитить Сноудена. «Алан уверен, что мы окажем ему всестороннюю поддержку, какая только будет в пределах наших юридических возможностей», — сообщила она. Однако поговорить нам не удавалось, поскольку нас постоянно преследовала группа репортеров.

Я наконец нашел своего читателя с двумя местными адвокатами. Мы подумали, где нам лучше поговорить без соглядатаев, и переместились в номер Джилл. Журналисты шли за нами, но мы закрыли дверь комнаты прямо у них перед носом. Адвокаты хотели немедленно встретиться со Сноуденом, чтобы получить разрешение представлять его интересы и действовать от его имени.

Джилл все время звонила кому-то по телефону. Прежде чем знакомить юристов со Сноуденом, она хотела узнать, что это за люди, которых мы сами видели впервые. Ей удалось установить, что они действительно хорошо известны в правозащитных кругах и в среде беженцев и что они имеют серьезные связи в Гонконге среди политиков. Пока Джилл на ходу проводила юридическую экспертизу, я зашел в интернет-чат. Сноуден и Лора были в сети.

Лора, которая жила в том же отеле, что и Сноуден, была уверена, что журналисты узнают о месте их пребывания и это только вопрос времени. Сноуден уже был готов выехать из отеля. Я рассказал ему об адвокатах и сообщил, что они хотят приехать к нему в номер. На это Сноуден ответил, что будет лучше, если они встретят его где-нибудь еще и отвезут в безопасное место: «Настало время выполнить ту часть плана, в которой я прошу у мира защиты и справедливости. Мне надо выбраться из отеля не замеченным репортерами, иначе они начнут преследовать меня».

Я передал его опасения адвокатам.

«Он знает, как это сделать?» — спросил один из них. Я задал вопрос Сноудену, и он ответил, что обдумал это заранее и сейчас пытается изменить свою внешность, чтобы выскользнуть из отеля неузнанным.

Я решил, что адвокатам пора говорить с ним напрямую. Для этого надо было, чтобы Сноуден дал им формальное разрешение представлять его интересы. Я набрал на компьютере условленную фразу и отправил ее Сноудену. Он прислал мне ее обратно. После этого адвокаты пересели к компьютеру и начали разговор с разоблачителем.

Через десять минут адвокаты объявили, что они немедленно отправляются в отель навстречу Сноудену, который будет пытаться его покинуть.

«Что вы собираетесь делать потом?» — спросил я. Они ответили, что, вероятнее всего, отвезут его в миссию Организации Объединенных Наций в Гонконге и по всей форме попросят для него защиты ООН от правительства США на основании того, что Сноуден беженец и ищет политического убежища. Или, как они сказали, они попытаются найти «безопасный дом». Но как адвокатам выйти из отеля, чтобы за ними не увязались журналисты?

Мы разработали план. Я покину свой номер вместе с Джилл, и мы двинемся в сторону стойки регистрации, чтобы отвлечь на себя репортеров, которые дожидаются нас под дверью комнаты. Через несколько минут адвокаты выйдут из номера и отеля. Мы надеялись, что за ними уже не будет репортерского хвоста. План сработал. Проговорив с Джилл минут тридцать в примыкающем к отелю центре, я вернулся в номер и позвонил на мобильный телефон одного из адвокатов.

Вот что он рассказал мне: «Ему удалось ускользнуть прежде, чем прибыли репортеры. Мы встретились у него в номере, вышли и перешли по мосту в торговый центр — как я потом узнал, напротив той самой комнаты с крокодилом, где мы впервые встретились, — и затем спустились к ожидавшей нас машине. Сейчас он с нами. Куда мы его повезем? Об этом лучше не говорить по телефону. Теперь он будет в безопасности».

У меня отлегло от сердца, когда я узнал, что Сноуден в надежных руках. Мы все понимали, что велика вероятность того, что мы больше никогда не увидим его, по крайней мере на свободе. Может быть, телевидение покажет его в оранжевой тюремной робе и в наручниках во время репортажа из зала суда с процесса по обвинению в шпионаже.

Я размышлял о происшедшем, когда в мою дверь постучали. Это был главный менеджер отеля. Он сообщил мне, что телефон на стойке, на который был переключен мой номер, звонил в течение дня не переставая (я попросил блокировать все входящие звонки на телефон в моем номере). В лобби отеля собралось множество репортеров и людей с фото- и видеокамерами, и все они ждали моего выхода.

Главный менеджер предложил: «Мы можем спуститься на другом лифте и вывести вас через служебный выход, так чтобы вы ни с кем не встретились. Юрист *Guardian* забронировала вам номер в другом отеле под другим именем...»

За этими словами генерального менеджера ясно читалось и другое: «*Мы хотим, чтобы вы съехали, поскольку от вас слишком много проблем*». Но как бы то ни было, идея мне понравилась, поскольку я хотел работать в спокойной приватной обстановке и все еще надеялся связаться со Сноуденом. Я собрал вещи и последовал за менеджером к заднему выходу. В ожидавшей меня машине я увидел Юэна. Я поселился в другом отеле под именем юриста газеты *Guardian*.

Первым делом я вошел в Интернет в надежде, что увижу там Сноудена. Через несколько минут он появился в чате и сообщил мне следующее: «Со мной все хорошо. Я нахожусь в безопасном доме. Не знаю, правда, насколько он безопасен и как долго я здесь пробуду. Мне придется переезжать с места на место, у меня нет постоянного доступа в Интернет, и я не знаю, как часто смогу выходить в Сеть».

Было ясно, что он не хочет раскрывать свое местонахождение, да я и не особенно стремился это выяснить. Я понимал, что мои возможности участвовать в его игре в прятки весьма ограничены. Сейчас он был самым разыскиваемым лицом, на которое охотилось самое сильное и влиятельное правительство в мире: США уже потребовали от властей Гонконга ареста Сноудена и его выдачи.

Наш разговор был короток и сумбурен. Мы выразили надежду, что останемся на связи. Я пожелал ему удачи.

Придя в студию для интервью на ТВ-шоу *Morning Joe* и *Today*, я сразу заметил, что тон вопросов существенно изменился. Вместо того чтобы разговаривать со мной как с журналистом, располагавшим информацией, ведущие шоу обозначили в качестве мишени своих реплик Сноудена, прятавшегося теперь где-то в Гонконге. Американские журналисты вновь выступили в привычной для себя роли слуг правительства.

Главной темой вновь стало не давление на журналистов со стороны Агентства национальной безопасности, а история о том, что работавший на правительство американец «предал» свои обязательства, совершил преступление и «сбежал в Китай».

Мои ответы ведущим шоу Мике Бжезинской и Саванне Гатри были желчными и злыми. После нескольких недель постоянного недосыпания я не мог бесстрастно реагировать на критику в адрес Сноудена, которая сквозила в их вопросах. Я считал, что журналисты должны поддерживать, а не превращать в преступника человека, который, не в пример многим за предшествующие годы, приоткрыл завесу над многими тайнами обеспечения национальной безопасности страны.

После нескольких дней бесконечных интервью, которые последовали за этими двумя, я понял, что мне пора уезжать из Гонконга. Оставаясь здесь, я уже не смогу увидеть Сноудена или как-то помочь ему. Я был опустошен физически, морально и психологически.

Я хотел вернуться в Рио и подумывал о том, чтобы лететь через Нью-Йорк, остановиться там на один день и дать несколько интервью, показав всем, какой информацией владею и что могу сделать. Однако мой адвокат отговорил меня от этой затеи. Он доказывал, что нет смысла идти на риск в играх с законом такого рода, хотя бы до тех пор, пока мы не поймем, как намерено реагировать правительство. Он сказал: «Вы только что способствовали утечке самого большого объема информации о национальной безопасности в истории США и открыто заявили об этом на ТВ. Теперь ехать в США можно только тогда, когда мы будем иметь представление о возможной реакции Министерства юстиции».

Внутренне я противился этим опасениям. Я предполагал, что администрация Обамы не станет арестовывать журналиста в процессе освещения столь важного события. Но у меня не было сил спорить или идти на риск без чьей-либо помощи. Поэтому я попросил коллег из газеты *Guardian* заказать мне билет в Рио через Дубаи, подальше от США. На этот момент, подумалось мне, я сделал достаточно.

Глава 3
Собрать все

Собранный Эдвардом Сноуденом архив документов ошеломлял как по размеру, так и по широте охвата. Даже меня, человека, который потратил годы на написание материала об опасностях, связанных с секретной слежкой в США, шокировала масштабность материала, особенно из-за того очевидного факта, что спецслужбы действуют слишком безответственно и тайно, а их действия никто не ограничивает.

Те, кто воплощал в жизнь тысячи описанных в архиве операций слежения, явно не ожидали, что о них узнает общественность. Многие из них были направлены на американское население, но под массовую слежку американских спецслужб также попали десятки стран на планете, включая дружественные США демократические государства — Францию, Бразилию, Индию и Германию.

Архив Сноудена был отлично организован, но из-за размера и сложности его было чрезвычайно трудно обработать. Практически каждому подразделению АНБ принадлежал десяток тысяч документов, и, кроме того, в архиве содержались файлы, полученные от дружественных иностранных спецслужб. Документы датированы недавними числами: большая их часть относится к 2011 и 2012 годам, многие к 2013 году. Некоторые даже составлены в марте и апреле этого года[1], то есть принадлежат к периоду всего за несколько месяцев до того, как мы со Сноуденом встретились в Гонконге.

Большинство файлов, содержащихся в архиве, имели гриф «Совершенно секретно». Многие из последних были помечены как FVEY, это означает, что файлы можно распространять только среди четырех дружественных АНБ разведывательных служб англоговорящего альянса «Пять глаз», в который входят

---

[1] 2013 г. — *Примеч. пер.*

Великобритания, Канада, Австралия и Новая Зеландия. Другие файлы предназначались исключительно для США, на них был ярлык NOFORN — то есть не для пользования в иностранных государствах. Определенные документы, такие как судебное постановление о надзоре за иностранными разведками, разрешающее собирать телефонные данные, и приказ президента Обамы о подготовке оскорбительных кибероперации, были среди самых охраняемых секретов правительства США.

Для расшифровки архива и языка АНБ требуется специальное обучение. Для общения внутри спецслужб и между ними существует особый язык — малопонятный бюрократический и высокопарный жаргон, иногда хвастливый и даже ехидный. Большинство документов во многом технические, наполнены пугающими аббревиатурами и кодовыми названиями, и иногда, чтобы в них разобраться, сначала требуется ознакомиться с другими документами.

Но Сноуден предвидел эту проблему и предоставил словарь, в котором расшифровываются аббревиатуры и названия операций, а также внутренний глоссарий терминов спецслужб. И все-таки некоторые документы так и остались непонятными после первого, второго и даже третьего прочтения. Я смог оценить их значимость только после того, как собрал воедино несколько частей различных документов и проконсультировался с рядом ведущих экспертов в сфере разведки, криптографии, хакерства, истории АНБ и нормативно-правовой базы, которой руководствуется американская разведка.

Дополнительная сложность заключалась в том, что зачастую горы документов были организованы не по теме, а по принадлежности к отделам спецслужб и сенсационные открытия терялись в огромном количестве рутинного или технического материала. *Guardian* разработала программу, позволяющую проводить поиск в файлах по ключевым словам, и она оказала значительную помощь. Но программа была далека от идеала. Процесс обработки архива шел чрезвычайно медленно и даже спустя многие месяцы после того, как мы получили документы, некоторые термины и операции все еще требовали дальнейшего изучения перед тем как они могли бы быть безопасно преданы огласке.

Несмотря на все эти трудности, файлы Сноудена, бесспорно, разоблачили сложную программу разведки, обращенную на американских граждан (которые явно не имели никакого значения для реализации миссий АНБ) и граждан других стран. Расшифровка архива показала, что для незаконной слежки за общением людей использовались различные технические средства: АНБ подключалось к интернет-серверам, спутникам, подводным оптоволоконным кабелям, местным и иностранным телефонным системам и персональным компьютерам. В архиве содержался список людей, на которых были направлены наиболее интенсивные методы слежения. В нем можно было найти как известных террористов и подозреваемых, так и избранных народом лидеров дружественных стран и обычных американских граждан. И это открывает завесу тайны над всеми стратегиями и целями АНБ.

Сноуден разместил ключевые, основополагающие документы в начале архива, отметив их как особо важные. Эти файлы проливают свет на экстраординарный по объему спектр действий спецслужб, а также их лживый и даже преступный характер. Программа BOUNDLESS INFORMANT была одним из самых первых откровений. Она показала, что АНБ ежедневно и с математической точностью ведет подсчет телефонных звонков и электронных писем, собранных со всего мира. Сноуден рассматривал эти файлы как чрезвычайно важные не только потому, что АНБ собирает и хранит информацию о количестве звонков и электронных писем — буквально миллиардов каждый день, — но и потому, что они доказывают, что глава АНБ Кит Александер и его представители лгали Конгрессу. Официальные представители АНБ неоднократно заявляли, что они не в силах предоставить точные числа — именно те данные, для сбора которых и была создана BOUNDLESS INFORMANT.

Например, BOUNDLESS INFORMANT показала, что за период в один месяц начиная с 8 марта 2013 года одно подразделение

АНБ, занимающееся операциями по получению глобального доступа, собрало данные по более чем 3 млн телефонных звонков и электронных писем, прошедших через систему электронных коммуникаций США. (DNR, или регистратор телефонных звонков, относится к телефонным звонкам; DNI, или разведсведения из цифровых сетей, относится к таким интернет-коммуникациям, как электронные письма.) Это превосходит количество данных, собранных в аналогичных системах в России, Мексике и практически во всех европейских странах, и примерно соответствует уровню сбора данных в Китае.

В целом всего за тридцать дней были накоплены данные по более чем 97 млрд электронных писем и 124 млрд телефонных звонков со всего мира. В следующем документе BOUNDLESS INFORMANT представлены подробные данные за тридцатидневный период в Германии (500 млн), Бразилии (2,3 млрд) и Индии (13,5 млрд). В других файлах можно найти информацию по данным, собранным совместно с правительствами Франции (70 млн), Испании (60 млн), Италии (47 млн), Нидерландов (1,8 млн), Норвегии (33 млн) и Дании (23 млн).

Несмотря на то что по законодательству АНБ сосредоточено на «иностранной разведке», документы подтверждают, что американское население было не менее важной целью секретной слежки. После 25 апреля 2013 года, когда из Суда FISA поступил особо секретный приказ, вынуждающий компанию *Verizon* предоставить всю информацию о телефонных звонках, или «телефонных метаданных» ее американских клиентов, это стало очевидно как никогда. С пометкой «не для распространения в иностранных государствах» текст приказа и его смысл не оставляют сомнений:

> НАСТОЯЩИМ ПРИКАЗЫВАЮ, что ответственное лицо с этого момента и ежедневно на регулярной основе до момента прекращения действия данного приказа, если только Судом не будет принято иное решение, обязано предоставлять Агентству национальной безопасности (АНБ) электронную копию следующих материалов: все данные Verizon по записям телефонных звонков, или «телефонные метаданные», связанные с коммуникациями (I) между Соединенными Штатами и другими странами; или (II) внутри Соединенных Штатов, включая местные телефонные звонки.
>
> Телефонные метаданные должны содержать полную информацию о маршруте звонка, включая, но не ограничиваясь идентификационной информацией (например, исходящий и входящий номера, международный идентификатор абонента мобильной связи, международный идентификатор аппаратуры мобильной связи и т. д.), основном канале соединения, номерах телефонных карточек, времени и длительности звонка.

Эта программа по сбору телефонной информации была одним из самых важных открытий, сделанных благодаря архиву. Он был наполнен всевозможными типами программ, предназначенных для тайного наблюдения, начиная с крупномасштабной PRISM, в задачи которой входил сбор данных прямо с серверов самых крупных в мире интернет-компаний, и PROJECT BULLRUN — совместного проекта АНБ и его британского аналога Штаба правительственной связи (ЦПС), предназначенного для рассекречивания наиболее распространенных форм шифровок, используемых для охраны безопасности интернет-транзакций, и заканчивая более мелкими проектами, названия которых отражают лежащий в их основе презрительный и хвастливый дух превосходства: EGOTISTICAL GIRAFFE[1], целью которого является борьба с браузером Tor, дающим воз-

---

[1] Эгоистичный жираф (англ.). — Примеч. пер.

можность анонимного просмотра информации в Интернете; MUSCULAR[1] — средство для вторжения в частные сети *Google* и *Yahoo!*; OLYMPIA — канадская программа, в задачи которой входит наблюдение за Министерством горной промышленности и энергетики Бразилии.

По всей видимости, некоторые из программ наблюдения предназначались для слежки за подозреваемыми в терроризме. Но огромное количество подобных средств явно не имело никакого отношения к национальной безопасности. Документы не оставляют сомнения в том, что АНБ было вовлечено в экономический шпионаж, слежку за другими государствами и беспричинное наблюдение за всем населением.

Содержание архива наводит на одно простое заключение: правительство США построило систему, направленную на полное исключение конфиденциальности информации, передаваемой электронными средствами по всему миру. Можно без преувеличения сказать, что задачами слежки являются: сбор, хранение, отслеживание и анализ всех электронных коммуникаций всего населения земного шара. Целью спецслужб стало осуществление одной-единственной миссии: сделать так, чтобы от систематического сбора информации, связанной с электронными коммуникациям, не ускользнула ни малейшая деталь.

Этот самостоятельно изданный приказ приводит к безграничному расширению зоны охвата действий АНБ. Спецслужбы ежедневно работают над выявлением электронных коммуникаций, которые не идентифицировались программой и не были сохранены. После этого они разрабатывают новые технологии и методы, чтобы исправить подобные упущения. АНБ полагает, что для сбора какой бы то ни было информации, связанной с электронными коммуникациями, оно не нуждается в особом разрешении. Кроме того, Агентство не накладывает никаких ограничений в плане того, кто именно может стать его мишенью. То, что АНБ называет «SIGNIT» — сбором секретной информации путем перехвата сигналов и сообщений, — и яв-

---

[1] Сильный (*англ.*) — *Примеч. пер.*

ляется его целью. И сам факт, что АНБ способно извлекать эту информацию, становится оправданием того, что так и стоит поступать.

АНБ, военное подразделение Пентагона, учитывая работу Агентства по слежке, осуществляемую с помощью альянса «Пять глаз», является самой большой разведывательной службой в мире. До весны 2014 года, когда дискуссия вокруг истории Сноудена приобрела особо острый характер, Агентство возглавлял генерал-полковник Кит Б. Александер. Он руководил АНБ в течение девяти последних лет и многократно увеличил размер Агентства и его влияние. В процессе, по словам журналиста Джеймса Бэмфорда, Александер стал «наиболее влиятельной главой разведывательных служб в истории Америки».

Как отмечает Шейн Харрис, репортер *Foreign Policy*, АНБ «представляло собой громадную организацию еще до прихода Александера», но «под его руководством широта, размах и амбиции Агентства выросли до таких размеров, о каких и не смели мечтать его предшественники». Никогда ранее «ни одно правительственное агентство в США не имело столько возможностей и законных оснований для сбора и хранения такого количества электронной информации». Предыдущий представитель правительства, который работал с АНБ, сообщил Харрису, что «стратегия Александера» была очевидна: «Мне необходимо собрать все данные». «И, — добавил Харрис, — он хочет заниматься этим столь долго, сколько только сможет».

Личный девиз Александера «Собрать все» совершенно четко отражает основную цель АНБ. Впервые он начал использовать свою философию на практике в 2005 году, собирая разведданные, связанные с оккупацией Ирака. Как в 2013 году сообщала *Washington Post*, Александер был недоволен узким фокусом сбора данных американской военной разведки, чьей целью были только подозреваемые повстанцы и другие угрозы силам Соединенных Штатов — подход, который новый глава АНБ счел слишком ограниченным. «Он хотел все сразу: каждое текстовое сообщение каждого жителя Ирака, каждый телефонный звонок и электронное письмо, которые только можно было собрать с помощью мощных компьютеров Агентства». Так что правительство приступило к использованию технических методов, чтобы без разбора собирать все данные о коммуникациях всего иракского населения.

После этого Александер задумался о применении этой системы тотальной слежки, изначально созданной для иностранного населения в зоне, где активно велись боевые действия, на американских гражданах. «И точно так же, как и в Ираке, Александер добился своего, — пишет *Post*, — получил инструменты, ресурсы и законные основания для сбора и хранения гигантского количества информации об американских и иностранных коммуникациях». Таким образом, «за восемь лет у руля Агентства Александер в возрасте 61 года совершил революцию в возможностях государства собирать информацию с помощью электронной слежки во имя национальной безопасности».

Экстремистский настрой Александера в области слежения отлично задокументирован. Описывая его «навязчивое, едва ли обоснованное законом желание создать шпионскую машину», *Foreign Policy* назвала его «ковбоем АНБ». Даже генерал Майкл Хайден, директор ЦРУ и АНБ во времена эры Буша, собственноручно контролировавший внедрение программы незаконного подслушивания телефонных разговоров и известный благодаря излишне агрессивному милитаризму, — согласно *Foreign Policy* — был шокирован подходом Александера, который можно обозначить как «все средства хороши». Предыдущий руководитель разведывательной службы охарактеризовал взгляд Александера следующим образом: «Давайте не будем беспокоиться о законе. Давайте просто выясним, как нам сделать свою работу». Аналогично *Post* отмечает, что «даже защитники Александера говорят, что его агрессивность иногда выходит за рамки его законных полномочий».

Несмотря на то что некоторые еще более экстремистские утверждения Александера — например, его прямой вопрос «Почему мы не можем собирать все сигналы все время?», который, как сообщают, он задал во время посещения ЦПС в Великобритании в 2008 году, — были прокомментированы официальными представителями Агентства как легкомысленные шутки, вырванные из контекста, собственные документы АНБ показывают, что Александер не шутил. К примеру, совершенно секретная презентация на ежегодной конференции альянса «Пять глаз» в 2011 году показывает, что АНБ открыто принимает лозунг Александера и его стремление к всеведению как свою основную цель:

Документ, представленный в 2010 году ЦПС на конференции «Пять глаз» в отношении операции под кодовым названием TARMAC, которая проводилась в то время для перехвата спутниковой связи, проливает свет на то, что британская служба разведки также использовала эту фразу для описания своей миссии:

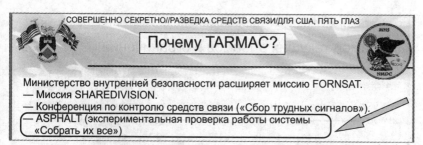

СОВЕРШЕННО СЕКРЕТНО//РАЗВЕДКА СРЕДСТВ СВЯЗИ/ДЛЯ США, ПЯТЬ ГЛАЗ

Почему TARMAC?

Министерство внутренней безопасности расширяет миссию FORNSAT.
— Миссия SHAREDIVISION.
— Конференция по контролю средств связи («Сбор трудных сигналов»).
— ASPHALT (экспериментальная проверка работы системы «Собрать их все»)

Даже в обычной внутренней служебной записке АНБ упоминается слоган, чтобы показать, как растут возможности Агентства. Например, в одной из записок 2009 года технический директор обеспечения полетов АНБ восхваляет недавние улучшения в работе сайта по сбору данных в Мисава (Япония):

Планы на будущее (U)

(СОВЕРШЕННО СЕКРЕТНО//РАЗВЕДКА СРЕДСТВ СВЯЗИ//REL) В будущем MCOS надеется увеличить число платформ WORDGOPHER для того, чтобы было возможно демодулировать тысячи дополнительных низкоскоростных передач.

Эти цели идеально подходят для демодуляции софта. Кроме того, MCOS обладает способностью автоматически сканировать и демодулировать сигналы, как только они проходят через спутники. Существует множество возможностей, благодаря чему мы становимся на один шаг ближе, чтобы «собрать все».

«Собрать все» — это отнюдь не легкомысленная шутка. Этот слоган определяет желания и цель АНБ, достижение которой все ближе. Количество телефонных звонков, электронных писем, интернет-чатов и другой интернет-активности, а также телефонные метаданные, собранные Агентством, ошеломляют. В действительности, как утверждает один из документов 2012 года, АНБ зачастую «собирает гораздо больше информации, чем это может быть полезно». По данным середины 2012 года, Агентство *ежедневно* обрабатывало более 20 млрд коммуникаций (как телефонных, так и через Интернет) со всего мира:

Для каждой отдельной страны АНБ ежедневно составляет график с количеством собранных электронных писем и звонков. На графике для Польши, приведенном ниже, видно, что в некоторые дни обрабатывалось более 3 млн звонков, а за период в тридцать дней — более 71 млн:

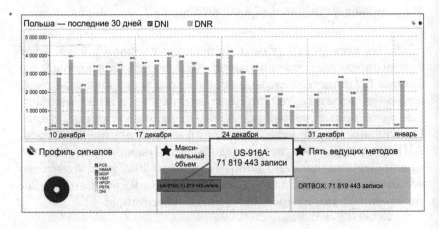

Данные, собранные по Америке, впечатляют не меньше. В 2010 году, еще до раскрытия Сноуденом секретной информации, *Washington Post* сообщила, что «каждый день системы сбора информации Агентства национальной безопасности перехватывают и сохраняют 1,7 млрд электронных писем, телефонных звонков и других сообщений» американцев. Уильям Бинни, математик, который в течение трех десятилетий работал на АНБ и ушел после событий 11 сентября в знак протеста действиям, направленным на усиление слежки за гражданами собственной страны, также сделал немало заявлений о том, какое огромное количество данных было собрано о жителях США. В 2012 году в интервью для *Democracy Now!* Бинни сказал, что «они собрали порядка 20 трлн сообщений, передаваемых одними гражданами США другим гражданам США».

После раскрытия секретной информации Сноуденом *Wall Street Journal* сообщил, что система перехвата АНБ «способна покрыть приблизительно 75 % интернет-трафика США в целях слежки за иностранцами, включая широкий спектр коммуникаций между иностранцами и американцами». Анонимные источники — действующие и бывшие сотрудники АНБ — сообщили журналу, что в некоторых случаях Агентство «сохраняет письменное содержание электронных писем, которые граждане Соединенных Штатов посылают друг другу, а также фильтрует звонки, сделанные внутри страны с помощью интернет-технологий».

Схожим образом британский ЦПС собирает данные, связанные с коммуникациями. Количество полученных данных настолько огромное, что он с трудом может хранить их. Вот что об этом говорится в одном из британских документов 2011 года:

ВЕЛИКОБРИТАНИЯ СОВЕРШЕННО СЕКРЕТНО ЗОНА 1 РАЗВЕДКА СРЕДСТВ СВЯЗИ
ДЛЯ ВЕЛИКОБРИТАНИИ/США/АВСТРАЛИИ/КАНАДЫ/НОВОЙ ЗЕЛАНДИИ

Понимание того, что мы имеем. Краткий инструктаж

- ЦПС обладает обширным доступом к зарубежным интернет-коммуникациям

- Мы получаем более 50 *млрд* данных каждый день (...и это число растет)

О том, что АНБ зациклилось на идее «собрать все», свидетельствует множество внутренних документов из архива Сноудена, в которых сообщается о достижении той или иной отметки в сборе данных. Например, в этой записи в документе, датированном декабрем 2012 года, гордо сообщается, что программа SHELLTRUMPET достигла рекорда в 1 трлн:

(СЕКРЕТНО//РАЗВЕДКА СРЕДСТВ СВЯЗИ//ДЛЯ США, ПЯТИ ГЛАЗ) SHELLTRUMPET обработал триллионную запись о метаданных

От (имя удалено) от 31-12-2012 0738

(СЕКРЕТНО//РАЗВЕДКА СРЕДСТВ СВЯЗИ//ДЛЯ США, ПЯТИ ГЛАЗ) 21 декабря 2012 года SHELLTRUMPET обработал триллионную запись о метаданных. SHELLTRUMPET был запущен в качестве программы, анализирующей метаданные в режиме реального времени 8 декабря 2007 года для системы сбора данных CLASSIC. За пять лет работы огромное количество других систем Агентства использовали возможности обработки информации SHELLTRUMPET для ведения наблюдения, прямого отслеживания электронных писем, отслеживания TRAFFICTHIEF, фильтра и сбора информации из местных точек доступа в режиме реального времени (RTRG). Несмотря на то что прошло пять лет, прежде чем была достигнута отметка в один триллион, практически половина этого объема была получена в текущем календарном году и ее половина поступала из DANCINGOASIS OOCИ. В настоящее время SHELLTRUMPET обрабатывает два миллиарда звонков в день, поступающих через OOCИ (Ram-M, OAKSTAR, MYSTIC и системы), MUSKETEER и системы второй группы стран-партнеров. В 2013 году мы увеличим зону охвата и будем работать более чем с 550 системами. Триллион обработанных записей вылился в 35 миллионов данных для TRAFFICTHIEF.

Чтобы собрать такое обширное количество информации о коммуникациях, АНБ полагается на ряд методов. В их число входит подключение к оптоволоконным кабелям (включая те, что лежат под водой), используемым для международного общения; переадресация сообщений в хранилища АНБ, как только они попадают в систему Соединенных Штатов, что происходит с большинством сообщений в мире; и сотрудничество с разведывательными учреждениями других стран. Кроме того, агентства все чаще полагаются на интернет- и телефонные компании, которые они обязывают передавать данные, собранные о клиентах.

Поскольку АНБ — это официальное государственное учреждение, оно имеет огромное число партнеров из сектора частных компаний и многие задачи отдает на аутсорсинг. В самом АНБ насчитывается около тридцати тысяч сотрудников, но, кроме этого, у Агентства подписаны контракты примерно с шестьюдесятью тысячами сотрудников из различных компаний, которые довольно часто выполняют серьезные функции. Сам Сноуден в реальности занимал должность не в АНБ, а в компании *Dell* и военном подрядчике *Booz Allen Hamilton*. И все же он, как и многие сотрудники частных фирм-подрядчиков, работал в офисе АНБ, решая важные задачи и обладая доступом к секретам Агентства.

Согласно Тиму Шорроку, который долгое время следит за отношениями между АНБ и частными компаниями, «70 % нашего национального бюджета на разведывательные операции уходит в частный сектор». Когда Майкл Хайден сказал, что «наибольшая на планете концентрация власти, контролирующая виртуальный мир, находится на пересечении дороги в Балтимор и трассы 32, ведущей в Мэриленд, — отмечает Шоррок, — он подразумевал не АНБ саму по себе, а бизнес-парк, который располагается на расстоянии около мили от гигантского черного строения в Форт-Миде (Мэриленд), где находится штаб-квартира АНБ. Там работают все основные подрядчики АНБ, начиная от *Booz* и *SAIC* и заканчивая *Northrop Grumman*, которые выполняют работу для Агентства».

Это партнерство выходит за рамки военного сотрудничества. АНБ помогают наиболее влиятельные интернет-корпорации и телефонные провайдеры — именно те компании, которые делают возможной связь по всему миру, облегчают Агентству доступ к частным разговорам. В одном из совершенно секретных документов АНБ после описания миссии компании по «защите (защищать от шпионажа телекоммуникации и компьютерные системы Соединенных Штатов)» и «нападению (перехватывать и использовать иностранные сигналы)» перечисляются услуги, предоставленные такими корпорациями:

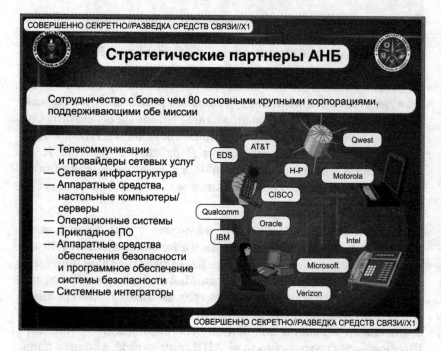

Этим партнерством с крупными корпорациями, предоставляющими технологии и доступ, от которых зависит деятельность АНБ, руководит подразделение АНБ — отдел операций со специальными источниками (ООСИ), обеспечивающий контроль за работой корпораций-партнеров. Сноуден описывает это подразделение как «наиболее ценный актив» организации.

BLARNEY, FAIRVIEW, OAKSTAR и STORMBREW — это часть программ, которые курирует ООСИ в рамках проекта «Доступ корпоративных партнеров» (ДКП).

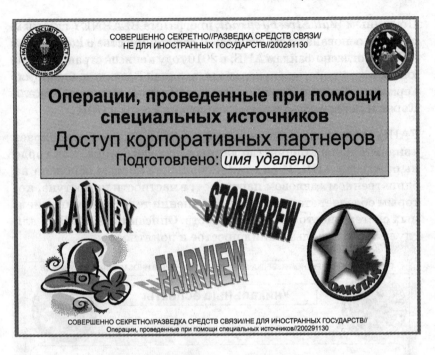

Операции, проведенные при помощи специальных источников
Доступ корпоративных партнеров
Подготовлено: имя удалено

В рамках этих программ АНБ получает доступ к зарубежным системам, которыми, согласно контрактам с иностранными организациями, обладают определенные телефонные компании, в целях создания, поддержания и совершенствования своих сетей. Американские компании перенаправляют данные о коммуникациях в хранилище АНБ.

Основная цель BLARNEY описана в одной из брошюр АНБ:

Взаимоотношения и полномочия

• Привлечение уникальных корпоративных партнеров для того, чтобы получить доступ к международным оптоволоконным кабелям, коммутаторам и роутерам по всему миру

По данным *Wall Street Journal,* программа BLARNEY главным образом основана на многолетнем сотрудничестве с компанией *AT&T.* Согласно файлам АНБ, в 2010 году в список стран, попадающих в зону действия программы, входили Бразилия, Франция, Германия, Греция, Израиль, Италия, Япония, Мексика, Южная Корея и Венесуэла, а также Европейский союз и ООН.

FAIRVIEW — еще одна программа ООСИ. Она также собирает «значительное количество данных» со всего мира, как гордо выражается АНБ. И она также большей частью основана на единственном «деловом партнере», в частности на доступе, которым обладает этот партнер в отношении телекоммуникационных систем иностранных государств. Описание FAIRVIEW для служебного использования простое и понятное:

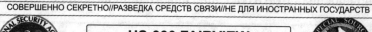

СОВЕРШЕННО СЕКРЕТНО//РАЗВЕДКА СРЕДСТВ СВЯЗИ//НЕ ДЛЯ ИНОСТРАННЫХ ГОСУДАРСТВ

Уникальные аспекты

Доступ к огромному количеству данных

Контролируется различными инстанциями власти

Большинство точек доступа контролируется партнером

СОВЕРШЕННО СЕКРЕТНО//РАЗВЕДКА СРЕДСТВ СВЯЗИ//НЕ ДЛЯ ИНОСТРАННЫХ ГОСУДАРСТВ

US-990 FAIRVIEW

(СОВЕРШЕННО СЕКРЕТНО//РАЗВЕДКА СРЕДСТВ СВЯЗИ)
US-990 (PDDG-UY) — основной корпоративный партнер, предоставляющий доступ к зарубежным кабелям, роутерам и коммутаторам.

(СОВЕРШЕННО СЕКРЕТНО//РАЗВЕДКА СРЕДСТВ СВЯЗИ)
Основные мишени: Глобально

Согласно документам АНБ, FAIRVIEW «является одним из пяти основных инструментов АНБ для сбора упорядоченных данных» — что означает осуществление слежки — «и одним из самых крупных источников сбора метаданных». АНБ практически всецело полагается на одну телефонную компанию. Это подтверждают сведения о том, что «приблизительно 75 % данных приходят от одного источника, что отражает уникальность доступа, которым обладает программа в отношении широкого ряда коммуникаций». Несмотря на то что телефонная компания не была идентифицирована, одно описание партнера FAIRVIEW делает очевидным ее стремление к сотрудничеству:

> FAIRVIEW — корпоративный партнер с 1985 года, обеспечивает доступ к зарубежным кабелям, роутерам, коммутаторам. Партнер ведет деятельность в США, однако имеет доступ к информации о населении различных стран и, используя отношения с другими компаниями, предоставляет уникальный доступ к телекоммуникационным данным и IP-адресам. Активно участвует в передаче трафика, позволяет транслировать на мониторы АНБ сигналы, интересующие Агентство.

Благодаря этому сотрудничеству программа FAIRVIEW собирает колоссальное количество информации о телефонных звонках. График, покрывающий тридцатидневный период начиная с 10 декабря 2012 года, показывает, что только одна эта программа в течение каждого дня месяца собирала около 200 млн записей, что за тридцать дней дало более 6 млрд записей. Светлые столбцы — это данные DNR (телефонные звонки), темные столбцы — это данные DNI (интернет-показатели):

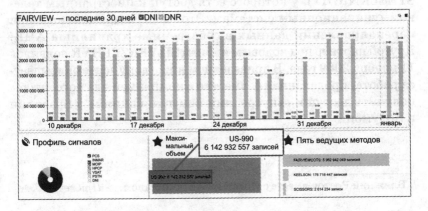

Чтобы собрать эти миллиарды телефонных записей, ООСИ взаимодействует с деловыми партнерами АНБ, а также со спецслужбами иностранных государств, например польской государственной разведывательной службой:

(СОВЕРШЕННО СЕКРЕТНО//РАЗВЕДКА СРЕДСТВ СВЯЗИ//НЕ ДЛЯ ИНОСТРАННЫХ ГОСУДАРСТВ) ORANGECRUSH — часть программы OAKSTAR из корпоративного портфолио ООСИ, с 3 по 25 марта передавала представителям АНБ метаданные, полученные с сайта партнера третьей группы (Польша). Работу программы обеспечивают совместные усилия ООСИ, Национального центра компьютерной безопасности, подразделения иностранных дел и партнера АНБ — подразделения Польского правительства. ORANGECRUSH известна полякам под названием BUFFALOGREEN. Сотрудничество с этими группами началось в мае 2009 года, в его условия входило использование проекта OAKSTAR от ORANGEBLOSSOM и его возможностей по сбору DNR. Полученный доступ позволит собирать секретную информацию с коммерческих ресурсов, которыми управляют корпоративные партнеры АНБ, и будет включать в себя сбор информации о коммуникациях в Национальной армии Афганистана, на Среднем Востоке[1], в ограниченной части Африки и Европы. Уведомление было размещено на SPRINRAY, и этот сбор доступен второй группе стран через TICKETWINDOW.

Схожим образом программа OAKSTAR использует возможности одного из корпоративных партнеров АНБ (кодовое имя STEELKNIGHT), у которого есть доступ к иностранным телекоммуникационным системам. Этот доступ применяется при перенаправлении данных в собственные хранилища АНБ. Другой партнер под кодовым именем SILVERZEPHYR появился 11 ноября 2009 года. В приведенном ниже документе описывается работа, проделанная совместно с компанией для того, чтобы получить доступ к «внутренним коммуникациям» в Бразилии и Колумбии:

---

[1] Ближний Восток вместе с Ираном и Афганистаном. — *Примеч. ред.*

Доступ Федерального управления гражданской авиации к данным DNI благодаря SILVERZEPHYR и Вашингтонскому подразделению АНБ (СОВЕРШЕННО СЕКРЕТНО//РАЗВЕДКА СРЕДСТВ СВЯЗИ//НЕ ДЛЯ ИНОСТРАННЫХ ГОСУДАРСТВ)

От ⌒имя удалено⌒ от 06-11-2009 0918

(СОВЕРШЕННО СЕКРЕТНО//РАЗВЕДКА СРЕДСТВ СВЯЗИ//НЕ ДЛЯ ИНОСТРАННЫХ ГОСУДАРСТВ) Во вторник 5/11/09 SSO-OAKSTER SILVERZEPHYR (SZ) начал передавать данные DNI Федерального управления гражданской авиации Вашингтонскому подразделению АНБ через систему WealthyCluster2/Tellurian, установленную на их сайте. ООСИ координировал действия с офисом по управлению потоком данных и передал файлы в отдел тестирования для проверки, результатом которой стал полный успех. ООСИ продолжит следить за потоком данных и сбором информации, чтобы убедиться, что все проблемы выявлены и решены должным образом. SILVERZEPHYR продолжит обеспечивать пользователей авторизированным сбором данных DNR. Работа ООСИ с партнером направлена на получение доступа к дополнительному объему данных размером 80 Гб, разбитых на части по 10 Гб. Команда OAKSTER при поддержке со стороны NSAT и GNDA только что завершила 12-дневный сбор секретных данных с сайта, на котором было идентифицировано более 200 новых ссылок. Во время этого, чтобы проверить конечный результат работы своих систем AVS, GNDA работал совместно со своим партнером. OAKSTAR также работает с NSAT, чтобы проверить сделанные партнерами из Бразилии и Колумбии снэпшоты, каждый из которых может содержать данные о внутренних коммуникациях жителей этих стран.

Что касается программы STORMBREW, она проводится «в тесном сотрудничестве с ФБР» и предоставляет АНБ доступ к интернет-трафику и телефонной связи на территории Соединенных Штатов в различных «стратегических точках». При осуществлении программы используется тот факт, что основной объем интернет-трафика в тот или иной момент проходит через коммуникационную инфраструктуру США — следствие того, что Соединенные Штаты играют ключевую роль в развитии Глобальной сети. Некоторые из стратегических точек идентифицированы благодаря кодовым названиям:

Согласно АНБ, STORMBREW «в настоящее время является следствием взаимодействия двух провайдеров телефонной связи (кодовые названия ARTIFICE и WOLFPOINT)». Помимо доступа, предоставляемого программой к стратегическим точкам в Соединенных Штатах, «STORMBREW также управляет двумя точками доступа к подводным кабелям, одна из которых находится на Западном побережье США (кодовое название BRECKENRIDGE), а другая — на Восточном побережье США (кодовое название QUAIL-CREEK)».

Изобилие кодовых наименований подтверждает тот факт, что название компаний, которые являются партнерами АНБ, — один из самых охраняемых секретов Агентства. Документы, в которых содержится расшифровка кодовых названий, тщательно защищаются Агентством, и большую их часть Сноудену не удалось заполучить. Тем не менее информация, которую он предоставил, позволила снять маску с некоторых организаций, сотрудничающих с АНБ. Как известно, в его архив входили документы PRISM, в которых подробно расписаны детали секретного соглашения между АНБ и крупнейшими интернет-компаниями в мире — *Facebook, Yahoo!, Apple, Google*, — а также зафиксированы усилия *Microsoft*, направленные на то, чтобы предоставить Агентству доступ к ее информационным платформам, в частности программе *Outlook*.

В отличие от BLARNEY, FAIRVIEW, OAKSTAR и STORMBREW, которые осуществляют слежку через оптоволоконные кабели и другие формы сетевого оборудования (названные АНБ Upstream), PRISM позволяет АНБ собирать данные прямо с серверов девяти крупнейших интернет-компаний:

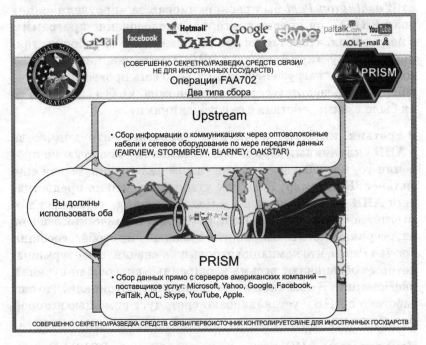

Компании, перечисленные на слайде PRISM, отрицали предоставление ими Агентству неограниченного доступа к своим серверам. Например, *Facebook* и *Google* утверждали, что они передавали АНБ только ту информацию, которую Агентство требовало по ордеру. Они пытались представить PRISM как

обычный технический элемент работы: слегка усовершенство-
ванную систему доставки, посредством которой АНБ получает
в свой «абонентский ящик» те данные, что компания обязана
предоставлять по закону.

Но их аргументы несостоятельны по многим причинам. Во-
первых, нам известно, что *Yahoo!* отчаянно боролся в суде против
АНБ, чтобы не присоединяться к PRISM, — весьма сомнительно,
что компания стала бы так стараться, если бы программа была
простым аналогом службы доставки. (Доводы *Yahoo!* были от-
клонены в Суде FISA, и компании было приказано участвовать
в программе PRISM.) Во-вторых, после того как Барт Геллман
из *Washington Post* был раскритикован за «преувеличение»
роли PRISM, он провел повторное исследование программы
и подтвердил, что остается при своем мнении: «С рабочих стан-
ций по всему миру благодаря PRISM госслужащие получают
возможность "загрузить систему" — то есть провести поиск —
и получить результаты от интернет-компании без какого бы то
ни было взаимодействия с ее сотрудниками».

В-третьих, интернет-компании говорили о сотрудничестве
с АНБ уклончивым юридическим языком, зачастую не про-
ясняя то, как обстоят дела на самом деле, а запутывая еще
сильнее. Например, *Facebook* утверждал, что не предоставляет АНБ «прямой доступ», а *Google* отрицал, что создал для
Агентства «черный вход». Но Крис Согоян, технический эксперт
из Американского союза защиты гражданских свобод, сообщил
Foreign Policy, что компании используют специальные термины,
которые обозначают весьма изощренные способы получения
информации. В конечном счете компании не отрицали, что они
работают с АНБ и устанавливают систему, с помощью которой
Агентство может напрямую получать данные об их клиентах.

Наконец, само АНБ неоднократно восхваляло PRISM за уникальные способности по сбору данных и отмечало, что программа играет ключевую роль в улучшении работы по слежке.
Один из слайдов АНБ проясняет особые возможности PRISM,
связанные со слежкой:

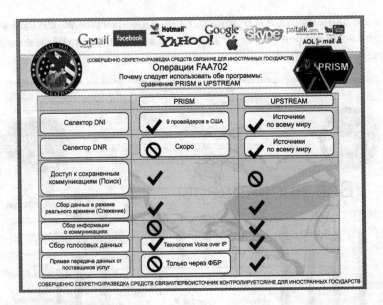

Другой слайд сообщает подробности о широком спектре коммуникаций, к которым АНБ получает доступ благодаря PRISM:

И еще один слайд АНБ показывает, как программа PRISM постоянно и уверенно увеличивает количество собираемых для Агентства данных:

На внутренних досках объявлений в специальном разделе ООСИ часто упоминается о том, какую значительную роль играет PRISM в сборе данных. Вот одно сообщение от 19 ноября 2012 года под названием «PRISM увеличивает свое влияние: статистика 2012 года»:

СОВЕРШЕННО СЕКРЕТНО//РАЗВЕДКА СРЕДСТВ СВЯЗИ//НЕ ДЛЯ ИНОСТРАННЫХ ГОСУДАРСТВ В 2012 году PRISM (US-984XN) увеличила свое влияние на осуществление миссии АНБ по сбору информации посредством улучшения процесса выполнения задач, сбора данных, а также функциональных улучшений программы. Ниже перечислены основные моменты, связанные с работой программы PRISM в 2012 году:

В финальных отчетах о сборе данных стран-союзников из первой группы PRISM является наиболее цитируемым источником. В 2012 году на данных, полученных с помощью PRISM, было основано больше всего финальных отчетов стран из первой группы: 15,1 % всех отчетов (в 2011 году это число составляло 14 %). Данные PRISM цитировались в 13,4 % отчетов всех стран — союзников первой, второй и третьей групп (в 2011 году это число составляло 11,9 %), и в целом она упоминалась больше всего раз.

Общее число финальных отчетов, подготовленных в 2012 году на основе данных PRISM: 24 096, что на 27 % больше, чем в прошлом году.

В 2011 и 2012 годах PRISM являлась единственным источником данных в 74 % случаев.

Число отчетов, основанных на собранных PRISM данных и процитированных в качестве источника в ежедневных докладах президенту в 2012 году: 1477 (18 % всех отчетов по сбору секретной информации PRISM, представленных президенту, — максимальный показатель SIGAD для АНБ); в 2011 году: 1152 (15 % всех отчетов по сбору секретной информации PRISM, представленных президенту, — максимальный показатель SIGAD для АНБ).

Число существенных данных в 2012 году: 4186 (32 % всех существенных данных по всем областям); из них 220 данных были получены только благодаря PRISM.

Выполнение задач: число селекторов выросло до 32 % в 2012 году — 45 406, по данным на сентябрь 2012 года.

Большие успехи в сборе и обработке информации, собранной через Skype; получена важная, уникальная информация по различным объектам слежения.

Число рабочих доменов электронной почты выросло с 40 до 22 000.

Подобные хвалебные заявления не соответствуют утверждению о том, что PRISM — это обычная техническая программа, и они доказывают, что Силиконовая долина лжет, отрицая свое сотрудничество. И действительно, после раскрытия информации Сноуденом *New York Times* в статье о программе PRISM описала массу секретных переговоров между АНБ и Силиконовой до-

линой о предоставлении Агентству неограниченного доступа
к системам компании. «Когда официальные представители
правительства пришли в Силиконовую долину и потребовали
упростить доступ к информации пользователей самых крупных в мире интернет-компаний в рамках секретной программы
слежения, они взбунтовались», — сообщает *Times*. «Впрочем,
в конечном итоге многие согласились пойти хотя бы на какое-то
сотрудничество». В частности,

Twitter отказался упростить для правительства процесс получения
информации. Но в ходе переговоров выяснилось, что другие компании более сговорчивы. Они активно участвовали в обсуждении
с представителями Агентства национальной безопасности разработки технических методов, которые позволят в ответ на запрос со
стороны правительства более эффективно и безопасно делиться
личными данными иностранных пользователей. И в некоторых случаях они согласились изменить работу своих компьютерных систем.

Эти переговоры, как пишет *New York Times*, «иллюстрируют,
как тесно сотрудничают правительство и технические компании,
а также демонстрируют глубину взаимоотношений, которые
происходят за сценой». В статье оспариваются утверждения
компаний относительно того, что они предоставляют АНБ только
тот уровень доступа, который законно обоснован: «В то время как
передавать данные в ответ на запрос суда — это обязательное для
выполнения требование закона, упрощение процедуры, которая
позволит государству получать эту информацию, не является
таковым, и именно поэтому *Twitter* отказался от этого».

Заявления интернет-компаний о том, что они передают АНБ
только ту информацию, которую должны передавать по закону, также не имеют значения. Дело в том, что для того, чтобы
получить информацию о конкретном гражданине США, АНБ
необходимо иметь на это ордер. Но подобное разрешение не
является обязательным для получения данных о любом человеке, не являющимся гражданином США, который находится за
границей, *даже если этот человек общается с американским
гражданином*. Точно так же благодаря правительственной трак-
товке «Патриотического акта» не существует ограничений на

массовый сбор метаданных — трактовка этого закона настолько широкая, что даже его первоначальные авторы были шокированы, узнав, как он используется.

Тесное сотрудничество между АНБ и частными компаниями лучше всего рассматривать на примере документов, связанных с *Microsoft*, в которых демонстрируются усердные старания компании по предоставлению АНБ доступа к нескольким наиболее популярным онлайн-сервисам, включая *SkyDrive*, *Skype* и *Outlook.com*.

SkyDrive позволяет людям сохранять свои файлы в Интернете и получать к ним доступ с различных мобильных устройств. Количество пользователей *SkyDrive* превышает 250 млн по всему миру. «Мы считаем важным, чтобы вы имели контроль над тем, кто может и кто не может получить доступ к вашим личным данным», — утверждает веб-сайт, посвященный *SkyDrive*, созданный компанией *Microsoft*. И все же, как можно увидеть в документах АНБ, *Microsoft* потратил «многие месяцы» на то, чтобы упростить для правительства доступ к этим данным:

(СОВЕРШЕННО СЕКРЕТНО//РАЗВЕДКА СРЕДСТВ СВЯЗИ//НЕ ДЛЯ ИНОСТРАННЫХ ГОСУДАРСТВ) Достижение ООСИ — Теперь сбор данных из Microsoft SkyDrive является частью стандартной работы программы по сбору и хранению информации о коммуникациях с помощью PRISM

От ⟨имя удалено⟩ от 08-03-2013

(СОВЕРШЕННО СЕКРЕТНО//РАЗВЕДКА СРЕДСТВ СВЯЗИ//НЕ ДЛЯ ИНОСТРАННЫХ ГОСУДАРСТВ) Начиная с 7 марта 2013 года PRISM собирает данные из Microsoft SkyDrive. Теперь это является частью стандартной работы программы при запросе, основанном на Законе о контроле деятельности служб внешней разведки, раздел 702 (FAA702). Это означает, что аналитикам больше не нужно делать специальный запрос в ООСИ для того, чтобы собрать эти данные, что значительно облегчает их работу. Новая возможность приведет к гораздо более полному и быстрому сбору данных ООСИ для запросов из Европы. Успех был достигнут в результате многих месяцев сотрудничества ФБР с Microsoft для организации работы этого процесса и поиска оптимального решения. «SkyDrive — это облачный сервис, с помощью которого пользователь может сохранять свои файлы и получать к ним доступ с различных устройств. Кроме того, Microsoft Office предоставляет бесплатные интернет-приложения, благодаря которым пользователь получает возможность создавать, редактировать и просматривать файлы Word, PowerPoint, Excel даже в тех случаях, когда MS Office не установлен на устройстве, с которого пользователь просматривает файл». (Источник: S314 wiki)

В конце 2011 года *Microsoft* приобрела *Skype*, интернет-сервис, позволяющий пользователям переписываться и разговаривать друг с другом. Количество зарегистрированных пользователей *Skype* превышает 663 млн человек. В момент покупки *Microsoft* заверил пользователей в том, что «*Skype* уважает вашу частную жизнь и конфиденциальность ваших личных данных и вашего общения». В действительности эти данные так же без проблем передавались правительству. Можно найти несколько сообщений о том, что в начале 2013 года АНБ отмечало, что получить доступ к общению между пользователями *Skype* становится все легче:

(СОВЕРШЕННО СЕКРЕТНО//РАЗВЕДКА СРЕДСТВ СВЯЗИ//НЕ ДЛЯ ИНОСТРАННЫХ ГОСУДАРСТВ) Новые возможности PRISM по сбору данных, сохраненных в Skype

От (имя удалено) от 04-03-2013 0631

(СОВЕРШЕННО СЕКРЕТНО//РАЗВЕДКА СРЕДСТВ СВЯЗИ//НЕ ДЛЯ ИНО-СТРАННЫХ ГОСУДАРСТВ) У PRISM появилась новая возможность по сбору данных: сохраненные в Skype коммуникации. Эти данные будут содержать уникальную информацию, которая недоступна во время обычного сбора данных в режиме реального времени. ООСИ ожидает, что в эти данные войдут список контактов, номер кредитной карты, даты звонков, информация об аккаунте пользователя и др. 29 марта 2013 года ООСИ передал около 2000 селекторов для Skype с целью сохранения информации в SV41 и в подразделение по контролю электронных коммуникаций в ФБР. SV41 занимается предварительной оценкой того, какие из селекторов обладают наивысшим приоритетом, и уже 100 селекторов направила в упомянутое выше подразделение

ФБР. Работа по оценке всех 2000 селекторов может занять у SV41 несколько недель, а у подразделения ФБР, вероятно, уйдет на это еще больше времени. На 2 апреля подразделение одобрило около 30 селекторов и передало об этом информацию в Skype. Всего за два года сбор данных Skype как часть работы PRISM занял важное место в отчетах АНБ, которые использовались при борьбе с терроризмом, с сирийской оппозицией и режимом, установленным в Сирии, а также в ряде других крупнейших операций. С апреля 2011 года вышло около 2800 отчетов, основанных на информации, собранной с помощью системы сбора данных Skype в рамках программы PRISM, и 76 % из нее могло быть получено только из этого источника.

(СОВЕРШЕННО СЕКРЕТНО//РАЗВЕДКА СРЕДСТВ СВЯЗИ//НЕ ДЛЯ ИНОСТРАННЫХ ГОСУДАРСТВ) ООСИ расширяет свои возможности при сборе данных Skype в рамках программы PRISM

От ⟨ *имя удалено* ⟩ от 04-03-2013 0629

(СОВЕРШЕННО СЕКРЕТНО//РАЗВЕДКА СРЕДСТВ СВЯЗИ//НЕ ДЛЯ ИНОСТРАННЫХ ГОСУДАРСТВ) 15 марта 2013 года программа PRISM начала использовать при работе со Skype все возможные селекторы Microsoft PRISM, поскольку Skype разрешает пользователям входить в свой аккаунт, используя имя пользователя и идентификаторы аккаунта. До настоящего времени, если пользователь заходил в аккаунт, не используя имя пользователя, PRISM не собирала никакие данные и в результате при сборе данных образовывался пробел; теперь этого не будет. На самом деле пользователь может создать аккаунт, используя любой электронный адрес любого домена. В настоящее время аналитики не могут вносить эти электронные адреса в PRISM, однако ООСИ надеется, что летом указанный недочет будет исправлен. В течение последних шести месяцев АНБ, ФБР и Министерство юстиции совместно работали над тем, чтобы получить разрешение на отправку PRINTAURA всех действующих и будущих селекторов Microsoft PRISM в Skype. В результате в Skype будет отправлено около 9800 селекторов и сбор данных станет более полным, в противном случае какие-то данные будут упущены.

Сотрудничество между Агентством и *Microsoft* не только оставалось тайной, но и противоречило публичным заявлениям, которые делала компания. Крис Согоян, технический эксперт Американского союза защиты гражданских свобод, сообщил, что информация, предоставленная Сноуденом, шокирует многих пользователей *Skype*. «В прошлом *Skype* давал своим пользователям обещание о том, что их разговоры не смогут подслушать, — говорит Крис. — Очень трудно увязать стремление *Microsoft* состязаться с *Google* в сохранении конфиденциальности информации пользователей и секретное сотрудничество первой с АНБ».

В 2012 году *Microsoft* начала работать над улучшением почтового агента *Outlook.com* с целью объединить все свои коммуникационные сервисы, включая широко используемый *Hotmail*, в одну общую программу. Компания рекламировала усовершенствованный *Outlook*, обещая с помощью новой системы шифрования предоставить пользователям более высокий уровень защиты их личных данных. АНБ сразу же встревожил тот факт, что защита, которую *Microsoft* предоставляет пользователям, помешает Агентству следить за их общением. В одной из служебных записок ООСИ, датированной 22 августа 2012 года, выражается беспокойство по поводу того, что «использование этого портала означает, что электронные письма, поступающие к нам, будут по умолчанию зашифрованы» и что «при использовании обоими пользователями портала *Microsoft* переписка в чате также будет закодирована».

Но им не пришлось испытывать волнение слишком долго. Через несколько месяцев две организации совместно разработали методы, с помощью которых АНБ сможет обойти защиту *Microsoft*, которую компания публично рекламировала пользователям, рассказывая о том, как она заботится о защите их личной информации:

(СОВЕРШЕННО СЕКРЕТНО//РАЗВЕДКА СРЕДСТВ СВЯЗИ//НЕ ДЛЯ ИНОСТРАННЫХ ГОСУДАРСТВ) Запуск Microsoft нового сервиса влияет на сбор данных FAA 702

От (имя удалено) от 26-12-2012 0811

(СОВЕРШЕННО СЕКРЕТНО//РАЗВЕДКА СРЕДСТВ СВЯЗИ//НЕ ДЛЯ ИНОСТРАННЫХ ГОСУДАРСТВ) 31 июля Microsoft (MS) представила новую услугу Outlook.com и запустила новый зашифрованный интернет-чат. Новый протокол защиты информации (SSL) эффективно препятствует работе FAA 7-2 и, возможно, 12333 (в какой-то степени) в целях разведывательного сообщества. Совместно с ФБР MS разработала систему, позволяющую обойти новый SSL. Предложенные решения успешно прошли проверку и начали использоваться 12 декабря 2012 года. Они учитывают все текущие требования «Закона о контроле деятельности служб внешней разведки» и требования 702/ PRISM — никакие изменения в ходе самой процедуры не требуются. Голосовые/видеоданные и передаваемые файлы не собираются. Традиционная система MS по сбору данных непрерывно собирала голосовые/видеоданные и передаваемые файлы. В результате работы новой и традиционной систем происходит двойной сбор данных, связанных с перепиской в чате, эта проблема будет решена позже. Комитет по экономической безопасности уже отметил увеличение объема данных, ставшее результатом проделанной работы.

В другом документе описывается дальнейшее сотрудничество между *Microsoft* и АНБ. Агентство пытается убедиться в том, что новые возможности *Outlook* не повлияют на процессы слежения, налаженные в АНБ: «Команда ФБР из отдела технологий перехвата данных работает совместно с *Microsoft*, пытаясь разобраться в дополнительной функции *Outlook.com*, позволяющей пользователям создавать алиасы почтовых адресов, что может повлиять на наши процессы сбора информации... Эти проблемы необходимо решить».

Упоминание подобной работы ФБР в архиве Сноудена не было единичным. Все разведывательное ведомство обладает доступом к информации, которую собирает АНБ: оно ежедневно делится огромной коллекцией собранных данных с другими агентствами, включая ФБР и ЦРУ. Одной из основных целей активного сбора данных было создание мотивации на распространение информации между агентствами. И действительно практически в каждом документе, имеющем отношение к различным программам по сбору данных, упоминаются другие разведывательные агентства. В этом документе ООСИ от 2012 года, который касается распространения данных, полученных с помощью PRISM, радостно объявляется, что «работа с PRISM — это командный спорт!»:

(СОВЕРШЕННО СЕКРЕТНО//РАЗВЕДКА СРЕДСТВ СВЯЗИ//НЕ ДЛЯ ИНОСТРАННЫХ ГОСУДАРСТВ) Увеличение количества информации, которой PRISM делится с ФБР и ЦРУ

От ⟨ *имя удалено* ⟩ от 31-08-2012 0947

(СОВЕРШЕННО СЕКРЕТНО//РАЗВЕДКА СРЕДСТВ СВЯЗИ//НЕ ДЛЯ ИНО-СТРАННЫХ ГОСУДАРСТВ) Отдел операций со специальными источни-ками (ООСИ) с помощью двух проектов недавно увеличил количество информации, которой он делится с Федеральным бюро расследований (ФБР) и Центральным разведывательным управлением (ЦРУ) по операциям PRISM. Благодаря этим действиям ООСИ создал в разве-дывательном сообществе командную атмосферу, в которой принято делиться информацией, связанной с работой PRISM. Во-первых, ко-манда ООСИ PRINTAURA, написав программное обеспечение, которое автоматически собирает запрашиваемые PRISM селекторы каждые две недели для предоставления их в ФБР и ЦРУ, решила проблему директората РРТР. Это позволяет нашим партнерам увидеть, какие селекторы Агентство национальной безопасности (АНБ) задает PRISM. После этого ФБР и ЦРУ могут запросить копию собранных PRISM данных по любому селектору в соответствии с поправками к Закону о контроле деятельности служб внешней разведки от 2008 года. До начала работы команды PRINTAURA директорат РРТР предоставлял ФБР и ЦРУ неполные и неточные списки, то есть наши партнеры не могли использовать возможности программы PRISM в полной мере. PRINTAURA вызвалась собирать подробные данные из различных ис-точников и объединять их в удобной для просмотра форме. В рамках второго проекта «Менеджер миссии программы PRISM» была органи-зована рассылка рабочих новостей PRISM и инструкций в ФБР и ЦРУ, так чтобы их аналитики могли грамотно использовать систему PRISM, быть в курсе изменений и перебоев в работе и оптимизировать свою работу в PRISM. Благодаря проекту «Руководитель проекта программы PRISM» директорат РРТР в соответствии с дополнениями к Закону о контроле деятельности служб внешней разведки (FAA) еженедельно делится информацией, что очень высоко ценится. Эти два проекта подчеркивают тот факт, что работа с PRISM — это командный спорт!

Сбор данных с помощью программы *Upstream* (посредством оп-товолоконных кабелей) и прямой сбор информации с серверов интернет-компаний (PRISM) предоставляют АНБ больше всего данных. Однако в дополнение к этим программам поголовной слежки АНБ применяет еще и так называемый CNE — метод использования компьютерных сетей: в персональные компьютеры внедряется вирус, с помощью которого осуществляется слежка за человеком. Когда у Агентства получается заразить компьютер вирусом, оно, говоря на языке АНБ, «владеет» этим техническим устройством: Агентство видит каждое нажатие клавиши и каждый открытый на компьютере экран. За эту работу отвечает подразделение ТАО, которое занимается операциями по получению специального доступа. В сущности, это собственная команда хакеров Агентства.

Хакерство само по себе довольно распространенный метод: один из документов АНБ свидетельствует в пользу того, что Агентству удалось заразить вирусом под названием «Квантовое проникновение» 50 тыс. персональных компьютеров. На карте отмечены места, в которых проводилась операция, и число успешных заражений вирусом:

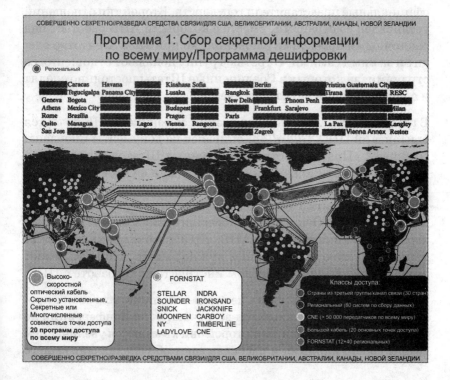

Основываясь на документах Сноудена, *New York Times* сообщает, что в действительности АНБ заразило этим вирусом «около 100 000 компьютеров по всему миру». Несмотря на то что внедрение вируса происходило благодаря «получению доступа к компьютерным сетям, АНБ все чаще использовало секретную технологию, позволяющую заходить и изменять данные в компьютере, даже если он не подсоединен к Интернету».

Помимо работы с покладистыми интернет-компаниями и провайдерами телефонной связи, АНБ тайно сотрудничает с правительствами других государств с целью создания широкомасштабной системы слежения. Если не вдаваться в подробности, АНБ имеет три различных типа отношений с иностранными государствами. Первый — это группа «Пять глаз»: вместе с этими странами США осуществляет слежку за людьми, но не за теми, которые живут в этих странах, если только об этом не попросят официальные представители государств. Второй тип отношений установлен со странами, вместе с которыми АНБ работает над различными проектами слежения, но при этом Агентство следит и за ними самими. В третью группу попадают отношения со странами, за которыми Соединенные Штаты постоянно следят и с которыми они не сотрудничают.

В группе «Пять глаз» самым близким союзником АНБ является британский ЦПС. *Guardian*, опираясь на документы Сноудена, сообщает: «Правительство Соединенных Штатов за последние три года заплатило как минимум 100 млн фунтов стерлингов британскому агентству по шпионажу для того, чтобы получить доступ и оказывать влияние на британские программы слежения и сбора данных». Эти деньги послужили стимулом для ЦПС в поддержке политики слежения АНБ. «ЦПС необходимо как следует выполнять свою работу, и нам нужно видеть, что ЦПС делает это», — говорится в секретном инструктаже по работе с ЦПС.

Члены группы «Пять глаз» делятся большинством своих проектов слежения и каждый год встречаются на Конференции по развитию средств связи, на которой они хвастаются увеличением сферы своего влияния и рассказывают об успехах минувшего года. Предыдущий заместитель директора АНБ Джон Инглис, упоминая альянс «Пять глаз», сказал, что «мы занимаемся слежкой совместно — в сущности для того, чтобы убедиться, что мы используем способности друг друга для общей выгоды».

Большинство самых агрессивных программ слежения осуществляется именно партнерами альянса «Пять глаз» и в значительном их числе участвует ЦПС. Стоит особо отметить совместные усилия британского агентства и АНБ по взлому систем шифрования, которые используются для обеспечения безопасности таких персональных транзакций в Интернете, как работа с банком и получение медицинских сведений. Два агентства добились успеха и получили доступ к системам шифрования. Это не только позволило им увидеть персональные банковские операции людей, но и ослабило систему для каждого пользователя, сделав ее более уязвимой для хакеров и других иностранных разведывательных агентств.

ЦПС также проводит массовый сбор коммуникационных данных с подводных оптоволоконных кабелей. Благодаря программе под названием *Tempora* у ЦПС появилась «возможность перехватывать и в течение 30 дней сохранять огромные объемы данных, передаваемых по оптоволоконным кабелям, так чтобы они могли быть тщательно проанализированы, — сообщает *Guardian*. — В результате этого ЦПС и АНБ имеют доступ и способны обрабатывать огромное количество диалогов между совершенно невинными людьми». Перехваченные данные касаются всех форм интернет-активности, включая «запись телефонных звонков, содержание электронных писем, заходы на *Facebook* и историю просмотров веб-сайтов любого интернет-пользователя».

Слежка, осуществляемая ЦПС, такая же всеобъемлющая и такая же непонятная, как и слежка, проводимая АНБ. Как отмечает *Guardian*,

огромные амбиции Агентства отражены в названии его двух основных проектов «Контроль Интернета» и «Глобальное использование телекоммуникаций», направленные на максимально возможный сбор телефонного и интернет-трафиков. Все это осуществляется без ведома общественности и без публичного обсуждения.

Канада также является активным партнером АНБ и энергично ведет собственные проекты. На конференции по развитию средств связи в 2012 году CSEC (Канадская служба электронной разведки, КСЭР) с гордостью заявила о том, что осуществляет слежку за Министерством горной промышленности и энергетики Бразилии — учреждением, которое отвечает за область, представляющую особый интерес для канадских компаний:

И ОНИ СКАЗАЛИ ТИТАНАМ:

«БЕРЕГИТЕСЬ ОБИТАТЕЛЕЙ ОЛИМПА!»

Канадская служба электронной разведки — продвинутые методы работы при разведке сетей.

Конференция по контролю средств связи — июнь 2012 года

Общий гриф секретности: СОВЕРШЕННО СЕКРЕТНО//РАЗВЕДКА СРЕДСТВ СВЯЗИ

ОЛИМП И АНАЛИЗ КОНКРЕТНЫХ ПРИМЕРОВ

ОЛИМП

Механизм базы знаний CSEC

Различные источники данных
Получение дополнительной информации
Автоматический анализ

Министерство горной промышленности и энергетики Бразилии

Разработка новой цели
Ограниченный доступ/понимание цели

Продвинутые методы работы
при разведке сетей — CSEC

СОВЕРШЕННО СЕКРЕТНО//РАЗВЕДКА СРЕДСТВ СВЯЗИ

Существуют свидетельства, доказывающие обширное сотрудничество АНБ и CSEC. К нему относятся и усилия Канады, направленные на создание в интересах АНБ постов слежения за коммуникациями по всему миру, а также слежка за торговыми партнерами, представляющими интерес для американского Агентства.

СОВЕРШЕННО СЕКРЕТНО//РАЗВЕДКА СРЕДСТВ СВЯЗИ//ДЛЯ США, ПЯТЬ ГЛАЗ

Агентство национальной безопасности/Центральная служба безопасности

Информационное письмо

3 апреля 2013 года

Тема: (U//ТОЛЬКО ДЛЯ СЛУЖЕБНОГО ПОЛЬЗОВАНИЯ) Сотрудничество между АНБ и Канадской службой электронной разведки (CSEC)

СОВЕРШЕННО СЕКРЕТНО//РАЗВЕДКА СРЕДСТВ СВЯЗИ//ДЛЯ США, КАНАДЫ

(U) АНБ предоставляет своему партнеру:

(СОВЕРШЕННО СЕКРЕТНО//РАЗВЕДКА СРЕДСТВ СВЯЗИ//ДЛЯ США, КАНАДЫ)

АНБ и CSEC осуществляют совместную слежку приблизительно за 20 странами первостепенной важности. ▉▉▉▉▉ АНБ делится техническими разработками, методами шифрования, программным обеспечением и последними разработками в области сбора, анализа и обработки данных. Обмен данными разведки с CSEC покрывает объекты наблюдения, находящиеся в США и других странах. Деньги, предназначенные для Единой криптологической программы, не вкладываются в CSEC, но АНБ периодически платит Канаде за научно-исследовательские и технологические разработки в области совместных проектов.

(U) Партнер предоставляет АНБ:

(СОВЕРШЕННО СЕКРЕТНО//РАЗВЕДКА СРЕДСТВ СВЯЗИ//ДЛЯ США, КАНАДЫ)

CSEC предлагает ресурсы для расширенного сбора, обработки и анализа данных и по запросу АНБ открывает доступ к секретным сайтам. CSEC делится с АНБ своим уникальным географическим доступом к зонам, недоступным для США. ▉▉▉▉▉ и предоставляет продукты шифрования, анализа зашифрованного текста, технологии и программное обеспечение. CSEC увеличивает свои инвестиции в научно-исследовательские разработки, представляющие интерес как для CSEC, так и для АНБ.

Отношения в группе «Пять глаз» настолько близки, что правительства входящих в нее государств ставят интересы АНБ выше интересов своих собственных граждан, а именно в том, что касается охраны их частной жизни. Например, как сообщает *Guardian*, в одной из служебных записок 2007 года говорится о соглашении, «которое позволяет Агентству раскрывать и хранить персональные данные об англичанах, которые раньше были недоступны». В дополнение к этому в 2007 году были изменены правила, чтобы «позволить АНБ анализировать и хранить собранные программами номера мобильных телефонов и факсов, электронные адреса и IP-адреса».

Правительство Австралии пошло еще дальше и в 2011 году открытым текстом попросило АНБ «расширить» их сотрудничество и усилить слежку за гражданами Австралии. В письме руководителю АНБ от 21 февраля действующий заместитель руководителя Австралийского разведывательного управления заявил, что Австралия «в настоящий момент столкнулась со страшной угрозой со стороны местных экстремистов, ведущих активную деятельность как в самой Австралии, так и за ее пределами». Он просил усилить слежку за коммуникациями между гражданами Австралии, которые вызывают у правительства подозрение:

Мы прилагаем значительные усилия для сбора и анализа данных, чтобы отследить эти коммуникации, однако сложности, с которыми мы сталкиваемся, чтобы получить постоянный и надежный доступ к подобным коммуникациям, оказывают влияние на нашу способность к обнаружению и предотвращению террористических актов, снижая наши возможности по обеспечению безопасности и защите жизни австралийских граждан, наших близких друзей и союзников.

Мы довольны длительным и очень продуктивным сотрудничеством с АНБ, получением максимального доступа к данным, собранным

Соединенными Штатами, против наших объектов наблюдения в Индонезии, представляющих террористическую угрозу. Как показал недавний арест Умара Патека, совершившего теракт на Бали, этот доступ играет важную роль в работе разведывательной службы Австралии при проведении в нашем регионе операций против террористов.

Мы были бы счастливы возможности расширить это сотрудничество с АНБ для того, чтобы осуществлять наблюдение за растущим числом австралийцев, вовлеченных в международные экстремистские действия, — в особенности австралийцев, принимающих участие в деятельности Аль-Каиды на Аравийском полуострове.

Помимо партнеров из группы «Пять глаз» АНБ взаимодействует с группой партнеров «Б» — странами, сотрудничество которых с Агентством носит ограниченный характер. Эти государства сами являются жертвами агрессивной слежки со стороны АНБ, о которой они не просили. Агентство четко очерчивает круг стран, входящих в каждый из этих альянсов:

КОНФИДЕНЦИАЛЬНО//НЕ ДЛЯ ИНОСТРАННЫХ ГОСУДАРСТВ//20291123

ГРУППА А ВСЕСТОРОННЕЕ СОТРУДНИЧЕСТВО	Австралия Канада Новая Зеландия Великобритания	
ГРУППА Б ИЗБИРАТЕЛЬНОЕ СОТРУДНИЧЕСТВО	Австрия	Люксембург
	Бельгия	Нидерланды
	Чешская Республика	Норвегия
	Дания	Польша
	Германия	Португалия
	Греция	Южная Корея
	Венгрия	Испания
	Исландия	Швеция
	Италия	Швейцария
	Япония	Турция

АНБ использует различные обозначения партнеров, в частности называя группу партнеров «Б» «Третьей группой». Недавние документы АНБ — из отчета 2013 года об иностранных партнерах — показывают, что список партнеров АНБ увеличился и в него вошли такие международные организации, как НАТО:

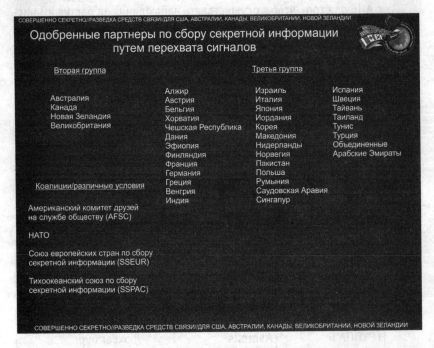

СОВЕРШЕННО СЕКРЕТНО//РАЗВЕДКА СРЕДСТВ СВЯЗИ//ДЛЯ США, АВСТРАЛИИ, КАНАДЫ, ВЕЛИКОБРИТАНИИ, НОВОЙ ЗЕЛАНДИИ

Одобренные партнеры по сбору секретной информации путем перехвата сигналов

Вторая группа		Третья группа	
Австралия	Алжир	Израиль	Испания
Канада	Австрия	Италия	Швеция
Новая Зеландия	Бельгия	Япония	Тайвань
Великобритания	Хорватия	Иордания	Таиланд
	Чешская Республика	Корея	Тунис
	Дания	Македония	Турция
	Эфиопия	Нидерланды	Объединенные
	Финляндия	Норвегия	Арабские Эмираты
	Франция	Пакистан	
	Германия	Польша	
Коалиции/различные условия	Греция	Румыния	
	Венгрия	Саудовская Аравия	
Американский комитет друзей	Индия	Сингапур	
на службе обществу (AFSC)			
НАТО			
Союз европейских стран по сбору			
секретной информации (SSEUR)			
Тихоокеанский союз по сбору			
секретной информации (SSPAC)			

СОВЕРШЕННО СЕКРЕТНО//РАЗВЕДКА СРЕДСТВ СВЯЗИ//ДЛЯ США, АВСТРАЛИИ, КАНАДЫ, ВЕЛИКОБРИТАНИИ, НОВОЙ ЗЕЛАНДИИ

Точно так же как и в случае с ЦПС, АНБ сохраняет это сотрудничество благодаря тому, что платит своим партнерам за разработку определенных технологий и за участие в слежке — таким образом АНБ может осуществлять руководство самим процессом наблюдения. Отчет по иностранным партнерам за 2012 год показывает, что деньги получало значительное число стран, включая Канаду, Израиль, Японию, Иорданию, Пакистан, Тайвань и Таиланд:

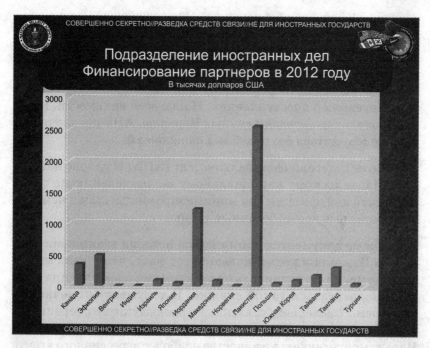

Подразделение иностранных дел
Финансирование партнеров в 2012 году
В тысячах долларов США

В частности, отношения АНБ с Израилем зачастую предполагают сотрудничество, близкое к партнерству «Пяти глаз», а иногда и еще более тесное. Меморандум о взаимопонимании между АНБ и Израильской разведывательной службой проливает свет на то, как был предпринят необычный со стороны Соединенных Штатов шаг — когда АНБ поделилась с Израилем необработанными данными, в которых содержалась информация о переговорах между американскими гражданами. Среди данных, направленных в Израиль, можно найти «полные и необработанные записи разговоров, факсимиле, телекс, метаданные и контент, полученный в результате слежки в цифровых сетях».

Абсолютно неприемлемым это действие со стороны АНБ делает тот факт, что материал, отправленный в Израиль, не прошел требуемого по закону процесса «минимизации». Процедура минимизации необходима, чтобы удалить те данные о разговорах, которые даже чрезвычайно широкие принципы работы АНБ не позволяют собирать. Подобная информация уничтожается, как только это становится возможным, и дальше не распространяется. В законе по требованиям к минимизации существует множество лазеек, в том числе для сохранения «значимой для внешней разведки информации» или любых данных, «свидетельствующих о преступлении». Но, по всей видимости, когда дело доходит до передачи данных Израилю, АНБ предпочитает вообще обходиться без подобных сложностей.

В памятке категорически заявляется: «АНБ регулярно направляет Израильскому национальному подразделению по сбору секретной информации как минимизированные, так и неминимизированные необработанные данные».

В одном из документов упоминается история взаимодействия АНБ и Израиля и подчеркивается тот факт, что страна может одновременно сотрудничать по программам слежки и при этом сама подвергаться такой слежке. В документе отмечаются «проблемы с доверием, связанные с предыдущими операциями в сотрудничестве с Израильским подразделением», при этом Израиль определяется в качестве наиболее агрессивного агента слежки, действующего против Соединенных Штатов:

(СОВЕРШЕННО СЕКРЕТНО//РАЗВЕДКА СРЕДСТВ СВЯЗИ//REL)

Здесь также есть несколько сюрпризов... Франция следит за Министерством обороны США посредством технического сбора данных, а Израиль также следит за нами. С одной стороны, для нас израильтяне удивительно хорошие партнеры по сбору секретных сведений, но, с другой стороны, они следят за нами, чтобы выяснить нашу позицию по отношению к проблемам на Среднем Востоке. NIE [Расчет на основе разведданных ЦРУ] оценил их как третьего по счету из наиболее агрессивных агентов слежки, действующих против США.

В том же документе говорится о том, что, несмотря на тесные отношения между американским и израильским разведывательными агентствами, в обмен на большой объем информации, предоставленный Соединенными Штатами Израилю, последний, в свою очередь, передал США очень мало данных. Израильское разведывательное агентство заинтересовано в сборе только тех данных, которые представляют важность для него. АНБ жалуется на то, что партнерство главным образом вращается вокруг потребностей Израиля.

На протяжении всего последнего десятилетия поиск баланса при обмене секретной информацией между США и Израилем представляет собой проблему, вполне возможно, что он сильно склоняется в сторону потребностей Израиля. Пришло и прошло 11 сентября, а отношения АНБ с третьей группой стран по-прежнему практически полностью концентрируются вокруг потребностей партнеров.

По сравнению с группой «Пять глаз» и второй группой, в которую входят такие страны, как Израиль, третья группа обладает более низким статусом. Она состоит из государств, которые часто являются объектом слежки и при этом никогда не становятся партнерами. Соответственно, сюда входят такие страны, как Китай, Россия, Иран, Венесуэла и Сирия. Кроме того, в список попадают государства, начиная с тех, отношения с которыми можно охарактеризовать как доброжелательные и заканчивая теми, отношения с которыми можно назвать нейтральными, — Бразилия, Мексика, Аргентина, Индонезия, Кения и Южная Африка.

Когда разоблачения АНБ были впервые опубликованы, правительство Соединенных Штатов пыталось защитить свои действия, утверждая, что в отличие от иностранцев американские граждане защищены от беспричинной слежки со стороны АНБ. 18 июня 2013 года президент Обама сказал Чарли Роузу: «Я могу однозначно утверждать, что если вы являетесь гражданином США, АНБ не может прослушивать ваши телефонные звонки... нет таких правил или законов, только если... у них будет на то веская причина. Тогда они отправятся в суд и получат ордер. Так было всегда». То же самое сообщил телеканалу *CNN* Майк Роджерс, член республиканской партии и председатель Комитета по разведке: «АНБ не прослушивает телефонные звонки американцев. Если бы оно так делало, это было бы незаконно. Это нарушение закона».

Это была довольно странная линия обороны: в сущности, правительство говорило всему миру, что АНБ нарушает неприкосновенность частной жизни всех людей, которые не являются американскими гражданами. По всей видимости, защита частной жизни — это привилегия, доступная лишь американцам. Это сообщение привело к такой огромной волне международного возмущения, что даже генеральный директор *Facebook* Марк Цукерберг, не самый ярый сторонник защиты частной жизни, пожаловался, что в ответ на скандал, связанный с АНБ, правительство США «бросило бомбу», которая рискует подорвать интересы международных интернет-компаний: «Правительство сказало: "Не беспокойтесь, мы шпионим не за американцами". Замечательно, это очень полезно для компаний, которые работают с людьми по всему миру. Спасибо, что вышли вперед и прояснили все. Думаю, что это было крайне нехорошо».

Помимо того что это была странная стратегия, само утверждение являлось ложным. На самом деле, несмотря на неоднократные заверения Обамы и представителей властей, АНБ постоянно перехватывает звонки и переписку американских граждан. При этом Агентство не использует ордеры, чтобы оправдать подобную слежку. Все дело в том, что Закон о надзоре за иностранными разведками позволяет АНБ, не имея ордера на каждого отдельного человека, отслеживать содержание звонков и переписки любого американца, при условии что он общается с иностранным гражданином. Термин «избирательный» сбор данных используется АНБ для того, чтобы сделать вид, будто слежка Агентства за американцами не играет значительной роли. Но правительство вводит своих граждан в заблуждение. Джамиль Джаффер, старший юрист Американского союза гражданских свобод, объясняет:

Правительство часто говорит, что это наблюдение за звонками и перепиской американцев носит «избирательный» характер. Это звучит так, словно слежка АНБ за своими гражданами является непреднамеренной, и даже начинает казаться, что правительство выражает сожаление.

Но когда администрация Буша спросила об этой слежке у Конгресса, тот довольно четко дал понять, что для них наибольший интерес представляет именно то, что пишут и говорят американцы. Вспомните, к примеру, как в 2006 году на заседании Конгресса 109 созыва Майкл Хайден заявил, что определенные звонки и переписка, «один из участников которых находится в Соединенных Штатах», представляют «наибольший интерес для нас».

Основная цель Закона 2008 года заключается в том, чтобы сделать возможным для правительства отслеживание международных звонков и переписки американцев и чтобы сбор этой информации осуществлялся вне зависимости от того, сделала ли одна из сторон что-то противозаконное. Несмотря на то что своей пропагандой правительство пытается скрыть этот факт, решающее значение имеет то, что для слежки правительству не нужно выбирать «мишень», чтобы собрать огромный объем данных.

Профессор школы права Йельского университета Джек Балкин согласился, что Закон о надзоре за иностранными разведками от 2008 года дал президенту полномочия для запуска программы, «по сути схожей с программой неограниченной слежки, для которой не нужен ордер», тайно применявшейся Джорджем Бушем. «Эти программы неизбежным образом включают сбор информации о телефонных звонках американцев, которые могут не иметь абсолютно никакого отношения к терроризму или Аль-Каиде».

Заверения Обамы также несостоятельны в том, что касается подотчетного положения АНБ по отношению к Суд FISA. Все дело в том, что суд одобряет практически каждый запрос АНБ о слежке. Защитники АНБ часто приводят наличие суда в качестве доказательства того, что работа Агентства находится под тщательным контролем. Однако суд был создан не для проверки правомерности действий правительства, а в качестве косметической меры, для создания видимости реформы, чтобы успокоить общественное недовольство, вызванное нарушениями в действиях Агентства, выявленными в 1970-х.

Бесполезность этого суда как института предотвращения злоупотреблений Агентства очевидна, потому что у него практически отсутствуют атрибуты того, что наше общество понимает под справедливой системой правосудия. Он проводит закрытые слушания; на них могут присутствовать представители только одной партии — правящей, там они представляют свое дело; на постановления суда автоматически наносится гриф «совершенно секретно». Что характерно, в течение многих лет Суд FISA был размещен в здании Министерства юстиции, что ясно подтверждало его роль как части исполнительной власти, а не как независимого судебного органа, осуществляющего реальный контроль.

Результаты были именно такими, какие следовало ожидать: суд практически никогда не отвергает запросы АНБ об установлении слежки за тем или иным американским гражданином. С момента создания суд выступал в качестве марионетки. За первые двадцать четыре года существования, с 1978 по 2002 год, суд в общей сложности не отклонил *ни одного* запроса правительства и утвердил многие тысячи таких запросов. В последующее десятилетие, до 2012 года, суд отклонил всего одиннадцать запросов и в общей сложности удовлетворил более двадцати тысяч.

Одним из положений Закона о контроле деятельности служб внешней разведки от 2008 года было то, что исполнительная власть обязана ежегодно сообщать Конгрессу о количестве дел, которые суд получает, а затем одобряет, изменяет или отвергает. Данные 2012 года показали, что суд одобрил каждую из 1788 заявок на электронное наблюдение, в то время как «изменение», то есть сужение запроса, встречалось всего в 40 случаях, или менее чем в 3 % рассматриваемых дел.

ЗАЯВКИ, ПОДАННЫЕ В 2012 КАЛЕНДАРНОМ ГОДУ В СУД ПО КОНТРОЛЮ ЗА ВНЕШНЕЙ РАЗВЕДКОЙ (АБЗАЦ 107 РАЗДЕЛА 1807 ЗАКОНА 50 ИЗ СВОДА ЗАКОНОВ США)

За 2012 календарный год правительство подало в Суд по контролю за внешней разведкой (FISC) 1856 заявлений, в которых просило разрешить проведение электронной и/или физической слежки в целях внешней разведки. В 1856 заявлений входили прошения только об электронной слежке, только о физической слежке и одновременно электронной и физической слежке. Из них 1789 заявлений предполагали осуществление электронной слежки.

Из этих 1789 заявлений одно было отозвано самим правительством. Суд по контролю за внешней разведкой не отклонил ни одного заявления полностью или частично.

Примерно такая же ситуация наблюдалась в 2011 году, когда АНБ сделала 1676 запросов; Суд FISA изменил 30 из них, «не отклонив ни одного».

Подчинение суда АНБ подтверждают и другие данные. Например, ниже приведена статистика за последние шесть лет по запросам АНБ для получения записей телефонных звонков, медицинских и финансовых сведений граждан Соединенных Штатов. Запросы были основаны на «Патриотическом акте»:

[@matthewkeyslive]

Запросы правительства на проведение слежки в Суд FISA

Год	Число запросов, сделанных правительством США	Число запросов, отклоненных Судом FISA
2005	155	0
2006	43	0
2007	17	0
2008	13	0
2009	21	0
2010	96	0
2011	205	0

Источник: документы, опубликованные управлением Национальной разведки 18 ноября 2013 года

Таким образом, даже в тех случаях, когда решение Суда FISA было необходимо для того, чтобы следить за разговорами и перепиской определенного человека, судебный процесс был не более чем пустышкой и совершенно не походил на содержательную проверку работы АНБ.

Другой вид контроля деятельности АНБ якобы осуществляется конгрессионными комитетами разведки, также созданными в период после скандалов в 1970-х. Однако они еще более инертны, чем Суд FISA. Функция комитетов заключается в том, чтобы осуществлять «бдительный контроль» над разведывательным сообществом, но на самом деле в настоящее время их возглавляют наиболее преданные сторонники АНБ в Вашингтоне: демократ Дайэнн Файнстайн в Сенате и республиканец Майк Роджерс в Белом доме. Вместо того чтобы проверять деятельность АНБ, комитеты Файнстайн и Роджерса главным образом существуют для защиты и оправдания всего, что делает Агентство.

Как написал в декабре 2013 года в статье для *New Yorker* Райан Лизза, вместо того чтобы контролировать комитет, Сенат «обращается с высокопоставленными сотрудниками разведки как с голливудскими звездами». На слушаниях комитета наблюдатели были потрясены тем, как сенаторы допрашивали представителей АНБ. «Вопросы», как правило, состояли из длинных монологов сенаторов, представлявших собой их воспоминания об атаках 11 сентября и рассуждения о том, насколько важно предотвратить подобные нападения в будущем. Члены комитета отмахнулись от возможности допросить сотрудников АНБ и проигнорировали необходимость выполнять свои прямые обязанности по контролю над деятельностью Агентства. То, что происходило, полностью отражало истинную функцию разведывательных комитетов в течение последнего десятилетия.

Действительно, порой председатели комитетов Конгресса защищали АНБ еще более энергично, чем сами сотрудники Агентства. В какой-то момент, в августе 2013 года, два члена Конгресса — демократ Алан Грейсон из Флориды и республиканец Морган Гриффит из Вирджинии — по отдельности пожаловались мне на то, что специальный комитет по разведке при Палате представителей США блокирует для них и других членов Конгресса доступ к основной информации об АНБ. Каждый из них передал мне письма, в которых они просили председателя комитета Роджерса предоставить информацию о программах АНБ, которые обсуждались в средствах массовой информации. Снова и снова их инициативы встречали противодействие.

На волне публикации наших со Сноуденом историй группа сенаторов из обеих партий, которых уже давно волновали вопросы, связанные со злоупотреблениями программ слежки, начали разрабатывать законы, предусматривающие реальные ограничения полномочий АНБ.

Но эти реформы, возглавляемые сенатором-демократом из Орегона Роном Уайденом, сразу же столкнулись с препятствием: защитники АНБ в Сенате решили разработать закон, который создал бы внешнюю видимость реформы, в то время как на самом деле сохранил бы или даже усилил бы полномочия АНБ. В ноябре Дэйв Вайгель из *Slate* сообщил:

> Критики массового сбора данных АНБ и программы слежки никогда не беспокоились о *бездействии* Конгресса. Они ожидали, что Конгресс придумает что-то, похожее на реформы, что в действительности станет оправданием для использования позорных методов. Так было всегда — каждая поправка или перераспределение полномочий в связи с Патриотическим актом от 2001 года приводили к созданию еще большего количества возможностей для Агентства, а не запретов.

> «Мы будем выступать против команды "сделаем-все-как-обычно", которая состоит из влиятельных членов АНБ, их союзников в "мозговых центрах" [так в оригинале] и научных кругах, правительственных чиновников на пенсии и сочувствующих сотрудников законодательных органов, — предупредил в прошлом месяце сенатор из Орегона Рон Уайден. — Их эндшпиль — обеспечение того, чтобы любые реформы, связанные с программой слежкой, были лишь поверхностными... Защита частной жизни, которая в действительности не оберегает частную жизнь, не стоит даже расходов на бумагу, на которой печатаются все эти законопроекты».

Фракцию «поддельных реформ» возглавляет Дайэнн Файнстайн, та самая сенатор, которая с самого начала осуществляла контроль над деятельностью АНБ. Файнстайн уже давно является преданным сторонником Агентства национальной безопасности, вспомнить хотя бы ее неистовую защиту войны в Ираке или полную поддержку программ АНБ при Буше. (Тем временем ее муж владеет крупными пакетами акций в различных компаниях, обеспечивающих военных той или иной продукцией.) Очевидно, что когда речь зашла о том, чтобы возглавить комитет, который, как было заявлено, будет осуществлять контроль деятельности АНБ, но который на протяжении долгих лет выполнял прямо противоположную функцию, выбор естественным образом пал на Файнстайн.

Таким образом, несмотря на постоянные заявления правительства, никто не накладывает на АНБ никаких существенных ограничений в том, за кем и каким образом оно может шпионить. Даже если такие ограничения и существуют номинально — если объектами слежки становятся граждане США, — процесс контроля является пустышкой. АНБ определенно не поддается никакому контролю: оно имеет право делать все что хочет, и никто не требует от него ни прозрачности работы, ни подотчетности.

Грубо говоря, АНБ собирает два типа информации: содержание разговоров и переписки и метаданные. «Содержание» означает реальную прослушку телефонных звонков людей или чтение их электронных писем и переписки в интернет-чатах, а также обзор интернет-активности, например истории просмотров веб-сайтов и истории поиска. Сбор метаданных означает накопление данных об этих коммуникациях. АНБ называет это «информацией о содержании (но не самим содержанием)».

Например, в метаданные об электронном письме входит запись о том, кто и кому отправил письмо, когда было отправлено письмо и где находился человек в момент его отправки. В метаданные о телефонных звонках входят номера телефонов исходящего и входящего вызовов, длительность разговора и зачастую местоположение собеседников и типы устройств, которые они использовали, чтобы общаться. В одном документе о телефонных звонках АНБ перечисляет, какие метаданные оно получает и хранит (рис. на с. 167).

Правительство настаивает на том, что большая часть данных, полученных в результате слежки, о которой рассказывается в документах Сноудена, являются «метаданными, а не содержанием», пытаясь показать, что слежка носит ненавязчивый характер или, как минимум, не настолько неприятный, как сбор контента. В *USA Today* Дайэнн Файнстайн недвусмысленно утверждала, что сбор метаданных телефонных звонков всех американцев вообще «не является слежкой», поскольку туда «не входит сбор содержания какого-либо сообщения».

СЕКРЕТНО//РАЗВЕДКА СРЕДСТВ СВЯЗИ//НЕ ДЛЯ ИНОСТРАННЫХ ГОСУДАРСТВ//20320108

Поля коммуникационных метаданных в ICREACH

(СЕКРЕТНО//НЕ ДЛЯ ИНОСТРАННЫХ ГОСУДАРСТВ) В PROTON АНБ заполняет следующие поля:
* Номера телефонов исходящего и входящего вызовов, дата, время и длительность звонка

(СЕКРЕТНО//РАЗВЕДКА СРЕДСТВ СВЯЗИ//REL) пользователи ICREACH видят метаданные* телефонных звонков в следующих полях:

ДАТА И ВРЕМЯ

ДЛИТЕЛЬНОСТЬ — длительность звонка

ВЫЗЫВАЕМЫЙ НОМЕР

НОМЕР ВЫЗЫВАЮЩЕГО АБОНЕНТА

ВХОДЯЩИЙ НОМЕР ФАКСА — ID того, кто получает факс

ИСХОДЯЩИЙ НОМЕР ФАКСА — ID того, кто отправляет факс

ИДЕНТИФИКАТОР IMSI — международная идентификация мобильного абонента

ИДЕНТИФИКАТОР TMSI — временный идентификатор абонента сотовой связи

НОМЕР IMEI — международный идентификатор аппаратуры мобильной связи

НОМЕР MSISDN — номер мобильного абонента цифровой сети с интеграцией служб

НОМЕР MDN — номер мобильного абонента

DSME — отправитель короткого сообщения

OSME — получатель короткого сообщения

ЛИНИЯ ВЫЗЫВАЕМОГО АБОНЕНТА — ID звонящего

РЕГИСТР VLR — регистр перемещения абонента

СЕКРЕТНО//РАЗВЕДКА СРЕДСТВ СВЯЗИ//НЕ ДЛЯ ИНОСТРАННЫХ ГОСУДАРСТВ//20320108

Этими изворотливыми аргументами правительство пытается скрыть тот факт, что метаданные, полученные в результате слежки, могут предоставить не меньше, а в некоторых случаях даже больше информации, чем содержание разговоров. Когда правительство знает о каждом сделанном вами звонке и о каждом звонке, который поступил вам, точную длительность ваших телефонных разговоров, когда оно может перечислить каждого получателя ваших электронных писем и каждое место, откуда вы его отправляли, оно способно воссоздать удивительно полную и точную картину вашей жизни, ваших связей и вашей деятельности, в том числе некоторые самые интимные подробности вашей частной жизни.

В письменных показаниях представители Американского союза защиты гражданских свобод оспаривали законность программы сбора метаданных АНБ. Профессор информатики и связей с общественностью Принстонского университета Эдвард Фельтен объяснил, насколько большое значение имеют метаданные, полученные в результате слежки:

> Рассмотрим следующий гипотетический пример: молодая женщина звонит своему гинекологу; затем сразу же звонит своей матери; потом набирает номер человека, с которым в течение последних нескольких месяцев неоднократно разговаривала по телефону после одиннадцати вечера; после этого звонит в центр планирования семьи, где помимо прочего предоставляются услуги аборта. Мы понимаем о чем, скорее всего, идет речь, и это могло бы быть не столь очевидно, если бы мы изучили запись только одного телефонного звонка.

Даже в случае одного телефонного звонка метаданные могут быть более информативными, чем само содержание разговора. Подслушав женщину, которая звонит в клинику, где делают аборт, мы услышим только, как человек подтверждает запись на прием, и набор общих фраз («Клиника Ист-Сайд» или «Офис доктора Джонс»). Но метаданные могут сообщить вам гораздо больше: они способны раскрыть личность собеседников. То же самое можно сказать и о звонках в службу знакомств, центр для геев или лесбиянок, клинику для лечения наркотической зависимости, специалисту по ВИЧ или на горячую линию помощи суицидникам. Метаданные могут разоблачить разговор между правозащитником и информатором или раскрыть конфиденциальный источник журналиста, сообщающий о крупном преступлении. И если вы часто поздно вечером звоните человеку, который не является вашим супругом, то метаданные покажут и это тоже. Более того, они продемонстрируют не только, с кем и как часто вы общались, но и с кем общались ваши друзья и знакомые, таким образом, представив полную картину сети ваших контактов.

Действительно, как отмечает профессор Фельтен, подслушивание телефонных разговоров может быть затруднено из-за языковых различий, бессвязных разговоров, использования сленга или преднамеренных кодов и всего того, что умышленно или случайно скрывает смысл. «В связи с неструктурированной природой звонков их содержание гораздо сложнее проанализировать в автоматическом режиме», — заявил он. Напротив, метаданные — как математика: понятные, точные, и поэтому их легко обрабатывать. И, как выразился Фельтен, они часто «заменяют содержание»:

> Метаданные телефонных звонков могут... рассказать поистине экстраординарное количество информации о наших привычках и наших контактах. Паттерны наших звонков могут сообщить, когда мы бодрствуем и когда мы спим; какой религии придерживается человек, если он никому не звонит по субботам или делает большое количество звонков на Рождество; о наших рабочих привычках, как часто мы общаемся с нашими друзьями и сколько их у нас; и даже о наших гражданских и политических убеждениях.

«В итоге, — пишет Фельтен, — массовый сбор данных не только позволяет правительству узнать информацию о большем количестве человек, но и сообщает ему новые факты личного характера, которые оно просто не могло узнать, собирая информацию о нескольких конкретных людях».

Беспокойство по поводу того, сколько сфер применения может найти правительство для этого типа конфиденциальной информации, является оправданным, так как, несмотря на неоднократные заявления президента Обамы и АНБ, уже сейчас ясно, что значительная часть деятельности Агентства не имеет ничего общего с борьбой против терроризма или даже с национальной безопасностью. Большинство документов архива Сноудена посвящены тому, что можно назвать только экономическим шпионажем: подслушивание телефонных разговоров и перехват электронной почты бразильского нефтяного гиганта *Petrobras*, экономической конференции в Латинской Америке, энергетической компании в Венесуэле и Мексике, а также шпионаж за союзниками АНБ, в том числе Канадой, Норвегией и Швецией, за Министерством горной промышленности и энергетики Бразилии и энергетическими компаниями в ряде других стран.

В одном интересном документе АНБ и ЦПС описывается немалое количество объектов слежки, которая явно носила экономический характер: *Petrobras*, банковская система SWIFT, российская энергетическая компания «Газпром», российские авиалинии «Аэрофлот».

СОВЕРШЕННО СЕКРЕТНО//РАЗВЕДКА СРЕДСТВ СВЯЗИ//ДЛЯ США, ПЯТЬ ГЛАЗ

Частные сети играют важную роль

Многие объекты наблюдения используют частные сети

Инфраструктура Google	Сеть SWIFT
удалено	удалено
удалено	Газпром
Аэрофлот	удалено
Министерство иностранных дел Франции	удалено
Warid Telecom	Petrobras
удалено	удалено

Результаты исследования: 30–40 % трафика BLACKPEARL имеют как минимум одну частную конечную точку.

СОВЕРШЕННО СЕКРЕТНО//РАЗВЕДКА СРЕДСТВ СВЯЗИ//ДЛЯ США, ПЯТЬ ГЛАЗ

В течение многих лет президент Обама и высокопоставленные чиновники категорически осуждали Китай за использование слежки с целью получения экономической выгоды, настаивая на том, что Соединенные Штаты и их союзники никогда не делают ничего подобного. *Washington Post* процитировала пресс-секретаря АНБ, сказавшего, что Министерство обороны, частью которого является Агентство, «действительно» изучает работу компьютерных сетей, но «***не занимается*** экономическим шпионажем ни в одной области, в том числе в области информационных технологий» [звездочки как в оригинале].

Отрицаемый пресс-секретарем факт того, что АНБ занимается слежкой по экономическим причинам, подтверждается собственными документами агентства. Оно действует в интересах тех, кого называет своими «клиентами» — в их список входит не только Белый дом, Госдепартамент и ЦРУ, но и экономические учреждения, в первую очередь Торговое представительство США и министерства сельского хозяйства, финансов и торговли:

КОНФИДЕНЦИАЛЬНО//X1

НА СЛУЖБЕ У НАШИХ КЛИЕНТОВ

Основные учреждения, предоставляющие данные разведки:	Представители правительственных структур/ правоохранительные органы:	Военные учреждения/ определяющие тактику:
ЦРУ	Белый дом	КНШ (Комитет начальников штабов)
РУМО (Разведывательное управление Министерства обороны)	Члены правительства	Командование континентальной воздушной обороной
	Директор ЦРУ	Силы особого назначения
Управление разведки и исследований	Послы США	Тактическое командование
Национальное агентство США по разведке земной поверхности	Постоянные торговые представители США	Все виды вооруженных сил
	Конгресс	Министерство обороны
Национальный совет по разведке	Министерства: сельского хозяйства, юстиции, финансов, торговли, энергетики, иностранных дел, национальной безопасности	Альянсы Силы ООН НАТО

КОНФИДЕНЦИАЛЬНО//X1

В описании программы BLARNEY АНБ перечисляет виды информации, которой, как предполагается, Агентство обеспечивает своих клиентов в качестве данных для «борьбы с терроризмом», в «дипломатических целях» и «экономических целях»:

СОВЕРШЕННО СЕКРЕТНО//РАЗВЕДКА СРЕДСТВ СВЯЗИ//
НЕ ДЛЯ ИНОСТРАННЫХ ГОСУДАРСТВ// 20291130

КРАТКИЙ ОБЗОР BLARNEY
Задача: с 1978 года предоставляет Суду FISA
авторизированный доступ к коммуникациям между иностранными
учреждениями, иностранными агентами и террористами

Внешние клиенты (кто)	Требуемая информация (что)	Доступ к собранным данным и методы (как)
Министерство иностранных дел	Защита от распространения	Крупные селекторы DNI
	Защита от терроризма	Крупные селекторы DNR
ЦРУ	Дипломатическая	Канал DNI
Белый дом	Экономическая	Канал DNR
Военная разведка	Военная	Мобильные беспроводные
Национальный контр-террористический центр	Политическая/намерения стран	

СОВЕРШЕННО СЕКРЕТНО//РАЗВЕДКА СРЕДСТВ СВЯЗИ//НЕ ДЛЯ ИНОСТРАННЫХ ГОСУДАРСТВ

US-984 BLARNEY

(СОВЕРШЕННО СЕКРЕТНО//РАЗВЕДКА СРЕДСТВ СВЯЗИ) US-984 (PDDG: AX) —
сбор данных DNI и DNR вопреки решению Суда FISA

(СОВЕРШЕННО СЕКРЕТНО//РАЗВЕДКА СРЕДСТВ СВЯЗИ) Основные цели:
дипломатический контроль, борьба с терроризмом, связанные с иностранным
правительством, экономические

Еще одно свидетельство об экономическом интересе АНБ можно найти в документе, связанном с программой PRISM, в котором показаны «выбранные для анализа темы» за неделю с 2 по 8 февраля 2013 года. В список видов информации, собранной о разных странах, безусловно, входят экономические и финансовые категории, среди которых «энергия», «торговля» и «бензин»:

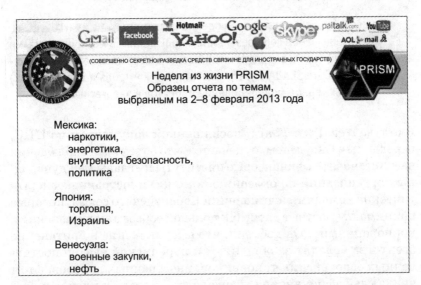

(СОВЕРШЕННО СЕКРЕТНО/РАЗВЕДКА СРЕДСТВ СВЯЗИ//НЕ ДЛЯ ИНОСТРАННЫХ ГОСУДАРСТВ)

**Неделя из жизни PRISM
Образец отчета по темам,
выбранным на 2–8 февраля 2013 года**

Мексика:
  наркотики,
  энергетика,
  внутренняя безопасность,
  политика

Япония:
  торговля,
  Израиль

Венесуэла:
  военные закупки,
  нефть

В одной из служебных записок 2006 года сотрудник АНБ из отдела по вопросам международной безопасности напрямую описывает торгово-экономический шпионаж АНБ в различных странах — Бельгии, Японии, Бразилии и Германии:

(U) Миссия АНБ в Вашингтоне

(U) Регионально

(СОВЕРШЕННО СЕКРЕТНО//РАЗВЕДКА СРЕДСТВ СВЯЗИ) Отдел по вопросам международной безопасности занимается решением вопросов, связанных с 13 странами на трех континентах. Все эти страны связывает та важная роль, которую они играют для США в экономических, торговых вопросах и в отношении проблем обеспечения безопасности. Отдел Западной Европы и стратегического партнерства главным образом сосредоточен на иностранной политике и торговой деятельности Бельгии, Франции, Германии, Италии и Испании, а также Бразилии, Японии и Мексики.

(СОВЕРШЕННО СЕКРЕТНО//РАЗВЕДКА СРЕДСТВ СВЯЗИ) Подразделение энергетики и природных ресурсов предоставляют уникальные разведданные об энергетике во всем мире и ее развитии в тех странах, которые оказывают влияние на мировую экономику. В насто-

ящее время объектами наблюдения являются ▮▮▮▮▮ и ▮▮▮▮▮.
Отчет включает в себя результаты наблюдения за международными
инвестициями в энергетический сектор выбранных стран, улучше-
ние в работе SCADA (централизованный контроль и сбор данных)
и компьютерное моделирование проектов в энергетике.

В статье *New York Times*, посвященной документам по ЦПС,
переданным Сноуденом, отмечается, что объектами наблюдения
часто становятся финансовые институты и «главы междунарóд-
ных организаций по оказанию помощи, иностранные энерге-
тические компании и чиновники Европейского союза, которые
принимают участие в антимонопольной борьбе с американскими
корпорациями». Он добавил, что американские и британские
агентства «следят за общением и перепиской высокопоставленных европейских чиновников, иностранных лидеров, в том
числе глав африканских государств, а иногда и членов их семей, руководителей Организации Объединенных Наций и программ оказания помощи [таких как UNICEF] и чиновников из
Министерства финансов и Министерства энергетики».

Причины экономического шпионажа являются достаточно
понятными. Используя программы прослушки АНБ для того,
чтобы выработать стратегию ведения торгово-экономических
переговоров, Соединенные Штаты могут получить огромную
выгоду для своей промышленности. Например, в 2009 году помощник государственного секретаря Томас Шеннон написал
письмо Киту Александеру, выражая свою «благодарность» и по-
здравляя «за выдающиеся результаты разведки», оказавшие
неоценимую помощь Государственному департаменту на Пятом
саммите Америки, конференции, на которой ведутся переговоры
по экономическим вопросам. В письме Шеннон особо отметил,
что работа по слежке АНБ предоставила Соединенным Штатам
значительное преимущество по сравнению с остальными участ-
никами переговоров:

Мы получили от АНБ более 100 отчетов, и это позволило нам ос-
новательно разобраться в планах и намерениях других участников

саммита и убедиться в том, что наши дипломаты достаточно хорошо подготовлены, чтобы давать советы президенту Обаме и секретарю Клинтон о том, как справляться со спорными вопросами, такими как Куба, и взаимодействовать со сложными коллегами, такими как президент Венесуэлы Чавес.

Как свидетельствуют документы, относящиеся к «политическим вопросам», АНБ точно так же осуществляет и дипломатический шпионаж. Например, в 2011 году Агентство среди прочих выбрало объектами слежения двух латиноамериканских лидеров — Дилму Русеф, президента Бразилии, а также ее «основных советников», и Энрике Пенья Ньето, в то время являвшегося основным кандидатом на пост президента Мексики (а теперь ее президента), наряду с «девятью его ближайшими соратниками» — для особо тщательной слежки. В документе даже приведены некоторые из перехваченных текстовых сообщений, отправленных и полученных «ближайшим соратником» Ньето:

СОВЕРШЕННО СЕКРЕТНО//РАЗВЕДКА СРЕДСТВ СВЯЗИ//ДЛЯ США, ВЕЛИКОБРИТАНИИ, АВСТРАЛИИ, КАНАДЫ, НОВОЙ ЗЕЛАНДИИ

(U//ТОЛЬКО ДЛЯ СЛУЖЕБНОГО ПОЛЬЗОВАНИЯ)
S2C42 усилия по изменению

(U) Цель

(СОВЕРШЕННО СЕКРЕТНО//РАЗВЕДКА СРЕДСТВ СВЯЗИ//REL)
Увеличение информации о методах коммуникации и связанных с ними селекторах бразильского президента Дилмы Русеф и ее основных советников

СОВЕРШЕННО СЕКРЕТНО//РАЗВЕДКА СРЕДСТВ СВЯЗИ//ДЛЯ США, ВЕЛИКОБРИТАНИИ, АВСТРАЛИИ, КАНАДЫ, НОВОЙ ЗЕЛАНДИИ

СОВЕРШЕННО СЕКРЕТНО//РАЗВЕДКА СРЕДСТВ СВЯЗИ//ДЛЯ США, ВЕЛИКОБРИТАНИИ, АВСТРАЛИИ, КАНАДЫ, НОВОЙ ЗЕЛАНДИИ

(U//ТОЛЬКО ДЛЯ СЛУЖЕБНОГО ПОЛЬЗОВАНИЯ)
S2C42 усилия по изменению

(СОВЕРШЕННО СЕКРЕТНО//РАЗВЕДКА СРЕДСТВАМИ СВЯЗИ//REL) Руководящая группа АНБ по вопросам, связанным с Мексикой (S2C41), провела двухнедельное исследование, посвященное основному кандидату в президенты Энрике Пенья Ньето и девяти его ближайшим соратникам. Наиболее влиятельные политические обозреватели считают, что Ньето выиграет на выборах президента Мексики, которые будут проводиться в июле 2012 года.

S

СОВЕРШЕННО СЕКРЕТНО//РАЗВЕДКА СРЕДСТВ СВЯЗИ//ДЛЯ США, ВЕЛИКОБРИТАНИИ, АВСТРАЛИИ, КАНАДЫ, НОВОЙ ЗЕЛАНДИИ

(U) Результаты

(СЕКРЕТНО//РАЗВЕДКА СРЕДСТВ СВЯЗИ//REL) 85 489 текстовых сообщений

Интересные сообщения

Me dice Jorge Corona Srio de EPN que el escucho que BPR se ib a con Moreira no es asi? Y pues ya soka salvo que le digas a alguien.,Assoc ID not requested,not requested,not requested...

(СОВЕРШЕННО СЕКРЕТНО//РАЗВЕДКА СРЕДСТВ СВЯЗИ//REL) Число для координатора командировок
(СОВЕРШЕННО СЕКРЕТНО//РАЗВЕДКА СРЕДСТВ СВЯЗИ//REL) Хорх Корона — близкий соратник Ньето

; Mi Querido Alex el nuevo tiular de Com. Social es Juan Ramon Flores su cel es   el
ID   Nuevo Srio. Part. Es Lic. Miguel Angel Gonzalez Cel   el Nuevo ID de JORGE CORONA es   un abra
zo y seguimos en contacto avisame si liego el msj. por favor....

СОВЕРШЕННО СЕКРЕТНО//РАЗВЕДКА СРЕДСТВ СВЯЗИ//ДЛЯ США, ВЕЛИКОБРИТАНИИ, АВСТРАЛИИ, КАНАДЫ, НОВОЙ ЗЕЛАНДИИ

S

(U) Заключение

(СЕКРЕТНО//REL) Графический фильтр контактов —
простая и эффективная техника, которая позволит вам получать
ранее недоступные данные и улучшить аналитические результаты.

(СОВЕРШЕННО СЕКРЕТНО//РАЗВЕДКА СРЕДСТВ СВЯЗИ//REL)
Объединение с S2C привело к успешному применению этих техник
против бразильских и мексиканских высокопоставленных лиц,
которые долгое время занимаются проведением секретных операций.

О том, почему политические лидеры Бразилии и Мексики стали объектами пристального наблюдения со стороны АНБ, нетрудно догадаться. Обе страны богаты нефтяными ресурсами. Они имеют большое влияние в своем регионе. И, несмотря на то что они не конкурируют с Америкой, они не являются и особо близкими или доверенными союзниками Соединенных Штатов. Действительно, в одном из документов по планированию стратегии АНБ под названием «Определение задач: геополитические тенденции для 2014—2019 годов» Мексика и Бразилия располагаются под заголовком «Друзья, враги или проблемы?» В этот список также входят Египет, Индия, Иран, Саудовская Аравия, Сомали, Судан, Турция и Йемен.

Но в конечном счете в этом случае, как и в большинстве других, обсуждение какой-либо конкретной цели основывается на ложной предпосылке. АНБ не нуждается в особых причинах или обоснованиях для вторжения в частную жизнь, разговоры и сообщения людей. Основная миссия Агентства — «собрать все».

Наблюдение АНБ за лидерами иностранных государств имеет *меньшее* значение, чем неоправданная массовая слежка Агентства за целыми народами. На протяжении веков одни страны шпионили за главами других стран, в том числе своих союзников. Это неудивительно, несмотря на возмущение, которое последовало, когда мир узнал, что в течение многих лет АНБ прослушивает личный сотовый телефон канцлера Германии Ангелы Меркель.

Еще более примечательно, что тот факт, что АНБ следит за сотней миллионов граждан различных стран, вызывает не столь сильное возмущение, по сравнению с тем, что объектом наблюдения стало правительство. Настоящее негодование последовало только тогда, когда лидеры государств поняли, что слежка осуществляется не только за их гражданами, но и за ними самими.

Тем не менее заслуживают внимания и масштабы дипломатической слежки АНБ. Чтобы получить дипломатическое преимущество, кроме иностранных лидеров Соединенные Штаты также наблюдают за международными организациями, например Организацией Объединенных Наций. В апреле 2013 года в одной из записок было отмечено, каким образом перед встречей Обамы с генеральным секретарем ООН Агентство получило доступ к тезисам последнего.

СОВЕРШЕННО СЕКРЕТНО//РАЗВЕДКА СРЕДСТВ СВЯЗИ//НЕ ДЛЯ ИНОСТРАННЫХ ГОСУДАРСТВ

 (U) Важные результаты операции

(СОВЕРШЕННО СЕКРЕТНО//РАЗВЕДКА СРЕДСТВ СВЯЗИ//
НЕ ДЛЯ ИНОСТРАННЫХ ГОСУДАРСТВ)

Команда BLARNEY оказала помощь аналитикам S2C52
во внедрении XKeyscore, что открыло доступ к тезисам
генерального секретаря ООН до его встречи
с президентом США.

СОВЕРШЕННО СЕКРЕТНО//РАЗВЕДКА СРЕДСТВ СВЯЗИ//НЕ ДЛЯ ИНОСТРАННЫХ ГОСУДАРСТВ

Бесчисленное множество других документов свидетельствует о том, что Сьюзан Райс, в то время представитель США в ООН и теперь советник президента Обамы по вопросам национальной безопасности, неоднократно просила АНБ следить за внутренними обсуждениями ключевых фигур правительства, чтобы грамотно выстроить свою стратегию проведения переговоров. В отчете SSO, составленном в мае 2010 года, этот процесс описывается в связи с обсуждаемой в ООН резолюцией о введении новых санкций в отношении Ирана.

(СОВЕРШЕННО СЕКРЕТНО//РАЗВЕДКА СРЕДСТВ СВЯЗИ) Команда BLARNEY оказывает мощную поддержку при сборе данных о Совете Безопасности ООН

От (*имя удалено*) от 28-05-2010 1430

(СОВЕРШЕННО СЕКРЕТНО//РАЗВЕДКА СРЕДСТВ СВЯЗИ//НЕ ДЛЯ ИНОСТРАННЫХ ГОСУДАРСТВ) Пока ООН обдумывала введение санкций в отношении Ирана, а несколько стран просто ждали, когда будет принято решение, посол Райс обратилась в АНБ для получения информации о возможном решении этих стран, чтобы выработать линию поведения. Поскольку команду BLARNEY попросили действовать быстро и с соблюдением закона, она сразу же приступила к работе с организациями, являющимися как внешними, так и внутренними партнерами АНБ.

(СОВЕРШЕННО СЕКРЕТНО//РАЗВЕДКА СРЕДСТВ СВЯЗИ//НЕ ДЛЯ ИНОСТРАННЫХ ГОСУДАРСТВ) По мере того как юридический департамент, представители интересов АНБ и органы внутреннего надзора АНБ активно работали с документами, чтобы получить четыре новых постановления суда в отношении Габона, Уганды, Нигерии и Боснии, сотрудники оперативного отдела BLARNEY тайно собирали всю доступную информацию и данные, которые они могли получить с помощью контактов в ФБР. Они собирали информацию о целях встречи с представителями ООН в Нью-Йорке и посольствами в Вашингтоне, помогая подготовиться к возможным вариантам развития событий, собирая данные и делая все необходимое, чтобы они попали в органы внутреннего надзора АНБ как можно быстрее. В субботу, 22 мая, нескольких сотрудников — одного из команды юристов и другого из оперативного отдела — попросили принять участие в 24-часовом совещании и проверке юридических документов для того, чтобы убедиться в том, что все бумаги готовы и утром 24 мая директор АНБ сможет поставить на них свою подпись.

(СОВЕРШЕННО СЕКРЕТНО//РАЗВЕДКА СРЕДСТВ СВЯЗИ) Поскольку юридический департамент и представители интересов АНБ изо всех сил старались обеспечить принятие этих четырех постановлений суда, они получили все подписи — директора АНБ, министра обороны и судьи по вопросам контроля за внешней разведкой — в рекордные сроки. Все четыре постановления были подписаны судьей в среду, 26 мая! Как только юристы из команды BLARNEY получили постановления, они стали действовать. Обработка данных сразу по четырем постановлениям суда — это рекорд для команды BLARNEY! Тем временем сотрудники отдела управления доступом работали с ФБР, передавая ему задания и координируя работу партнеров в сфере телекоммуникаций.

Аналогичный документ, датированный августом 2010 года, показывает, что Соединенные Штаты следили за восемью членами Совета Безопасности ООН. Слежка была связана с принятием резолюции о санкциях в отношении Ирана. В список в том числе вошли Франция, Бразилия, Япония и Мексика, при этом официально каждая из этих стран считается дружественной. Шпионаж принес правительству ценную информацию о том, как страны планируют проголосовать, что подарило Вашингтону преимущество в разговоре с другими членами Совета Безопасности.

(СОВЕРШЕННО СЕКРЕТНО//РАЗВЕДКА СРЕДСТВ СВЯЗИ//НЕ ДЛЯ ИНОСТРАННЫХ ГОСУДАРСТВ)

Август 2010 года

(U//ТОЛЬКО ДЛЯ СЛУЖЕБНОГО ПОЛЬЗОВАНИЯ) Тайный успех: координация действий по сбору секретных данных помогает определить внешнюю политику США.

(СОВЕРШЕННО СЕКРЕТНО//РАЗВЕДКА СРЕДСТВ СВЯЗИ//НЕ ДЛЯ ИНОСТРАННЫХ ГОСУДАРСТВ) В начале этих длительных переговоров АНБ продолжало собирать данные о Франции, Японии, Мексике, Бразилии.

(СОВЕРШЕННО СЕКРЕТНО//РАЗВЕДКА СРЕДСТВ СВЯЗИ//REL) В конце весны 2010 года одиннадцать филиалов пяти компаний объединились с АНБ, чтобы предоставить представителю США в ООН и другим клиентам наиболее актуальную и точную информацию о том, как проголосуют члены Совета Безопасности ООН по поводу введения санкций против Ирана. Отметив, что Иран продолжает сопротивляться решению предыдущей резолюции ООН в отношении ядерной программы, 9 июня 2010 года ООН ввела дополнительные санкции. Сбор секретной информации сыграл ключевую роль в информировании представителя США в ООН о том, как проголосуют остальные члены Совета Безопасности.

(СОВЕРШЕННО СЕКРЕТНО//РАЗВЕДКА СРЕДСТВ СВЯЗИ//REL) Резолюция была принята — двенадцать голосов за, два против (Бразилия и Турция) и один воздержался (Ливан). Представитель США в ООН сообщил, что сбор секретных данных «помог мне понять, когда представители других стран говорили правду... выяснить их истинное мнение о введении санкций... получить перевес голосов... и предоставил информацию о черте, которую не следует пересекать».

Для упрощения дипломатического шпионажа АНБ следит за консульствами большого числа своих ближайших союзников. В одном из документов 2010 года — здесь он приводится после удаления нескольких стран — перечисляются все государства, за чьими дипломатическими учреждениями, расположенными на территории Соединенных Штатов, велась слежка. Глоссарий в конце документа раскрывает, что означают различные типы наблюдения.

10 сентября 2010 года

Закрытый указатель источников активных сигналов (SIGAD)

Закрытый указатель источников активных сигналов (SIGAD)

Все данные по внутренним источникам активных сигналов используют указатель SIGAD US-3136 с добавочным индексом из двух букв, обозначающим расположение объекта наблюдения и цель наблюдения. Для данных по зарубежным источникам активных сигналов используется указатель SIGAD US-3137 с добавочным индексом из двух букв.

(Примечание: Объекты наблюдения, помеченные *, либо были исключены из списка, либо будут исключены из него в ближайшем будущем. Для определения статуса, пожалуйста, обратитесь в отдел получения специального доступа/отдел исследования и технологий/региональный офис АНБ (961-1578s).)

SIGAD US-3136

Индекс	Объект наблюдения/страна	Локализация	Секретное обозначение	Цель
BE	Бразилия/консульство	Вашингтон	KATEEL	LIFESAVER
SI	Бразилия/консульство	Вашингтон	KATEEL	HIGHLANDS
VQ	Бразилия/ООН	Нью-Йорк	POCOMOKE	HIGHLANDS
HN	Бразилия/ООН	Нью-Йорк	POCOMOKE	VAGRANT
LJ	Бразилия/ООН	Нью-Йорк	POCOMOKE	LIFESAVER
YL *	Болгария/консульство	Вашингтон	MERCED	HIGHLANDS
QX *	Колумбия/торговое представительство	Нью-Йорк	BANISTER	LIFESAVER
DJ	ЕС/ООН	Нью-Йорк	PERDIDO	HIGHLANDS
SS	ЕС/ООН	Нью-Йорк	PERDIDO	LIFESAVER
KD	ЕС/консульство	Вашингтон	MAGOTHY	HIGHLANDS
IO	ЕС/консульство	Вашингтон	MAGOTHY	MINERALIZ
XJ	ЕС/консульство	Вашингтон	MAGOTHY	DROPMIRE
OF	Франция/ООН	Нью-Йорк	BLACKFOOT	HIGHLANDS
VC	Франция/ООН	Нью-Йорк	BANISTER	VAGRANT
UC	Франция/консульство	Вашингтон	WABASH	HIGHLANDS
LO	Франция/консульство	Вашингтон	WABASH	PBX
NK *	Грузия/консульство	Вашингтон	NAVARRO	HIGHLANDS
BY *	Грузия/консульство	Вашингтон	NAVARRO	VAGRANT
RX	Греция/ООН	Нью-Йорк	POWELL	HIGHLANDS

Индекс	Объект наблюдения/страна	Локализация	Секретное обозначение	Цель
HB	Греция/ООН	Нью-Йорк	POWELL	LIFESAVER
CD	Греция/консульство	Вашингтон	KLONDIKE	HIGHLANDS
PJ	Греция/консульство	Вашингтон	KLONDIKE	LIFESAVER
JN	Греция/консульство	Вашингтон	KLONDIKE	PBX
MO *	Индия/ООН	Нью-Йорк	NASHUA	HIGHLANDS
QL *	Индия/ООН	Нью-Йорк	NASHUA	MAGNETIC
ON *	Индия/ООН	Нью-Йорк	NASHUA	VAGRANT
IS *	Индия/ООН	Нью-Йорк	NASHUA	LIFESAVER
OX *	Индия/консульство	Вашингтон	OASGE	LIFESAVER
CQ *	Индия/консульство	Вашингтон	OASGE	HIGHLANDS
TQ *	Индия/консульство	Вашингтон	OASGE	VAGRANT
CU *	Индия/отделение консульства	Вашингтон	OSWAYO	VAGRANT
DS *	Индия/отделение консульства	Вашингтон	OSWAYO	HIGHLANDS
SU *	Италия/консульство	Вашингтон	BRUNEAU	LIFESAVER
MV *	Италия/консульство	Вашингтон	HEMLOCK	HIGHLANDS
IP *	Япония/ООН	Нью-Йорк	MULBERRY	MINERALIZ
HF *	Япония/ООН	Нью-Йорк	MULBERRY	HIGHLANDS
BT *	Япония/ООН	Нью-Йорк	MULBERRY	MAGNETIC
RU *	Япония/ООН	Нью-Йорк	MULBERRY	VAGRANT
LM *	Мексика/ООН	Нью-Йорк	ALAMITO	LIFESAVER
UX *	Словакия/консульство	Вашингтон	FLEMING	HIGHLANDS

Индекс	Объект наблюдения/страна	Локализация	Секретное обозначение	Цель
SA *	Словакия/консульство	Вашингтон	FLEMING	VAGRANT
XR *	Южная Африка/ООН и консульство	Нью-Йорк	DOBIE	HIGHLANDS
RJ *	Южная Африка/ООН и консульство	Нью-Йорк	DOBIE	VAGRANT
YR *	Южная Корея/ ООН и консульство	Нью-Йорк	SULPHUR	VAGRANT
TZ *	Тайвань/компания TECO	Нью-Йорк	REQUETTE	VAGRANT
VN *	Венесуэла/консульство	Вашингтон	YUKON	LIFESAVER
UR *	Венесуэла/ООН	Нью-Йорк	WESTPORT	LIFESAVER
NO *	Вьетнам/ООН	Нью-Йорк	NAVAJO	HIGHLANDS
OU *	Вьетнам/ООН	Нью-Йорк	NAVAJO	VAGRANT
GV	Вьетнам/консульство	Вашингтон	PANTHER	LIFESAVER

SIGAD US-3137

ОПИСАНИЕ ИСПОЛЬЗУЕМЫХ ТЕРМИНОВ

HIGHLANDS: Сбор данных с передатчиков, установленных в электронных устройствах.

VAGRANT: Сбор данных с экрана компьютера.

MAGNETIC: Сбор данных с сенсоров магнитного излучения.

MINERALIZE: Сбор данных с передатчиков, встроенных в локальную сеть.

OCEAN: Система оптического сбора данных с включенных мониторов.

LIFESAVER: Проецирование жесткого диска.

GENIE: Операция из нескольких шагов; преодоление «воздушного барьера» и т. д.

BLACKHEART: Сбор данных с передатчика ФБР.

PBX: подмена коммутатора.

CRYPTO ENABLED: Сбор данных в момент, когда оперативные службы пытаются зашифровать их.

DROPMIRE: Пассивный сбор сигналов с помощью антенны.

CUSTOMS: Возможности пользователей (не LIFESAVER).

DROPMIRE: Сбор данных с лазерного принтера, вероятно, при непосредственном доступе (встроенные передатчики ***НЕ ИСПОЛЬЗУЮТСЯ***).

DEWSWEEPER: с помощью USB устанавливает беспроводной мост в необходимую сеть.

RADON: Двунаправленный сетевой жучок, который может внедрять Ethernet-пакеты в один и тот же объект наблюдения. При помощи стандартных внутрисетевых инструментов делает возможным использование защищенной сети в обоих направлениях.

Некоторые из технологий АНБ подходят для любых целей — экономического, дипломатического шпионажа, обеспечения безопасности, а также получения преимущества над другими странами, — и они являются одними из самых грубых и лицемерных методов из всего репертуара Агентства. В течение многих лет правительство Соединенных Штатов рассказывало миру, что китайские роутеры и другие интернет-устройства представляют «угрозу», потому что в их конструкцию заложена возможность слежки, что позволяет властям Китая шпионить за каждым, кто их использует. Однако документы АНБ показывают, что именно американцы занимались тем, в чем правительство США обвиняло китайцев.

Обвинения со стороны Соединенных Штатов в адрес китайских производителей интернет-устройств носили весьма жесткий характер. Например, в 2012 году в отчете комитета по разведке, возглавляемого Майком Роджерсом, сообщалось, что *Huawei* и *ZTE*, две ведущие китайские компании по производству телекоммуникационного оборудования, «возможно, нарушают законодательство США» и «не соблюдают договорные обязательства с США или международные нормы ведения бизнеса». Комитет рекомендовал «с осторожностью следить за проникновением на рынок китайских компаний по производству телекоммуникационного оборудования».

Несмотря на отсутствие свидетельств в пользу того, что компании встраивали в свои роутеры и другую продукцию системы наблюдения, комитет, возглавляемый Роджерсом, выразил опасения по поводу того, что эти две компании способствуют шпионской деятельности китайского правительства. Комитет заявил, что компании отказываются сотрудничать с Соединенными Штатами, и настаивал на том, что фирмам США не следует приобретать у них какую-либо продукцию:

> Частному бизнесу настоятельно рекомендуется оценить риски, связанные с закупкой оборудования и использованием услуг компаний ZTE или Huawei. Сетевым провайдерам и системным разработчикам настоятельно рекомендуется поискать других поставщиков для осуществления своих проектов. На основе имеющейся секретной и несекретной информации можно сделать вывод о том, что Huawei и ZTE нельзя доверять в том, что на них не оказывает влияния иностранное государство, и, следовательно, они представляют угрозу для безопасности Соединенных Штатов и наших систем.

Обвинения носили настолько постоянный характер, что Рен Женгфей, 69-летний основатель и генеральный директор *Huawei*, в ноябре 2013 года объявил о том, что компания уходит с рынка Соединенных Штатов. Как сообщалось в *Foreign Policy*, в интервью для французской газеты Женгфей сказал: «Если компания *Huawei* встала между отношениями Америки и Китая и это вызывает проблемы, оно того стоит».

Однако в то время как американские компании были предупреждены о возможном шпионаже через ненадежные китайские роутеры, не помешало бы, чтобы кто-то посоветовал иностранным организациям остерегаться американской продукции.

В докладе, сделанном в июне 2010 года главой подразделения АНБ по обнаружению целей и получению доступа, приводятся откровенно шокирующие данные. АНБ регулярно получает или перехватывает роутеры, серверы и другие компьютерные сетевые устройства, экспортируемые из США, прежде чем они будут доставлены иностранным покупателям. Агентство вставляет в них устройства слежения, переупаковывает их, ставит заводскую печать и отсылает товары покупателю. Таким образом, АНБ получает доступ ко всей сети пользователей. В докладе радостно сообщается, что «некоторые полученные данные... оказались очень полезными»:

СОВЕРШЕННО СЕКРЕТНО//РАЗВЕДКА СРЕДСТВ СВЯЗИ//НЕ ДЛЯ ИНОСТРАННЫХ ГОСУДАРСТВ

(U) Секретные методы позволяют следить за самыми сложными для наблюдения объектами

(U//ТОЛЬКО ДЛЯ СЛУЖЕБНОГО ПОЛЬЗОВАНИЯ)
(имя удалено), глава департамента развития методов получения доступа и определения объекта слежки (S3261)

Изображение удалено

(СОВЕРШЕННО СЕКРЕТНО//РАЗВЕДКА СРЕДСТВ СВЯЗИ// НЕ ДЛЯ ИНОСТРАННЫХ ГОСУДАРСТВ) Не все методы работы разведки включают в себя перехват сигналов и получение доступа к сетям, которые располагаются за несколько километров... В действительности некоторые из них весьма полезны! Эти методы работают следующим образом: происходит **вмешательство** в процесс доставки оборудования для компьютерных сетей (серверы, роутеры и т. д.). Далее товары **переправляются в секретную точку**, где сотрудники отдела по получению специального/обычного доступа (AO-S326) при поддержке Центра удаленных операций (S321) **устанавливают передатчики** в электронные устройства наших объектов наблюдения. Затем электронные устройства заново запаковываются и **помещаются обратно в транзитную зону**, откуда их отсылают туда, куда они изначально должны были отправиться. Все это происходит при поддержке партнеров разведывательного сообщества и технических специалистов из отдела операций в сетях, требующих специального доступа.

(СОВЕРШЕННО СЕКРЕТНО//РАЗВЕДКА СРЕДСТВ СВЯЗИ//НЕ ДЛЯ ИНО-СТРАННЫХ ГОСУДАРСТВ) Подобные операции, включающие **вмеша-тельство в систему поставок**, являются наиболее продуктивными операциями в сетях, требующих специального доступа, поскольку они заранее создают возможность получения к ним доступа.

(СОВЕРШЕННО СЕКРЕТНО//РАЗВЕДКА СРЕДСТВ СВЯЗИ//НЕ ДЛЯ ИНО-СТРАННЫХ ГОСУДАРСТВ) Слева: аккуратно вскрываются конфискован-ные посылки. Справа: «загрузочная станция» вставляет передатчик

В конце концов устройства слежения отсылают информацию обратно в АНБ.

(СОВЕРШЕННО СЕКРЕТНО//РАЗВЕДКА СРЕДСТВ СВЯЗИ//НЕ ДЛЯ ИНО-СТРАННЫХ ГОСУДАРСТВ) В одном случае, произошедшем недавно, спустя несколько месяцев после установки передатчика с помощью внедрения в систему поставок поступил обратный сигнал в тайную ин-фраструктуру АНБ. Благодаря ему мы получили доступ к дальнейшей эксплуатации устройства и получили возможность просматривать Сеть.

Помимо прочих устройств Агентство перехватывает роутеры и серверы производства *Cisco*, чтобы перенаправить большие объемы интернет-трафика в хранилище АНБ. (В документах АНБ нет никаких свидетельств в пользу того, знает ли *Cisco* о том, что происходит, или нет.) В апреле 2013 года Агентство столкнулось с техническими трудностями, связанными с работой сетевых

коммутаторов *Cisco*, что повлияло на осуществление программ
BLARNEY, FAIRVIEW, OAKSTAR и **STORMBREW**:

СОВЕРШЕННО СЕКРЕТНО//РАЗВЕДКА СРЕДСТВ СВЯЗИ//ДЛЯ США, ПЯТИ ГЛАЗ

Отчет сформирован 11/4/2013 15:31:05

Программа NewCross   Количество активных ECP[1]

CrossProgram-1-13   Новая

Ответственный за ECP: (имя удалено)

Название изменения: Обновление программного обеспечения
на всех коммутаторах для оптических сетей Cisco

Заказчик: (имя удалено) Присвоенный приоритет: С-Обычный

Сайт(-ы): APPLE1 : CLEVERDEVICE : HOMEMAKER : DOUGHT : QUAR-
TERPOUNDER : QUEENSLAND : SCALLION : SPORTCOAT : SUBSTRATUM :
TITAN POINTE : SUBSTRATUM : BIRCHWOOD : MAYTAG : EAGLE : EDEN :

Проект(-ы): проекты не введены

Система(-ы): коммуникации/сети

Подсистема(-ы): подсистемы не введены

Описание изменения: обновление программного обеспечения на
всех коммутаторах оптических сетей Cisco.

Причина изменения: найдена ошибка в работе программного обеспечения, предназначенного для синхронной передачи данных по
всем коммутаторам оптических сетей Cisco, которая приводит к тому,
что они работают с перебоями.

Влияние на выполнение основной задачи: влияние на выполнение
основной задачи не выяснено. Выявленная проблема не оказывает
влияния на трафик, а применение нового программного обеспечения — может повлиять. К сожалению, сейчас мы не можем быть в этом
уверены. Мы не можем воспроизвести ошибку в нашей лаборатории,
поэтому невозможно предсказать, что случится после установки
нового программного обеспечения. Для начала, чтобы проверить,
все ли в порядке, мы предлагаем обновить один из узлов в NBP-320.

---

[1] Протокол управления шифрованием.

Недавно мы попытались программно перезагрузить узел HOMEMAKER. После того как эта попытка провалилась, мы попытались перезагрузить его физически. Мы не думали, что это вызовет какие-то проблемы. Однако сразу после переустановки выключились все коммутаторы оптических сетей и мы потеряли весь трафик. На перезагрузку системы ушел целый час.

Самый худший вариант — нам придется переустановить всю систему и начать с чистого листа. Перед тем как сделать обновление, мы сохраним системные настройки, чтобы в случае если нам придется переустанавливать систему заново, мы могли бы просто восстановить сохраненные настройки. Мы думаем, что на работу с каждым узлом в системе уйдет не более часа.

Дополнительная информация: 26/3/2013 8:16:13 ⸨имя удалено⸩

Мы протестировали улучшенную версию в нашей лаборатории, и она хорошо работает. Однако мы не можем воспроизвести ошибку в работе программного обеспечения, поэтому мы не знаем, столкнемся ли с проблемой после установки новой версии.

Последний вход ССВ: 10/04/13 16:08:11 ⸨имя удалено⸩

9 апреля блок управления BLARNEY — BLARNEY ECP утверждено

Ответственный за ECP: ⸨имя удалено⸩

Задействованные программы: Blarney Fairview Oakter Stormbrew

Смежные задачи отсутствуют.

Вполне возможно, что китайские фирмы имплантируют в свою продукцию устройства слежения. Но не остается сомнений в том, что Соединенные Штаты делают то же самое.

Может быть, американское правительство действительно хотело предупредить мир о китайском шпионаже. Однако не менее важным мотивом претензий властей могло быть предотвращение вытеснения с рынка американских устройств, что ограничило бы охват АНБ. Другими словами, китайские роутеры и серверы создают не только экономическую конкуренцию, но и конкуренцию слежки: когда кто-то вместо американского устройства покупает китайское, АНБ теряет одно из основных средств шпионажа, позволяющих собирать множество данных.

Миссия АНБ — постоянно собирать все возможные данные и расширять зону охвата. Количество получаемых данных настолько огромно, что в реальности основной проблемой Агентства является необходимость сохранять всю эту информацию, о чем говорится в одном из документов АНБ, подготовленных для конференции по развитию средств связи альянса «Пять глаз»:

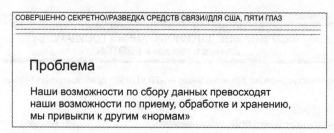

СОВЕРШЕННО СЕКРЕТНО//РАЗВЕДКА СРЕДСТВ СВЯЗИ//ДЛЯ США, ПЯТИ ГЛАЗ

Проблема

Наши возможности по сбору данных превосходят наши возможности по приему, обработке и хранению, мы привыкли к другим «нормам»

История восходит к 2006 году, когда Агентство приступило к осуществлению так называемого «крупномасштабного расширения обмена метаданными АНБ». Тогда, по прогнозам АНБ, количество собранных метаданных должно было расти на **600 млрд записей каждый год** — включая 1–2 млрд новых записей о телефонных звонках ежедневно:

К маю 2007 года расширение зоны охвата АНБ, очевидно, принесло плоды: количество телефонных метаданных, которые хранило Агентство (в них не входят данные по электронной почте и другие интернет-данные, а также информация, которую АНБ пришлось удалить из-за отсутствия места для хранения) выросло до 150 млрд записей:

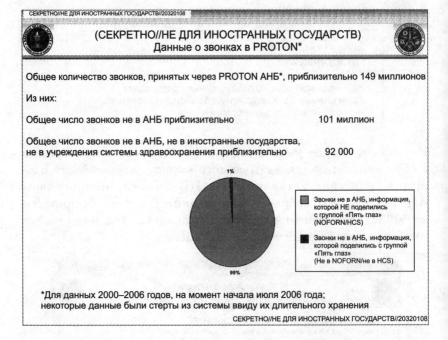

СЕКРЕТНО//НЕ ДЛЯ ИНОСТРАННЫХ ГОСУДАРСТВ//20320108

(СЕКРЕТНО//НЕ ДЛЯ ИНОСТРАННЫХ ГОСУДАРСТВ)
Данные о звонках в PROTON*

Общее количество звонков, принятых через PROTON АНБ*, приблизительно 149 миллионов

Из них:

Общее число звонков не в АНБ приблизительно	101 миллион
Общее число звонков не в АНБ, не в иностранные государства, не в учреждения системы здравоохранения приблизительно	92 000

1%

99%

Звонки не в АНБ, информация, которой НЕ поделились с группой «Пять глаз» (NOFORN/HCS)

Звонки не в АНБ, информация, которой поделились с группой «Пять глаз» (Не в NOFORN/не в HCS)

*Для данных 2000–2006 годов, на момент начала июля 2006 года; некоторые данные были стерты из системы ввиду их длительного хранения

СЕКРЕТНО//НЕ ДЛЯ ИНОСТРАННЫХ ГОСУДАРСТВ//20320108

Если добавить информацию об интернет-коммуникациях, то общее число сохраненных данных вырастет до 1 трлн (следует отметить, что впоследствии АНБ делится этими данными с другими учреждениями).

Для решения проблемы хранения АНБ начало масштабное строительство нового объекта в Блафдейл (штат Юта), одной из основных функций которого будет хранение всех этих данных. Как в 2012 году отметил репортер Джеймс Бэмфорд, строительство в Блафдейле увеличит возможности Агентства, которое предусмотрело «залы площадью 25 000 квадратных футов, заполненные серверами, при этом все шнуры и кабели будут располагаться под фальшполом. Кроме того, там будет более 900 000 квадратных футов для работников технической поддержки и администрации». «Принимая во внимание размер здания и тот факт, что сегодня терабайт данных можно сохранить на флешке размером с мизинец человека, — говорит Бэмфорд, — увеличение пространства для хранения данных будет весьма существенным».

Необходимость в более крупной площади для хранения стала особенно актуальной после того как Агентство начало массово собирать данные об активности интернет-пользователей. В эти данные входят фактическое содержание писем электронной почты, история поисковых запросов, сообщения в чатах и любые действия, совершаемые через веб-браузер. С 2007 года основной программой, используемой АНБ для поиска, сбора и анализа таких данных, является X-KEYSCORE. Благодаря ей кардинально изменились возможности Агентства. АНБ считает систему сбора электронных данных X-KEYSCORE одной из самых больших по зоне охвата, и у него есть на то основания.

В специальном документе, подготовленном для аналитиков, утверждается, что программа собирает информацию «практически обо всем, что типичный пользователь делает в Интернете», включая текст писем, запросы в *Google* и названия посещенных веб-сайтов. X-KEYSCORE даже позволяет отслеживать интернет-активность человека в режиме «реального времени», благодаря чему АНБ может наблюдать за просмотром пользователем страниц непосредственно в тот момент, когда это происходит.

Помимо сбора обширного количества данных об активности в Интернете сотен миллионов людей, X-KEYSCORE предоставляет возможность любому аналитику АНБ осуществлять поиск в базе данных системы по адресу электронной почты, номеру телефона или находить такую информацию, как IP-адрес. Диапазон имеющейся информации и основных средств, которые аналитик использует для поиска, проиллюстрированы на этом слайде:

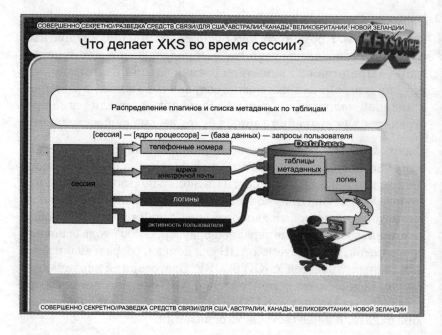

На другом слайде, посвященном X-KEYSCORE, перечислены различные поля данных, которые можно найти с помощью плагинов программы, в частности «каждый электронный адрес, который вы просматривали во время сессии», «каждый телефонный номер, который вы просматривали во время сессии» (в том числе «записи в адресной книге»), и «активность, связанная с веб-почтой и чатом»:

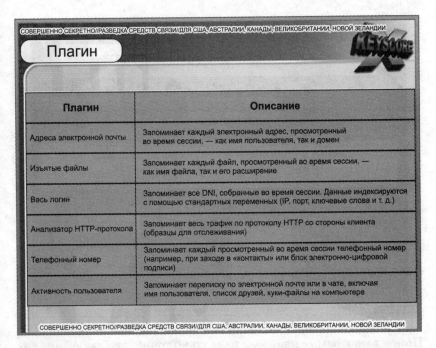

Плагин

Плагин	Описание
Адреса электронной почты	Запоминает каждый электронный адрес, просмотренный во время сессии, — как имя пользователя, так и домен
Изъятые файлы	Запоминает каждый файл, просмотренный во время сессии, — как имя файла, так и его расширение
Весь логин	Запоминает все DNI, собранные во время сессии. Данные индексируются с помощью стандартных переменных (IP, порт, ключевые слова и т. д.)
Анализатор HTTP-протокола	Запоминает весь трафик по протоколу HTTP со стороны клиента (образцы для отслеживания)
Телефонный номер	Запоминает каждый просмотренный во время сессии телефонный номер (например, при заходе в «контакты» или блок электронно-цифровой подписи)
Активность пользователя	Запоминает переписку по электронной почте или в чате, включая имя пользователя, список друзей, куки-файлы на компьютере

Программа также предлагает возможность поиска и извлечения документов и изображений, которые были отправлены, получены или созданы:

Примеры «продвинутых» плагинов

Плагин	Описание
Активность пользователя	Запоминает переписку по электронной почте или в чате, включая имя пользователя, список друзей, куки-файлы на компьютере
Метаданные документов	Извлекает данные из файлов Microsoft Office и Adobe PDF, такие как имя автора, название организации, дата создания и т. д.

Из другого слайда АНБ можно сделать вывод о гигантских, всеобъемлющих амбициях X-KEYSCORE:

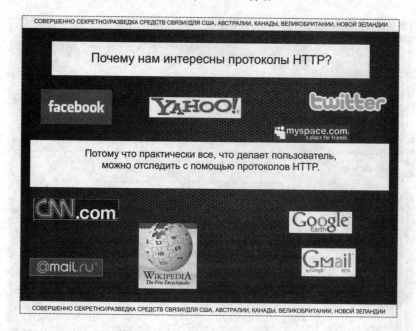

Поиск в программе настроен настолько точно, что любой аналитик АНБ может не только узнать, какие сайты человек посетил, но и собрать полный список всех посещений определенного веб-сайта с указанных компьютеров:

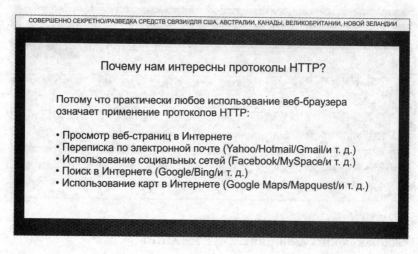

Изучение активности по протоколам HTTP с помощью XKS

Другой распространенной задачей аналитика является просмотр всего трафика с данного IP-адреса (или IP-адресов) на определенный сайт.

Изучение активности по протоколам HTTP с помощью XKS

Например, мы хотим увидеть весь трафик с IP-адреса 1.2.3.4 на веб-сайт www.website.com

Мы можем просто ввести IP-адрес и «хост» в поисковую форму, но при этом следует учитывать, что у данного веб-сайта могут быть различные имена хоста

Больше всего поражает, с какой легкостью аналитики могут найти то, что им хочется, без всякого внешнего контроля. Аналитику, имеющему доступ к X-KEYSCORE, для осуществления поиска не нужно заранее подавать запрос руководителю или в какое-то учреждение. Он просто заполняет обычную форму, чтобы «оправдать» слежку, и система выдает ему нужную информацию.

Creating Email Address Queries

Введите запрашиваемое имя и домен в поисковую форму

Поиск: электронный адрес

Запрашиваемое имя	kmkeith_2
Подтверждение	aqi in iran sample
Дополнительное подтверждение	
Номер Miranda	
Дата-Время	1 Day Начало 2009-06-23 00:00 Конец
Электронный адрес пользователя	badguy or baddude1 or badguysemail
Домен	yahoo.com
Объект	

(Разные имена пользователя ОДНОГО И ТОГО ЖЕ домена можно ввести через «или»)

В первом видеоинтервью, которое мне дал Эдвард Сноуден в Гонконге, он смело заявил: «Я, сидя за своим столом, мог подключиться к любому человеку, начиная от вас и заканчивая вашим бухгалтером, федеральным судьей или даже президентом, будь у меня адрес его личной электронной почты». Правительство США категорически отрицало, что это так. Майк Роджерс прямо обвинил Сноудена во «лжи», добавив: «Он не смог бы сделать то, что он утверждает». Но X-KEYSCORE позволяет любому аналитику получить полные данные, включая содержание электронных писем. Действительно, программа дает возможность выполнять поиск по всем письмам, в которых упоминается имя пользователя.

Внутренние инструкции АНБ для поиска по электронной почте демонстрируют, как просто и легко аналитики могут отследить любого человека, адрес которого они знают:

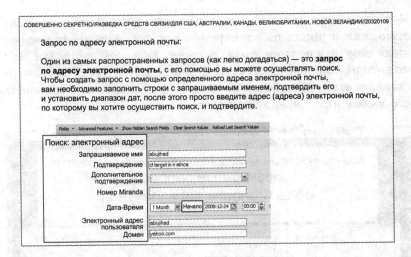

СОВЕРШЕННО СЕКРЕТНО//РАЗВЕДКА СРЕДСТВ СВЯЗИ///ДЛЯ США, АВСТРАЛИИ, КАНАДЫ, ВЕЛИКОБРИТАНИИ, НОВОЙ ЗЕЛАНДИИ//20320109

Запрос по адресу электронной почты:

Один из самых распространенных запросов (как легко догадаться) — это **запрос по адресу электронной почты**, с его помощью вы можете осуществлять поиск. Чтобы создать запрос с помощью определенного адреса электронной почты, вам необходимо заполнить строки с запрашиваемым именем, подтвердить его и установить диапазон дат, после этого просто введите адрес (адреса) электронной почты, по которому вы хотите осуществить поиск, и подтвердите.

Одна из самых ценных для АНБ функций X-KEYSCORE заключается в способности программы следить за активностью в социальных сетях, таких как *Facebook* и *Twitter*, которые, как считает Агентство, предоставляют ценную информацию и «понимание личной жизни объектов наблюдения».

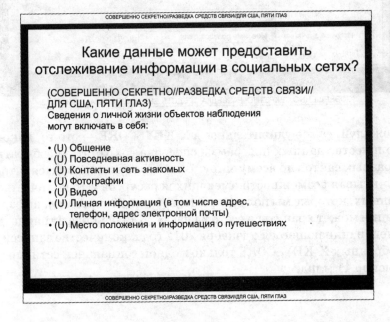

СОВЕРШЕННО СЕКРЕТНО//РАЗВЕДКА СРЕДСТВ СВЯЗИ//ДЛЯ США, ПЯТИ ГЛАЗ

Какие данные может предоставить отслеживание информации в социальных сетях?

(СОВЕРШЕННО СЕКРЕТНО//РАЗВЕДКА СРЕДСТВ СВЯЗИ// ДЛЯ США, ПЯТИ ГЛАЗ)
Сведения о личной жизни объектов наблюдения могут включать в себя:

- (U) Общение
- (U) Повседневная активность
- (U) Контакты и сеть знакомых
- (U) Фотографии
- (U) Видео
- (U) Личная информация (в том числе адрес, телефон, адрес электронной почты)
- (U) Место положения и информация о путешествиях

СОВЕРШЕННО СЕКРЕТНО//РАЗВЕДКА СРЕДСТВ СВЯЗИ//ДЛЯ США, ПЯТИ ГЛАЗ

Методы поиска активности в социальных сетях столь же простые, как и поиск по электронной почте. Аналитик вводит желаемое имя пользователя, скажем, *Facebook*, диапазон дат, по которым он хочет получить сведения, и X-KEYSCORE предоставляет всю информацию на данного пользователя, в том числе его сообщения, переписку и посты.

СОВЕРШЕННО СЕКРЕТНО//РАЗВЕДКА СРЕДСТВ СВЯЗИ//ДЛЯ США, ПЯТИ ГЛАЗ

(СОВЕРШЕННО СЕКРЕТНО//РАЗВЕДКА СРЕДСТВ СВЯЗИ//ДЛЯ США, ПЯТИ ГЛАЗ)
Возможные запросы
об активности пользователя
Активность пользователя

Дата-время	1 Day	Начало	2009-09-21	00:00	Конец	2009-09-22
Поиск по	Имя пользователя
Искомое значение	12345678910
Область	facebook

Дата-время	1 Day	Начало	2009-09-21	00:00	Конец	2009-09-22
Поиск по	Имя пользователя
Искомое значение	Мое_имя пользователя
Область	netlog

СОВЕРШЕННО СЕКРЕТНО//РАЗВЕДКА СРЕДСТВ СВЯЗИ//ДЛЯ США, ПЯТИ ГЛАЗ

Пожалуй, самое удивительное в X-KEYSCORE — это то, какое количество данных программа способна сохранять и собирать с разных сайтов по всему миру. В одном отчете говорится, что, «учитывая возможности имеющихся ресурсов и то количество данных, которые мы получаем в день (более 20 терабайт), информация может храниться всего 24 часа». Для периода в тридцать дней, начинающегося с декабря 2012 года, количество записей, собранных X-KEYSCORE только в одной социальной сети, превысило 41 млрд:

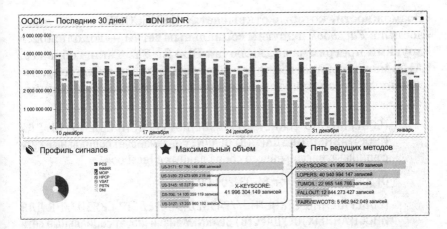

X-KEYSCORE «сохраняет весь контент на срок до трех-пяти дней, словно «замедляя Интернет», — это означает, что «аналитики могут вернуться назад и восстановить сессию». После этого можно извлечь «интересный контент» из X-KEYSCORE и переместить его в Agility или PINWALE — базы хранения данных, в которых он может храниться более длительный срок.

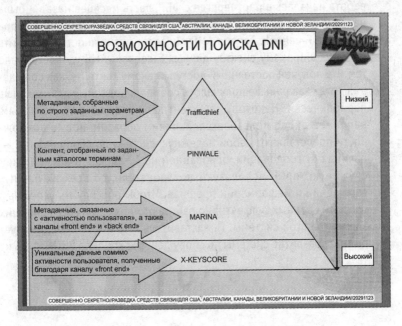

Возможности, которые открывает X-KEYSCORE, — получать доступ к *Facebook* и другим социальным сетям — дополняются другими программами, включая BLARNEY. Таким образом, АНБ может собирать «широкий спектр данных с *Facebook*, полученных в результате слежки и разведывательных операций»:

(СОВЕРШЕННО СЕКРЕТНО//РАЗВЕДКА СРЕДСТВ СВЯЗИ//НЕ ДЛЯ ИНОСТРАННЫХ ГОСУДАРСТВ) BLARNEY анализирует социальные сети с помощью расширенного сбора данных с Facebook

От ⟨*имя удалено*⟩ от 14-03-2011 0737

(СОВЕРШЕННО СЕКРЕТНО//РАЗВЕДКА СРЕДСТВ СВЯЗИ//НЕ ДЛЯ ИНОСТРАННЫХ ГОСУДАРСТВ) BLARNEY анализирует социальные сети с помощью расширенного сбора данных с Facebook

С 11 марта 2011 года BLARNEY начала собирать контент с Facebook значительно лучше и полнее. Был сделан большой шаг в сторону увеличения возможностей АНБ по сбору данных с Facebook при использовании Закона о надзоре за иностранными разведками и Закона об оказании помощи иностранным государствам. Эта работа началась в партнерстве с ФБР шесть месяцев назад и была направлена на решение проблемы ненадежного и неполного сбора данных с Facebook. Теперь АНБ обладает возможностью получить доступ к широкому спектру данных Facebook. АНБ удовлетворено тем, что получен постоянный доступ к такому контенту, как сообщения, тогда как раньше получалось собирать подобные данные лишь периодически. Некоторый контент является совершенно новым, например видео пользователей. Таким образом, новые возможности представляют собой надежную систему по сбору данных — начиная от геолокации, основанной на IP-адресе и абонентской службе, которые используют пользователи, до всех их личных сообщений и информации профиля. Чтобы обеспечить успешный сбор этих данных, эффективно работают множество составляющих элементов этой системы. Представитель АНБ в ФБР координирует быстрое развитие системы по сбору данных; команда PRINTAURA из

ООСИ пишет новое программное обеспечение и вносит изменения в конфигурацию системы; комитет по экономической безопасности изменяет определения протокола; а отдел технологий отслеживает обновления своих инструментов для презентации данных в АНБ должным образом.

Тем временем в Великобритании подразделение ЦПС по обработке и анализу данных глобальной связи также выделяет значительные ресурсы на задачи, которые были подробно изложены в 2011 году на ежегодной конференции альянса «Пять глаз».

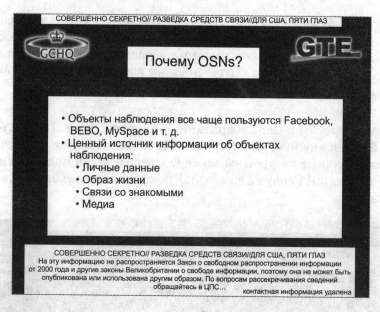

ЦПС обратил особое внимание на то, как можно обойти систему безопасности *Facebook* и как получить данные, которые пользователи *Facebook* пытаются скрыть:

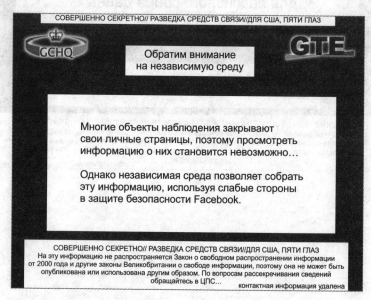

В частности, ЦПС нашел слабое место в системе хранения фотографий, благодаря которому можно получить доступ к фотографиям профиля на *Facebook* и изображениям из альбомов пользователя:

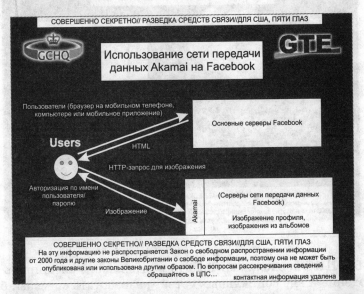

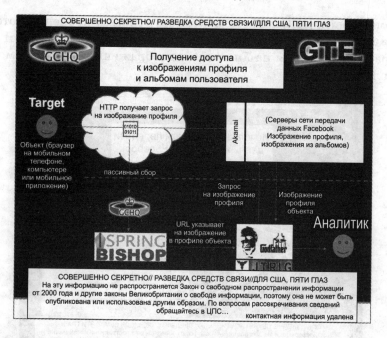

АНБ и ЦПС продолжают искать возможности расширить наблюдение и вне социальных сетей, разработать способы, благодаря которым любые сообщения, все еще находящиеся вне сферы их контроля, попадут под бдительное око Агентства. Одна программа, описанная ниже, подтверждает эту точку зрения.

Как АНБ, так и ЦПС были поглощены идеей контролировать Интернет и телефонные коммуникации людей на коммерческих рейсах авиакомпаний. Поскольку в данном случае сообщения передаются через систему независимых спутников, их чрезвычайно трудно перехватить. Мысль о том, что есть момент, пусть даже он длится всего несколько часов полета, когда кто-то может использовать Интернет или телефон, не опасаясь слежки, была невыносима для разведывательных учреждений. Поэтому они бросили серьезные силы и ресурсы на разработку систем, которые смогут перехватывать связь во время перелета.

В 2012 году на конференции альянса «Пять глаз» ЦПС представил программу под названием *Thieving Magpie*[1], ориенти-

---

[1] Сорока-воровка (*англ.*) — *Примеч. пер.*

рованную на перехват сигналов сотовых телефонов, которыми пассажиры все чаще пользуются во время полетов:

Предлагаемое решение предусматривало систему, которая обеспечивала бы «глобальный охват»:

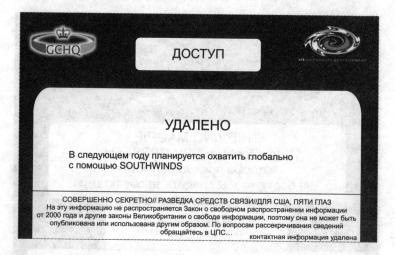

Чтобы убедиться в том, что определенные устройства позволяют осуществлять наблюдение в пассажирских самолетах, была проделана немалая работа:

На той же конференции были представлены документы АНБ, связанные с разработкой похожей программы под названием *Homing Pigeon*[1], в которых также описываются предпринятые усилия для достижения контроля над коммуникациями пассажиров в самолете. Программы Агентства необходимо было согласовать с ЦПС, и вся разработанная система попадала в распоряжение группы «Пять глаз».

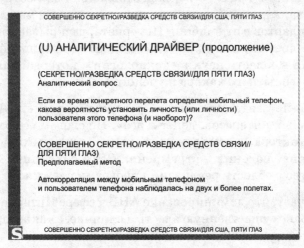

---

[1] Почтовый голубь (*англ.*) — *Примеч. пер.*

СОВЕРШЕННО СЕКРЕТНО//РАЗВЕДКА СРЕДСТВ СВЯЗИ//ДЛЯ США, ПЯТИ ГЛАЗ

(U) ДВИГАЕМСЯ ВПЕРЕД

(СОВЕРШЕННО СЕКРЕТНО//РАЗВЕДКА СРЕДСТВ СВЯЗИ//ДЛЯ ПЯТИ ГЛАЗ)
Аналитический центр методов работы разведки закончит разработку,
как только будет настроен поток данных от Thieving Magpie

(СОВЕРШЕННО СЕКРЕТНО//РАЗВЕДКА СРЕДСТВ СВЯЗИ//ДЛЯ ПЯТИ ГЛАЗ)
Как только программа пройдет контроль системы качества,
веб-сервис RESTful и компонент JEMA станут доступны пользователям
из группы «Пять глаз»

(СОВЕРШЕННО СЕКРЕТНО//РАЗВЕДКА СРЕДСТВ СВЯЗИ//ДЛЯ ПЯТИ ГЛАЗ)
Если группа экспертов по контролю качества S2 решит,
что программу Homing Pigeon необходимо оставить,
то она станет частью FASTSCOPE

СОВЕРШЕННО СЕКРЕТНО//РАЗВЕДКА СРЕДСТВ СВЯЗИ//ДЛЯ США, ПЯТИ ГЛАЗ

Внутри Агентства довольно откровенно обсуждается настоящая цель создания такой обширной секретной системы наблюдения. Презентация в *PowerPoint*, подготовленная для сотрудников Агентства, в которой показывается перспектива международных стандартов в отношении Интернета, раскрывает эту цель. Автором презентации является «офицер Национальной разведки и АНБ в области науки и технологии», который описывает себя как «опытного хакера и ученого».

Название презентации носит откровенный характер: «Роль национальных интересов, денег и эго». По словам ее создателя, эти три фактора, взятые вместе, являются основными мотивами ведения наблюдения и стремления США сохранить мировое господство в области реализации программ слежки.

Он отмечает, что доминирование АНБ в сфере Интернета подарило стране существенную власть и влияние, а также принесло огромную прибыль:

О, да...

Объедините деньги, национальные интересы и эго —
и вы будете говорить о том, как изменить мир.

Какая страна не хочет, чтобы мир стал лучше...
для нее самой?

В чем заключается угроза?

Давайте говорить прямо: западный мир (особенно США)
с помощью создания определенных стандартов получил
влияние и отлично заработал.

Соединенные Штаты играли основную роль в формировании
сегодняшнего Интернета. Это повлекло повсеместное
распространение американской культуры и технологий.
Это также привело к тому, что американские корпорации
заработали огромное количество денег.

Конечно, прибыль и влияние являются неизбежными следствиями слежки, что становится еще одним мотивом для ее постоянного распространения на все большую область. Эпоха после 11 сентября ознаменовалась активным использованием ресурсов, направленных на реализацию программ наблюдения. Большинство этих ресурсов были переведены из государственной казны (то есть денег американских налогоплательщиков) в карманы частных корпораций, связанных с программами обороны и наблюдения.

Такие компании, как *Booz Allen Hamilton* и *AT&T*, постоянно нанимают бывших государственных чиновников, занимавших высокие посты, в то время как масса действующих представителей власти работали в этих корпорациях в прошлом (и, вероятно, будут работать в будущем). Постоянное расширение зоны наблюдения — это отличный способ гарантировать, что потоки денег будут продолжать течь туда, куда следует. Кроме того, это лучший метод обеспечить сохранение текущего значения и влияния АНБ и связанных с ним учреждений внутри Вашингтона.

По мере того как росли масштаб и амбиции индустрии, связанной с тотальной слежкой, развивался и предполагаемый противник. В документе, озаглавленном «Агентство национальной безопасности: брифинг», перечисляются различные угрозы, которые нависли над Соединенными Штатами: «хакеры», «криминальные элементы» и «террористы». Однако показательно и то, что в список угроз попадают технологии, в том числе сам Интернет (рис. на с. 213):

Интернет уже давно объявлен инструментом либерализации и даже эмансипации, не имеющим себе равных. Но в глазах правительства Соединенных Штатов эта Глобальная сеть и другие технологии общения угрожают подорвать американскую мощь. С этой точки зрения, амбициозное заявление АНБ — «собрать все» — наконец обретает смысл. Для АНБ очень важно не упустить ничего из того, что происходит в Интернете, и следить за всеми другими средствами связи, чтобы никто не смог избежать контроля со стороны правительства США.

В конечном счете, помимо дипломатических манипуляций и экономической выгоды, система вездесущего шпионажа позволяет США сохранить свое влияние на мир. Если Соединенные Штаты в состоянии знать все, что делают, говорят, думают и планируют жители США, иностранные граждане, руководители международных корпораций и лидеры других стран, — власть над ними становится максимальной. Это вдвойне верно, когда правительство работает со все более высоким уровнем секретности. Секретность создает одностороннее зеркало: правительство Соединенных Штатов видит все, что делает остальной мир, в том числе собственные граждане, в то время как никто не видит, что делают власти США. Этот критический дисбаланс создает наиболее опасные из всех возможных условий человеческого существования: безграничная власть без какой-либо прозрачности в отношении своей деятельности или подотчетности.

Материалы Эдварда Сноудена показали опасную динамику и пролили свет на то, как работает система. Впервые люди во всем мире получили возможность узнать истинные масштабы ведущейся за ними слежки. Новость вызвала оживленные незатихающие споры. Это связано именно с тем, что слежка представляет серьезную угрозу для демократии. Публикация документов из архива Сноудена привела к появлению предложений о проведении реформы и инициировала глобальное обсуждение важной роли, которую играет свобода в Интернете и неприкосновенность частной жизни в век цифровых технологий.

Произошедшие события натолкнули нас на поиск ответа на жизненно важный вопрос: что означает ничем не ограниченная слежка для нас как личностей, в нашей собственной жизни?

Глава 4
Вред от слежки

По всему миру правительства активно пытаются приучить граждан своих стран не относиться к частной жизни как к чему-то слишком важному. Длинными непонятными фразами убеждают людей в том, что терпеть агрессивное вторжение в частную жизнь — необходимость; власти действуют настолько успешно, что многие граждане готовы аплодировать тем, кто собирает обширное количество данных о том, что они говорят, читают, покупают и делают — и с кем они это делают.

Государственной власти вторит хор влиятельных интернет-компаний — верных партнеров правительства по слежке за гражданами. Они помогают государству вторгаться в нашу частную жизнь и следить за нами. Когда в 2009 году *CNBC* заговорил с Эриком Шмидтом о вопросах, связанных с сохранением данных пользователей, он бесстыдно заявил: «Если вы не хотите, чтобы кто-то о чем-то узнал, возможно, вам просто не стоит этого делать». Точно так же, освобождая себя от ответственности, Марк Цукерберг, основатель и генеральный директор *Facebook*, в 2010 году в своем интервью сказал, что «людям все комфортнее делиться самой разной информацией, и они становятся все более открытыми для все большего числа людей». Он утверждает, что в цифровой век охрана частной жизни от посторонних глаз больше не является «социальной нормой» — удобное мнение для того, кто в интересах своей компании торгует личной информацией.

Но огромное значение сохранения частной жизни очевидно. Это подтверждает и тот факт, что даже те, кто обесценивает ее, называет несущественной или не имеющей смысла, не верят в собственные слова. Люди, которые борются против неприкосновенности личной жизни, тратят немало усилий, чтобы контролировать то, что знает о них общественность. Правительство Соединенных Штатов готово прибегнуть к любым мерам для сокрытия действий властей от общественного взора. Оно соорудило гигантскую стену тайны вокруг своих операций. Как сообщается в отчете Американского союза защиты гражданских свобод за 2011 год, «сегодня большая часть того, что делает наше правительство, держится в секрете». Как пишет *Washington Post*, этот непонятный скрытный мир «настолько большой и объемный, что никто не знает, сколько тратится денег, сколько человек работает, сколько существует программ или сколько агентств выполняют одну и ту же работу».

Точно так же интернет-магнаты, которые пытаются обесценить нашу частную жизнь, яростно охраняют собственную. После того как *CNET* — веб-сайт, посвященный новостям в мире технологий, — опубликовал личную информацию об Эрике Шмидте: о размере его зарплаты, благотворительных взносах, адресе, всю публичную информацию, полученную с помощью самого *Google*, — последний настаивает на том, чтобы запретить сотрудничество с репортерами из *CNET*.

Тем временем Марк Цукерберг приобрел за $30 млн четыре дома в Пало-Альто, расположенные рядом с его собственным, — и все это для того, чтобы охранять свою частную жизнь. Как пишет *CNET*, «теперь ваша частная жизнь — это данные, принадлежащие *Facebook*. А частная жизнь генерального директора компании — не ваше дело».

Такое же противоречивое поведение можно наблюдать у многих рядовых граждан, которые на словах преуменьшают значимость права на частную жизнь и при этом придумывают изощренные пароли для проверки своей электронной почты и входа в аккаунт в социальных сетях. Они устанавливают замки на дверях в ванную; они ставят сургучную печать на конвертах со своими письмами. Когда никто не видит, они ведут себя так, как никогда не стали бы вести в присутствии других людей. Они рассказывают своим друзьям, психологам и юристам секреты, о которых не хотят, чтобы узнали все остальные. Они анонимно пишут в Интернете то, что не желают рассказывать под собственным именем.

После того как Сноуден обратил внимание на проблему тотальной слежки, я говорил со многими людьми, которые поддерживают точку зрения Эрика Шмидта о том, что охрана частной жизни должна беспокоить только тех, кому есть что скрывать. Но при этом никто из них не захотел по доброй воле дать мне пароль от своего электронного почтового ящика или позволить установить камеру у себя в доме.

Когда председатель сенатской комиссии по разведке Дайэнн Файнстайн начала настаивать на том, что сбор метаданных, осуществляемый АНБ, не означает слежку, поскольку содержание разговоров не сохраняется, — протестующие попросили ее доказать свои утверждения действием: готова ли сенатор каждый месяц публиковать полный список людей, которым она писала электронные письма или звонила, а также включить в него длительность разговора и месторасположение собеседников в момент разговора? Трудно представить, что она приняла бы это предложение, — подобная информация сообщает очень многое, и ее раскрытие, несомненно, является вторжением в частную жизнь.

Дело состоит не в лицемерии тех, кто принижает значение права на частную жизнь и при этом яростно охраняет собственную, хотя и этого достаточно. *Дело заключается в том, что стремление к охране своей частной жизни присуще каждому из нас, оно естественно для нас, это одна из тех вещей, которая делает нас людьми.* На инстинктивном уровне мы все понимаем, что частная жизнь означает, что мы можем действовать, думать, говорить, писать, экспериментировать и выбирать, кем нам быть, и при этом не бояться, что за нами будут следить осуждающие взгляды наблюдателей. Право на частную жизнь — это основополагающее условие свободы человека.

Возможно, наиболее известную формулировку того, что означает неприкосновенность частной жизни и почему она необходима каждому из нас, в 1928 году предложил судья Верховного суда США Луис Брэндис при рассмотрении дела «Олмстид против США»: «Право на частную жизнь — это одно из наиболее универсальных прав, и оно является наиболее ценным для большинства свободных людей». Он пишет, что ценность неприкосновенности частной жизни «гораздо выше», чем гражданские свободы, и говорит, что это фундаментальное понятие:

Создатели нашей Конституции взяли на себя обязательства по формированию условий, в которых становится возможным достижение счастья. Они понимали значимость духовности, чувств и интеллекта. Они знали, что от материальных вещей зависит только часть боли, удовольствия и удовлетворения. Они пытались защитить американцев, их убеждения, мысли, эмоции и ощущения. В отличие от правительства, они отстаивали право на частную жизнь.

Брэндис был яростным защитником неприкосновенности частной жизни еще до того, как его назначили судьей. В 1890 году совместно с юристом Сэмюэлем Уорреном он написал статью в *Harvard Law Review* под названием «Право на частную жизнь», в которой говорилось о том, что вторжение в частную жизнь является преступлением совершенно иного характера, нежели кража материального имущества: «В действительности, законы, которые охраняют личные письма и другую личную информацию не от воров и физического присвоения, а от публикации в любом виде, — это не законы о частной собственности, а законы о неприкосновенности личности».

Неприкосновенность частной жизни — это один из ключевых факторов свободы и счастья человека. Причины этого редко обсуждаются, но интуитивно они понятны большинству людей. Это видно из того, как тщательно люди оберегают свою личную жизнь. Начнем с того, что когда люди думают, что за ними наблюдают, их поведение радикально меняется. Они стараются делать то, что от них ожидают остальные. Они стремятся избежать стыда и осуждения со стороны других. Они адаптируют свои действия под принятые социальные нормы, пытаются оставаться в рамках приличий и избегают действий, которые окружающие могут посчитать странными или ненормальными.

Когда люди думают, что за ними наблюдают, круг возможных вариантов их поведения становится более ограниченным, чем когда они считают, что их никто не видит. Отсутствие неприкосновенности частной жизни означает жесткое ограничение свободы выбора.

Несколько лет назад я посетил бат-мицву дочери своего лучшего друга. Во время церемонии раввин делал акцент на том, что «самый важный урок», который ей следует усвоить, заключается в том, что «за ней всегда наблюдают и ее постоянно оценивают». Он сказал ей, что Бог всегда знает, что она делает. Он знает о каждом ее выборе, каждом действии и даже каждой мысли — какими бы личными они ни были. «Ты никогда не остаешься одна», — сказал он ей, что означало, что она всегда должна прислушиваться к воле Бога.

Позиция раввина ясна: если ни одно ваше действие не ускользает от высшей власти, у вас не остается другого выбора, кроме как следовать правилам, установленным этой властью. Из-за этих правил вы даже не можете пойти собственным путем: если вы уверены в том, что за вами постоянно следят и ваши действия постоянно оценивают, вы больше не являетесь свободной личностью.

Любой деспотичный авторитет — политический, религиозный, общественный, родительский — основывается на этой истине и использует ее в качестве главного инструмента для того, чтобы поддерживать общепринятые взгляды, обеспечивать послушание, подавлять несогласие. В интересах власти распространять мнение, что ничто из того, что делают подданные, не ускользнет от ее внимания авторитетов. Для преодоления искушения нарушить принятые правила и нормы отмена неприкосновенности частной жизни является гораздо более эффективным методом, чем физическая сила полиции.

Когда нарушаются границы частной жизни, уничтожаются многие атрибуты, которые ассоциируются с качеством жизни. Большинство людей знают о том, что уединение снимает с нас всяческие ограничения. И наоборот, нам всем известен опыт, когда мы, думая, что находимся одни, занимались чем-то личным — танцевали, исповедовались, исследовали свою сексуальную чувственность, делились своими идеями — и вдруг понимали, что за нами наблюдают другие, и испытывали от этого стыд.

Только будучи уверенными в том, что на нас никто не смотрит, мы ощущаем себя свободными и в достаточной безопасности, чтобы по-настоящему экспериментировать, проверять границы своих возможностей, изучать новые способы мышления и бытия, узнавать, что это значит — быть собой. Интернет приобрел такую популярность потому, что он стал местом, где мы можем говорить и действовать анонимно, а именно это важно для изучения себя и собственного потенциала.

По этой причине приватность является основой креативности, способствует рождению новых взглядов и новых способов мышления. Общество, в котором за каждым его членом разрешена слежка, где исключена неприкосновенность частной жизни, является обществом, в котором потеряны эти возможности как на общественном, так и на индивидуальном уровне.

Поэтому массовая слежка, оправданная законом, по своей сути является репрессивной мерой. Это верно даже в тех редких случаях, когда злопамятные должностные лица не используют ее для того, чтобы разузнать личную информацию о своих политических оппонентах. Вне зависимости от того, применяется ли слежка по назначению или правительство злоупотребляет ею, ограничения, которые она накладывает на свободу, играют важную роль для самого существования свободы.

Обращение к роману Джорджа Оруэлла «1984» — это, конечно, клише, но сходства между миром, о котором он предупреждал, и политикой АНБ трудно не заметить: они опираются на существование технологичной системы, обладающей способностью следить за действиями и словами каждого гражданина. Защитники слежки отрицают подобие — они говорят, что за нами не следят постоянно. Однако в своей аргументации они упускают главное. В романе «1984» за гражданами следили не всегда; на самом деле они даже не знали, действительно ли за ними наблюдают. Тем не менее государство могло следить за ними в любое время. Неуверенность людей в том, следят ли за ними, и постоянная возможность этого и обеспечивали тотальный контроль:

Монитор был одновременно приемником и передатчиком, который улавливал любой звук, кроме очень тихого шепота. Более того, пока Уинстон оставался в поле зрения монитора, его можно было не только слышать, но и видеть. Конечно, никогда нельзя знать наверняка, наблюдают за тобой сейчас или нет. Можно только гадать, как часто и в каком порядке Полиция Мысли подключается к той или иной квартире. Вполне возможно, что они наблюдают за всеми и всегда. Во всяком случае, они могли подключиться к вашей линии в любой момент. И приходилось жить, зная, что каждый звук кто-то слышит и за каждым движением кто-то следит, если только этому не мешает полная темнота. И люди жили так — в силу привычки, которая стала уже инстинктом.[1]

Даже АНБ и вся его мощь не обладают способностью прочитать каждое электронное письмо, прослушать каждый телефонный звонок и отследить каждое действие каждого человека. Именно тот факт, что мы знаем о возможности того, что за нашими словами и действиями следят, и делает систему слежения эффективной для контроля человеческого поведения.

Этот принцип лежал в основе концепции Паноптикона, автором которой является английский философ XVIII века Джереми Бентам. Паноптикон — это здание, особенности постройки которого позволяют эффективно контролировать поведение человека и которое подходит «для любого учреждения, где необходимо держать людей под наблюдением». Основная идея заключается в строительстве высокой центральной башни, из которой охранники в любое время могут следить за каждой комнатой, камерой или школьным кабинетом. Напротив, те, кто находятся под наблюдением, не могут увидеть, есть ли кто-то в башне, и потому они никогда не знают, следят ли за ними.

Поскольку организация — любая организация — не в силах наблюдать за людьми постоянно, Бентам придумал решение, при котором создается «видимость постоянного присутствия наблюдателя». «Люди, за которыми осуществляется наблюдение, должны неизменно ощущать, что за ними следят, или как минимум полагать, что вероятность того, что за ними надзирают, довольно высока». Таким образом, они все время будут вести себя так, будто за ними наблюдают, даже если это не так.

---

[1] Перевод Недошивина В., Иванова Д.

Результатом станет послушание, подчинение и соответствие поведения ожиданиям.

Бентам считал, что его изобретение должны использовать не только тюрьмы и психиатрические больницы, но и все социальные институты. Он понимал: если внушить людям, что за ними ведется постоянное наблюдение, это может привести к революции в контроле за человеческим поведением.

В 1970-х годах Мишель Фуко заметил, что принципы, лежащие в основе Паноптикона Бентама, являются одними из фундаментальных механизмов современного режима. Во «Власти» он писал, что паноптиконизм — это «тип власти», который применяется к индивидам в форме продолжительного индивидуального наблюдения, в форме контроля и наказания и в форме коррекции, то есть формирования и трансформации индивидов с точки зрения определенных норм».

В «Дисциплине и наказании» Фуко продолжает объяснять, что постоянная слежка не только дает огромную власть и послушание, но и приводит к тому, что люди начинают сами следить за собой. Те, кто верят, что за ними наблюдают, инстинктивно ведут себя так, как от них ожидают, даже не осознавая, что их контролируют, — Паноптикон вызывает «у заключенных состояние постоянного контроля, которое гарантирует автоматическое послушание». Когда контроль становится внутренним, отпадает необходимость внешнего контроля: «теперь внешней власти необязательно осуществлять физический контроль; он становится психологическим, и чем дальше он простирается, тем более постоянным и глубоким становится его действие: победа предрешена, и она позволяет избежать физической конфронтации».

Кроме того, эта модель контроля параллельно создает иллюзию свободы. Именно в этом и заключается ее преимущество. Люди считают, что за ними следят, и по собственной воле ведут себя так, как им предписано. Таким образом, исчезает необходимость в насилии и устанавливается контроль над поведением людей, которые ошибочно считают себя свободными.

По этой причине при режиме тирании массовая слежка считается одним из наиболее важных инструментов контроля. Когда всегда сдержанная канцлер Германии Ангела Меркель узнала о том, что АНБ в течение нескольких лет прослушивало ее мобильный телефон, она в гневном разговоре с президентом Обамой сравнила АНБ Соединенных Штатов со Штази — органами государственной безопасности бывшего ГДР, где она выросла. Меркель не имела в виду, что режим, установленный в Соединенных Штатах такой же, как режим коммунистов; она говорила об опасности режима тотальной слежки, будь то АНБ, Штази, «большой брат» или Паноптикон, — все дело в знании того, что за каждым человеком в любой момент времени может следить невидимая власть.

Нетрудно понять, почему власти Соединенных Штатов и других западных стран поддались искушению создать систему тотальной слежки за своими гражданами. Усиление экономического неравенства, которое привело к кризису и финансовому краху 2008 года, вызвало внутреннюю неустойчивость. Даже в таких относительно стабильных демократичных странах, как Испания и Греция, наблюдались волнения. В 2011 году в Лондоне возникли беспорядки. В Соединенных Штатах как правые, так и левые устраивали затяжные гражданские протесты — движение *Tea Party* в 2008 и 2009 годах и движение *Occupy* соответственно. Опросы, проведенные в этих странах, показали чрезвычайно высокий уровень недовольства правительством и управлением страной.

После того как власть столкнулась с волнениями, у нее было два варианта дальнейших действий: успокоить население символическими уступками или усилить свой контроль для того, чтобы минимизировать вред, который могут причинить недовольные. Похоже, Запад выбрал второй вариант — усилить власть — возможно, для него это был единственный способ сохранить собственные позиции. Ответом на протесты движения *Occupy* стал слезоточивый газ, перечный газ и привлечение к уголовной ответственности. Стратегия правительства заключалась в том, чтобы люди боялись выходить на марши и протесты, и в целом она сработала. Основной задачей являлось создание ощущения, что подобное сопротивление бесполезно против мощных сил правительства.

Система тотальной слежки достигает той же самой цели, но обладает еще бо́льшим потенциалом. Когда государство следит за каждым вашим шагом, трудно организовать движение несогласных. Однако тотальная слежка борется с разногласиями на более глубоком уровне, в совсем другом месте, а именно — в голове граждан, когда они тренируются думать только так, как от них ожидают или требуют.

История не оставляет сомнений в том, что массовое принуждение и контроль являются целью и следствием режима тотальной слежки. Голливудский сценарист Уолтер Бернштейн, который во время эры Маккарти попал в черный список и за которым тщательно следили, чтобы продолжить работать, был вынужден писать под псевдонимом. Он описывает динамику тираничной самоцензуры, которая появляется из-за постоянного ощущения, что за вами следят:

> Все были осторожны. Было не время рисковать... Ряд писателей, которые не попали в черный список, они, не знаю, как вы это называете, «ходили по лезвию бритвы», но оставались в стороне от политики... Я думаю, в воздухе витало ощущение, что если «вы не соответствуете, то голова с плеч».

> Эта не та атмосфера, которая благоволит креативности или позволяет вам свободно мыслить. Вы постоянно подвергаете себя цензуре и неизменно ощущаете опасность. Вы говорите себе: «Нет, я даже не буду пробовать сделать это, потому что я не знаю, как это воспримут. Вдруг это не понравится правительству» или что-то вроде этого.

Наблюдения Бернштейна странным образом находят отголосок в статье, опубликованной в *PEN America* в ноябре 2013 года под названием «Сковывающий эффект: Слежка АНБ привела к тому, что писатели подвергают свои работы тщательной цензуре».

Организация провела опрос, чтобы выяснить, какой эффект оказала информация об АНБ на ее членов. Было обнаружено, что теперь многие писатели «полагают, что за их разговорами следят». Они изменили свое поведение и ограничили «свободу самовыражения и свободный обмен информацией». В частности, «24 % по собственной воле избегают определенных тем в своих телефонных разговорах и переписке по электронной почте».

Разрушительный эффект контролирующих сил тотальной слежки и самоцензуры был подтвержден в огромном количестве социальных экспериментов. Влияние этих сил выходит далеко за рамки политики. Множество исследований показывают, что они оказывают воздействие на самом глубоком личностном и психологическом уровнях.

Одна команда исследователей, опубликовавшая свои открытия в журнале *Evolutionary Psychology*, задавала испытуемым вопросы, касающиеся нравственного поведения в тех или иных ситуациях. Например, оставите ли вы себе значительную сумму денег, найденную в кошельке на улице, или сохраните ли в тайне тот факт, что ваш друг исказил сведения в своем резюме. Испытуемых просили оценить степень того, насколько это неправильно. Исследование показало, что участники эксперимента, которые видели изображения, указывавшие на стороннее наблюдение, — например, картинки с огромной парой глаз, оценивали действия более «предосудительно», нежели те, которым показывали нейтральные изображения. Исследователи пришли к выводу, что те, за кем следят, «пытаются приспособить свои ответы к существующим социальным нормам», поскольку они стараются «повлиять на собственную репутацию».

В 1975 году психологи из Стэнфордского университета Грегори Уайт и Филип Зимбардо провели эксперимент, получивший название «Негативное влияние наблюдения», в котором они пытались выяснить, как влияет стороннее наблюдение на выражение политического мнения. Идея эксперимента была вызвана беспокойством американцев по поводу слежки со стороны правительства:

Уотергейтский скандал, использование подслушивающих устройств Белым домом, расследование Конгрессом внутреннего шпионажа Центрального разведывательного управления заставляют обратить внимание на широко обсуждаемую в Америке тему: за вами может следить «большой брат»! Использование городской полицией патрулирующих вертолетов, камеры наблюдения в банках и супермаркетах, охранники аэропорта, которые обыскивают пассажиров и их собственность, — это верные признаки того, что за нашей частной жизнью внимательно следят.

Участников эксперимента помещали в различные условия, которые отличались тем, следили за ними или нет, и просили их высказать свою точку зрения по поводу легализации марихуаны.

Оказалось, что «запуганные» испытуемые — те, которым говорили, что их слова «в целях обучения» будут переданы полиции, — в большинстве случаев порицали использование марихуаны и чаще использовали в своей речи местоимения второго и третьего лица («вы», «они», а также существительное «люди»). Всего 44 % испытуемых, находящихся под наблюдением, высказывались за легализацию марихуаны. Для сравнения: у испытуемых, которые не были «запуганы», этот процент составил 77. Интересно, что 31 % участников, за которыми следили, периодически спрашивали одобрения у самих исследователей (например, «Можно так говорить?»), в то время как в другой группе это делали только 7 % испытуемых. «Запуганные» участники также демонстрировали более высокий уровень тревоги и сдерживали свои эмоции.

Уайт и Зимбардо отметили, что «угроза слежки или реальная слежка со стороны государства способны психологически подавить свободу речи». Исследователи считают, что в то время как их «эксперимент не допускал возможности выйти из ситуации», «тревога, вызванная угрозой слежения, может привести к тому, что люди будут просто избегать ситуаций, в которых за ними могут следить». Они пишут, что «предположения о слежке ограничиваются только нашим воображением, которое ежедневно подпитывает правительство, поэтому граница между параноидальным бредом и реальными событиями действительно становится довольно размытой».

Иногда слежка на самом деле может спровоцировать желаемое поведение. Одно исследование показывает, что хулиганские выходки на шведских футбольных стадионах — когда фанаты бросают на поле бутылки и фаеры — после установления камер безопасности снижаются на 65 %. В литературе, посвященной здоровью, упоминается о том, что мы чаще моем руки в присутствии других людей.

Но по большей части, когда за человеком ведется наблюдение, его свобода выбора ограничивается. Даже в самой интимной обстановке, например в кругу семьи, слежка может превратить обычные действия в источник самоосуждения и тревоги — просто потому, что за действиями человека пристально наблюдают. В одном британском исследовании ученые предоставили испытуемым устройства слежения для того, чтобы они могли составлять графики передвижения членов своей семьи. Участники могли узнать, где находится любой член их семьи в любое время дня, и если они следили за чьим-то местоположением, то этот человек получал сообщение. Каждый раз, когда один член семьи отслеживал местоположение другого, он заполнял опросник, в котором писал, зачем он это сделал, и сообщал, соответствовала ли реальность его ожиданиям.

В последующем опросе испытуемые рассказали о том, что в целом они ощущали себя комфортно, но если они оказывались в каком-то неожиданном месте, то начинали переживать по поводу того, что члены их семьи могут «сделать неверные выводы» об их поведении. Опция «стать невидимым», которая блокировала механизм определения местоположения, не снижала тревогу: многие участники сообщили, что если они будут скрываться от слежки, то это само по себе вызовет подозрения. Исследователи сделали следующий вывод:

«Каждый день мы ходим по местам, посещение которых не можем объяснить и которые, возможно, не имеют никакого значения. Однако если кто-то отмечает наше местоположение с помощью устройств слежения... это придает смысл этим местам, и мы чувствуем, что от нас требуется объяснение. Это вызывает тревогу, особенно в случае близких отношений, когда люди начинают ощущать сильное давление, пытаясь объяснить вещи, которые они просто не могут объяснить».

В финском эксперименте была организована одна из наиболее радикальных симуляций слежки — камеры разместили в домах испытуемых, кроме ванной комнаты и спальни, и за всеми электронными приборами было установлено наблюдение. Несмотря на то что реклама о проведении исследования распространялась по социальным медиа подобно вирусу, ученые с трудом нашли десять семей, которые согласились принять участие в эксперименте.

Среди тех, кто дал согласие, недовольство условиями эксперимента было связано с вторжением в их обычные повседневные привычки и дела. Одной испытуемой стало некомфортно ходить раздетой по своему дому; другая постоянно думала о камерах, когда укладывала волосы после душа; еще один участник думал о том, что за ним наблюдают, когда принимал лекарства. Безобидные действия приобретали особое значение, когда испытуемые знали, что за ними наблюдают.

Сначала участники эксперимента говорили о том, что слежка их раздражает; однако очень скоро они «привыкли к ней». То, что началось как грубое вмешательство, через некоторое время стало нормальным, обычным положением дел, и испытуемые перестали замечать, что за ними следят.

Как показал эксперимент, существуют самые разные вещи, которые люди хотят скрыть от посторонних глаз. Эти вещи необязательно являются чем-то «неправильным». Приватность играет важную роль в широком круге занятий человека. Если кто-то звонит на горячую линию для самоубийц, или посещает клинику, в которой делают аборт, или часто гостит на порносайтах, или назначает встречу с представителями клиники по реабилитации, или лечится от заболевания, или если разоблачитель звонит репортеру — существует множество причин, чтобы хранить подобные действия в секрете, — причин, которые не имеют ничего общего с противозаконностью этих действий.

Одним словом, каждому из нас есть что скрывать. Репортер Бартон Геллман считает:

> «Приватность нашей жизни носит относительный характер. Она зависит от вашей аудитории. Вы не хотите, чтобы ваш работодатель узнал о том, что вы ищете новую работу. Вы не рассказываете маме или детям о своих любовных похождениях. Вы не сообщаете своим конкурентам секреты успешных продаж. Мы не выставляем все свои дела напоказ и при необходимости, чтобы сохранить свою репутацию, мы готовы соврать. Исследователи постоянно сообщают о том, что даже у самых добропорядочных граждан ложь — это «часть повседневного взаимодействия» (два раза в день у студентов колледжа и один раз в день в реальном мире)... Полная прозрачность — это ночной кошмар... Каждому из нас есть, что скрывать».

Основной аргумент в пользу слежки — это то, что она идет на пользу населению. Этот довод основывается на мнении, что всех граждан можно разделить на две категории: хороших и плохих людей. Исходя из этого власти утверждают, что используют разведывательные силы только против плохих людей, тех, кто «делает что-то неправильное», и только им следует опасаться вторжения в свою частную жизнь. Это старый тактический прием. В статье 1969 года в журнале *Time*, вышедшей в связи с ростом переживаний американцев по поводу действий разведывательных сил США, Джон Митчелл, министр юстиции, уверял читателей в том, что «любому гражданину Соединенных Штатов, не занимающемуся никакой незаконной деятельностью, ничего не стоит бояться».

То же самое было высказано в 2005 году спикером Белого дома в ответ на споры, возникшие вокруг программы Буша по незаконной прослушке телефонов: «Мы не собираемся следить за звонками, посвященными организации тренировок Малой лиги, или тому, что взять с собой на пикник. Эта программа создана для того, чтобы отслеживать звонки одних плохих людей другим плохим людям». И когда в августе 2013 года президент Обама пришел на *The Tonight Show* и Джей Лено спросил его об АНБ, тот ответил: «У нас нет программы внутреннего шпионажа. У нас есть технологии, с помощью которых можно отследить телефонные номера или электронные адреса людей, связанных с террористической деятельностью».

Многие люди принимают эту аргументацию. Ощущение того, что агрессивная слежка ограничена только изолированной группой людей, которые этого заслуживают, то есть которые «делают что-то плохое», гарантирует нам, что большая часть людей не осуждает злоупотребление властью и даже поддерживает его.

Но эта точка зрения искажает цели, которыми руководствуются органы власти. В их глазах «делать что-то плохое» означает гораздо больше, чем незаконная деятельность, насилие и террористические планы. Как правило, они относят сюда несовпадение взглядов и любой выпад против существующей власти. Для правительства естественно приравнять несовпадение взглядов к незаконным действиям или как минимум посчитать это угрозой.

Можно найти немало примеров того, как государство устанавливало наблюдение за группами и отдельными людьми за активизм или за различие во взглядах с властями — Мартин Лютер Кинг, движение за гражданские права, антивоенные активисты, защитники окружающей среды. В глазах правительства и ФБР Эдгара Гувера они все «делали что-то плохое»: проявляли политическую активность, которая угрожала спокойствию государства.

Когда Гувер столкнулся с проблемой, как обойти Первую поправку к Конституции о свободе слова и собраний, чтобы ничто не препятствовало аресту людей за выражение ими непопулярных взглядов, он как никто другой осознал влияние, которое оказывает слежка, и как с ее помощью можно бороться с несогласными с существующим политическим режимом. 1960-е ознаменовали переворот в решениях Верховного суда, который ввел строгие меры по защите свободы слова, приведшие к единогласному решению в 1969 году в *деле Бранденбурга против Огайо*. Тогда судом было отменено уголовное преследование лидера Ку-клукс-клана, угрожавшего в своей речи насилием представителям полиции. Суд принял решение о том, что Первая поправка к Конституции США, гарантирующая свободу слова и свободу печати, настолько важна, что он «не может позволить государству запретить или объявить вне закона пропаганду применения силы».

Учитывая эти гарантии, Гувер принял решение установить систему, которая не допускала бы само возникновение несогласных.

Программа внутренней контрразведки ФБР COINTELPRO впервые была использована в борьбе с группой антивоенных активистов. Последние были убеждены в том, что в антивоенное движение проникают шпионы, что за ними ведут слежку и к ним применяются разнообразные «грязные трюки». Отсутствие документальных свидетельств и неудачные попытки убедить в своей правоте журналистов привели к тому, что в 1971 году участники движения вломились в один из офисов ФБР в Пенсильвании и унесли с собой тысячи документов.

Файлы, связанные с COINTELPRO, подтверждают, что ФБР следило за политическими группами и отдельными людьми, которые, по его мнению, распространяли опасные антиправительственные убеждения. Среди этих групп были Национальная ассоциация содействия прогрессу цветного населения, Движение за гражданские права негров, социалистические и коммунистические организации, антивоенные демонстранты и различные группы, придерживающиеся правых взглядов. Бюро направило в них своих агентов, которые, среди прочего, пытались манипулировать членами групп и вынудить их совершить преступление, чтобы ФБР могло арестовать и осудить их.

ФБР удалось убедить *New York Times* не публиковать документы и даже вернуть их, но *Washington Post* все же выпустил на основе этих документов ряд статей. Их раскрытие привело к созыву комиссии Чёрча — отдельной комиссии Сената Соединенных Штатов по изучению правительственных операций в области разведывательной деятельности, которая сделала следующий вывод:

[В течение пятнадцати лет] бюро проводило изощренную операцию, которая напрямую нарушает Первую поправку к Конституции США о свободе слова и собраний; теоретически идея заключалась в том, что предотвращение роста преступных групп и распространения опасных идей может защитить национальную безопасность и предупредить насилие.

Даже если бы все подозреваемые были вовлечены в преступную активность, все равно многие из использованных техник являются неприемлемыми для демократического общества. Однако COINTELPRO пошла дальше. Основной предпосылкой использования данной программы было то, что органы правопорядка обязаны делать все необходимое для того, чтобы бороться с предполагаемой угрозой существующему социальному и политическому строю.

В одной из служебных записок о COINTELPRO объясняется, что «паранойя», посеянная среди антивоенных активистов, заставляет их верить в то, что «за каждым почтовым ящиком сидит агент ФБР». Таким образом, диссиденты, убежденные в том, что за ними постоянно наблюдают, в страхе откажутся от активных действий.

Неудивительно, что эта тактика сработала. В документальном фильме под названием «1971» несколько активистов рассказывают, что во времена ФБР Гувера движение по защите прав человека было «наполнено» агентами, которые приходили на встречи и обо всем докладывали своему начальству. Слежка была повсюду. Она затрудняла рост и развитие организации.

В то время наиболее крепкие организации Вашингтона понимали, что существует правительственная слежка и что вне зависимости от того, как используются полученные данные, она усмиряет оппозицию. В марте 1975 года в передовице *Washington Post* была опубликована статья об этой угнетающей динамике:

ФБР никогда не заботилось об отравляющем эффекте своих разведывательных операций, а особенно о том, какое воздействие они оказывают на анонимных информаторов, демократичные процессы и свободу слова. Но должно быть очевидно, что обсуждения и споры в отношении политики государства прекращаются, как только становится известно, что замаскированный «большой брат» подслушивает и докладывает всю информацию властям.

Программа COINTELPRO была далеко не единственным нарушением, обнаруженным комиссией Чёрча. В окончательном отчете она сообщает о том, что «с 1947 по 1975 год по секретному соглашению с тремя телеграфными компаниями Агентство национальной безопасности получило в свое распоряжение миллионы телеграмм, отправленных в Соединенные Штаты, из Соединенных Штатов или пересылаемых внутри страны». Более того, во время операции ЦРУ под названием CHAOS (1967–1973) «в компьютерную систему ЦРУ были занесены приблизительно 300 000 людей, велись дела примерно на 7200 американцев и на более чем 100 организованных групп».

Кроме того, «в период с середины 1960-х по 1971 год Военная разведка США следила приблизительно за 100 000 американцев», а также за примерно 11 000 отдельных людей и групп, состоящих на учете в Федеральной налоговой службе — «по причинам, скорее, политическим, нежели налоговым». Вдобавок к этому ЦРУ использовало подслушивающие телефонные устройства, чтобы обнаружить уязвимые стороны подозреваемых, такие как сексуальные связи, которые затем можно было бы использовать для их «нейтрализации».

Описанные выше случаи не являются чем-то из ряда вон выходящим. Например, в документах эры Буша, полученных Американским союзом защиты гражданских свобод, были обнаружены «новые подробности организованной Пентагоном слежки за теми, кто высказывается против войны в Ираке, включая квакеров и студенческие группы». Пентагон «следил за мирными протестантами, собирая и сохраняя информацию о них в военной базе по борьбе с терроризмом». Американский союз защиты гражданских свобод отмечает, что в одном из документов «с пометкой "потенциальная террористическая деятельность"» в списке событий было указано ралли в городе Акрон (Огайо), проходившее под девизом «Прекратите войну сейчас!»

Доказательства свидетельствуют в пользу того, что уверения правительства, будто слежка направлена только на тех, «кто сделал что-то плохое», не могут принести нам комфорта, поскольку государство автоматически понимает под этим любое действие, которое ставит под сомнение его власть.

История показывает, что тем, кто находится у власти, слишком трудно сопротивляться искушению объявить своих политических оппонентов «угрозой национальной безопасности» или даже «террористами». За последнее десятилетие правительство, вторя деятельности Гувера и ФБР, присвоило такие ярлыки защитникам окружающей среды, многочисленным группам оппозиционеров правого толка, антивоенным активистам и ассоциациям, борющимся за права палестинцев. Некоторые из этих людей действительно представляют угрозу национальной безопасности, но не вызывает сомнения, что большинство из них совершенно безобидны и виновны только в том, что придерживаются оппозиционных взглядов. Несмотря на это, перечисленные выше группы постоянно становятся мишенью для операций слежения со стороны АНБ и его партнеров.

После того как британские власти задержали моего партнера Дэвида Миранду в аэропорту Хитроу под предлогом выполнения «антитеррористического закона», не вызывает сомнения тот факт, что правительство Великобритании приравнивает мои работы, посвященные разведывательным операциям и слежке, к терроризму. Так, целью публикации документов Сноудена «является оказание влияния на правительство. Раскрытие архива Сноудена было сделано по политическим или идеологическим соображениям. И поэтому оно попадает под определение терроризма». Это простое заявление связывает угрозу интересам властей и терроризм.

Ничего из этого не является сюрпризом для американского мусульманского сообщества, в котором широко распространен страх оказаться под наблюдением по подозрению в терроризме.

И это не беспричинные опасения. В 2012 году Адам Голдман и Мэтт Апуццо из *Associated Press* опубликовали совместный план работы ЦРУ и полицейского управления Нью-Йорка, согласно которому за всеми мусульманами устанавливается слежка — непосредственная и с помощью электронных устройств, поскольку они все, даже без легкого намека на то, что они сделали что-то противозаконное, автоматически попадают под подозрение. Мусульмане, проживающие в Америке, рассказали о том, какое воздействие оказывает на них слежка: на каждого нового человека, переступающего порог мечети, смотрят с подозрением — вдруг он окажется информантом ФБР; друзья и семья разговаривают шепотом из-за страха, что за ними следят и что по неосторожности они могут сказать что-то такое, что правительство Америки сочтет подозрительным и использует это в качестве повода начать расследование или даже судебное разбирательство.

Этот факт особо подчеркивается в одном из документов Сноудена от 3 октября 2012 года. Документ свидетельствует о том, что Агентство следит за интернет-активностью тех людей, которые, по его мнению, выражают «радикальные» идеи или оказывают пагубное влияние на других. В служебной записке обсуждаются шесть человек. Они все мусульмане.

АНБ открыто утверждает, что никто из этих людей не участвует в террористическом заговоре и не является членом террористической организации. Их преступление заключается в том, что они выражают взгляды, которые могут быть сочтены «радикальными». А этот термин гарантирует усиленную слежку и проведение кампании, направленной на «устранение слабых мест в системе защиты».

Среди информации, собранной об этих людях, как минимум один из которых является гражданином США, есть подробности посещения ими порносайтов и общения сексуального характера в чатах с женщинами, которые не являются их женами. Агентство обсуждает, как оно может использовать эту информацию для того, чтобы разрушить их репутацию.

ОБЗОР ПРОБЛЕМЫ (U)

(СОВЕРШЕННО СЕКРЕТНО//РАЗВЕДКА СРЕДСТВ СВЯЗИ//ДЛЯ США, ПЯТИ ГЛАЗ) Предыдущий экспертный отчет по радикализации показал, что авторитет лиц, придерживающихся радикальных взглядов, оказывается наиболее уязвимым, когда их приватное и общественное поведение не является целесообразным. **(А)** Придание общественной огласке некоторых из их слабостей может привести к потере или ослаблению их авторитета. К этим слабостям можно отнести:

— просмотр в Интернете материалов сексуального характера или использование явно выраженного персуазивного языка при общении с неопытными молодыми девушками;

— использование полученных благотворительных взносов для покрытия своих личных расходов;

— заоблачные гонорары за выступления или появление только на тех мероприятиях, с помощью которых они могут повысить свой престиж;

— размещение публичных обращений на сомнительных ресурсах или использование фраз, которые при изменении обстоятельств можно толковать двусмысленно.

(СОВЕРШЕННО СЕКРЕТНО//РАЗВЕДКА СРЕДСТВ СВЯЗИ//ДЛЯ США, ПЯТИ ГЛАЗ) При рассмотрении ценности и привлекательности сообщения важную роль играют вопросы доверия и репутации. Понятно, что благодаря пониманию методов, которые использует лицо, придерживающееся радикальных взглядов, для распространения своего сообщения среди впечатлительной группы людей, и пониманию его уязвимости облегчается использование слабостей характера, факторов, порочащих его репутацию, или и того, и другого.

Джамиль Джаффер, заместитель директора Американского союза защиты гражданских свобод по правовым вопросам, отмечает, что базы данных АНБ «сохраняют информацию о ваших политических взглядах, вашей медицинской истории, ваших интимных отношениях и о том, какие веб-сайты вы посещаете». Агентство утверждает, что не будет использовать эту личную информацию в корыстных целях, «но документы показывают, что АНБ определяет "корыстные цели" очень специфически». Как указывает Джаффер, история свидетельствует, что по просьбе президента

АНБ готово «использовать плоды слежки для того, чтобы дискредитировать политического оппонента, журналиста или защитника гражданских прав». Он говорит, что было бы «наивно» полагать, будто Агентство не захочет «воспользоваться этой возможностью».

Из других документов становится понятно, что правительство обратило свое внимание не только на *WikiLeaks* и его основателя Джулиана Ассанжа, но и на то, что Агентство называет «сетью людей, которая поддерживает *WikiLeaks*». В августе 2010 года администрация Обамы убедила союзников США завести на Ассанжа уголовное дело за публикацию секретных документов о войне в Афганистане. Обсуждение, посвященное принуждению других стран к преследованию Ассанжа, появилось в файле АНБ под названием «Хроника охоты на человека». В нем содержится информация, связанная с анализом рассмотрения проблемы по странам, описываются усилия Соединенных Штатов и их союзников по определению месторасположения, преследованию и поимке и/или уничтожению таких людей, как известные террористы, наркоторговцы и палестинские лидеры. Хронометраж ведется по каждому году начиная с 2008-го и заканчивая 2012 годом.

(U) Хроника охоты на человека в 2010 году

СОВЕРШЕННО СЕКРЕТНО//SI/TK//НЕ ДЛЯ ИНОСТРАННЫХ ГОСУДАРСТВ

Перейти к: навигация, поиск

Основная статья: Охота на человека

Смотреть еще: Охота на человека 2011
Смотреть еще: Охота на человека 2009
Смотреть еще: Охота на человека 2008

(U) Описанные ниже **операции по охоте на человека осуществлялись в 2010 календарном году:**

[редактировать] (U) Ноябрь

Содержание

[редактировать] (U) Соединенные Штаты, Австралия, Великобритания, Германия, Исландия

(U) 10 августа Соединенные Штаты убедили другие страны, участвующие в войне с Афганистаном, включая Австралию, Великобританию и Германию, рассмотреть возможность заведения уголовного дела на Джулиана Ассанжа, основателя подпольного веб-сайта WikiLeaks, ответственного за незаконную публикацию более 70 000 засекреченных документов о войне в Афганистане. Возможно, документы были предоставлены WikiLeaks рядовым первого класса Брэдли Мэннингом. Данная просьба является примером начала международных усилий, в попытке сконцентрироваться на юридическом аспекте действий федеральной власти в отношении негосударственного актора Ассанжа и сети людей, которые поддерживают Wikileaks.[16]

В отдельном документе описываются итоги дискуссии, имевшей место в июле 2011 года, в которой обсуждалось, допустимо ли в разведывательных целях называть *WikiLeaks* и сайт совместного доступа к файлам *Pirate Bay* «вредоносными иностранными объектами». Такое обозначение сделает возможным ведение агрессивной электронной слежки за обоими веб-сайтами, а также за их американскими пользователями. Обсуждение проводилось в рубрике «Вопросы и ответы», в которой отдел, осуществляющий контроль за деятельностью АНБ, и офис генерального юрисконсульта АНБ отвечали на предложенные вопросы.

[редактировать] (СОВЕРШЕННО СЕКРЕТНО//РАЗВЕДКА СРЕДСТВ СВЯЗИ//REL) Вредоносный иностранный объект == распространитель данных Соединенных Штатов

Можем ли мы обращаться с иностранными серверами, которые хранят и, возможно, распространяют просочившиеся или украденные данные Соединенных Штатов, как с «вредоносными иностранными объектами» в целях осуществления ничем не ограниченной слежки. Примеры: WikiLeaks, thepiratebay.org и т. д.

ОТВЕТ ОТ ОТДЕЛА, ОСУЩЕСТВЛЯЮЩЕГО КОНТРОЛЬ ЗА ДЕЯТЕЛЬНОСТЬЮ АНБ/ГЕНЕРАЛЬНОГО ЮРИСКОНСУЛЬТА: Мы свяжемся с вами. (Источник #001)

Одна из таких переписок, датированная 2011 годом, показывает полное безразличие АНБ к нарушению правил слежки. Оператор пишет: «Я напортачил» — слежка была установлена за гражданином США, а не за иностранцем. Ответ из отдела, осуществляющего контроль, и из офиса генерального юрисконсульта гласит: «Вам не о чем беспокоиться».

[редактировать] (СОВЕРШЕННО СЕКРЕТНО//РАЗВЕДКА СРЕДСТВ СВЯЗИ//REL) Случайная слежка за гражданином Соединенных Штатов

Я напортачил... все признаки указывали на то, что выбранное лицо является иностранцем, но оказалось, что он — гражданин США... Что теперь?

ОТВЕТ ОТ ОТДЕЛА, ОСУЩЕСТВЛЯЮЩЕГО КОНТРОЛЬ ЗА ДЕЯТЕЛЬНО-
СТЬЮ АНБ/ГЕНЕРАЛЬНОГО ЮРИСКОНСУЛЬТА: Если после всех проверок вы обнаружили, что он является гражданином США, тогда это
следует передать на рассмотрение генеральному юрисконсульту
и это войдет в его отчет... «но вам не о чем беспокоиться». (Источник #001)

Слежка за группой *Anonymous*, а также за широкой катего-
рией людей, попадающих под категорию «хакер-активисты»,
приводит к трудностям особого характера. Все дело в том, что
Anonymous в действительности не организованная группа, а сво-
бодное сообщество людей, объединенных общей идеей: человек
присоединяется к группе *Anonymous* потому, что придержи-
вается общих с ней представлений. В отношении категории
«хакер-активист» все еще хуже, так как не существует четкого
определения, которое могло бы ее описать. В эту категорию
могут попасть как люди, которые используют навыки про-
граммирования для взлома веб-сайтов, так и те, кто применяет
интернет-инструменты для распространения той или иной политической идеологии. То, что АНБ направляет свое внимание
на такие обширные группы людей, равносильно тому, чтобы повсюду следить за каждым, чьи идеи правительство Соединенных
Штатов считает угрожающими государству.

Габриэлла Коулман из Университета Макгилла, изучающая
Anonymous, говорит о том, что группа «не имеет четко выра-
женной структуры», скорее, можно говорить о существовании
«идеи, которая мобилизует активистов на участие в совместных
действиях и высказывание недовольства политическим режимом. Это глобальное общественное движение. Оно не является
централизованным и не имеет официальной лидерской структуры. Название группы объединяет людей, которые готовы
принять участие в цифровом гражданском неповиновении, но
они не делают ничего, даже отдаленно напоминающего терроризм». Большинство из них присоединилось к *Anonymous*,
чтобы «в первую очередь высказать свои политические взгляды.
Слежку за *Anonymous* и хакерами-активистами можно при-

равнять к слежке за гражданами за то, что они выражают свои политические убеждения. Это приведет к подавлению инакомыслия, разрешенного нам законом», — объясняет Коулман.

И все же за *Anonymous* установило слежку подразделение ЦПС, которое использует самые противоречивые и радикальные методы, известные в мире шпионажа: «действия под чужим флагом», вирусы, «медовые ловушки» и другие способы воздействия, стратегии обмана и «информационные операции, направленные на разрушение репутации».

На одном из слайдов *PowerPoint*, представленных сотрудниками ЦПС на секретной конференции по развитию средств связи 2012 года, описываются две формы атаки: «информационные операции (влияние или разрушение»)» и «технический сбой». ЦПС называет эти методы «Тайная интернет-операция», которая направлена на достижение того, что в документе названо «4 D»: отрицание, подрыв, разрушение, обман.

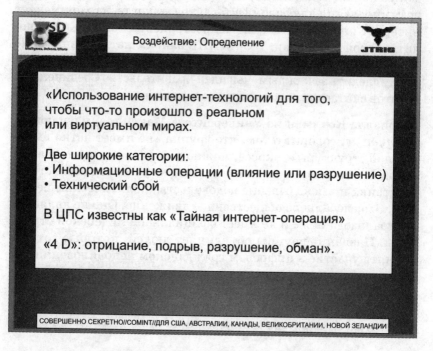

На другом слайде описывается тактика, которая используется для «подрыва доверия». В нее входит настройка «медовой ловушки», «изменение фотографий в соцсетях», «создание блога, автор которого якобы стал их жертвой» и «написание электронных писем/сообщений» коллегам, соседям, друзьям и т. д.».

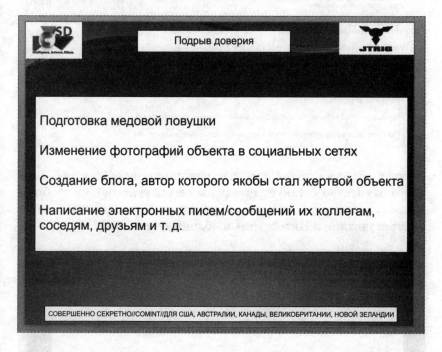

В сопроводительной записке ЦПС объясняется, что «медовая ловушка» — старый прием, использовавшийся во времена холодной войны. Идея состоит в том, что привлекательная женщина соблазняет мужчин и ставит их в компрометирующее положение. «Медовая ловушка» адаптирована для века цифровых технологий: теперь человека заставляют зайти на компрометирующий сайт или пообщаться в чате. В комментариях указано: «отличный вариант. Когда срабатывает, дает превосходные результаты». Точно таким же образом адаптируются традиционные методы внедрения в группы подозреваемых — теперь все это можно проделать в Интернете:

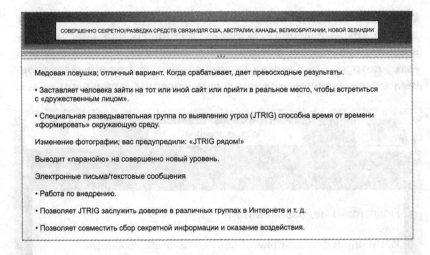

Другая техника подразумевает «блокировку общения». Для этого Агентство «атакует телефоны людей текстовыми сообщениями», «атакует телефоны людей звонками», «удаляет следы их присутствия в Интернете» и «блокирует их факс».

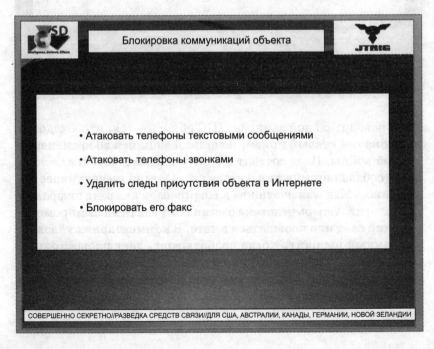

Кроме того, ЦПС активно использует методы «подрыва», которые лежат в основе того, что они называют «обычная реализация законодательства», — сбора доказательств и судебного преследования. В документе под названием «Сеанс виртуального наступления: выход на новый уровень и действия, направленные против хакер-активистов» ЦПС описывает свою атаку «хакер-активистов» под названием «отказ в обслуживании»; по иронии судьбы именно этот метод обычно используют хакеры:

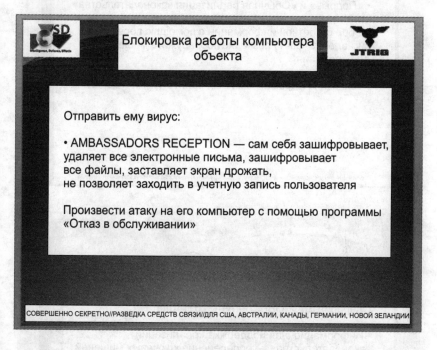

Блокировка работы компьютера объекта

Отправить ему вирус:

• AMBASSADORS RECEPTION — сам себя зашифровывает, удаляет все электронные письма, зашифровывает все файлы, заставляет экран дрожать, не позволяет заходить в учетную запись пользователя

Произвести атаку на его компьютер с помощью программы «Отказ в обслуживании»

СОВЕРШЕННО СЕКРЕТНО//РАЗВЕДКА СРЕДСТВ СВЯЗИ//ДЛЯ США, АВСТРАЛИИ, КАНАДЫ, ГЕРМАНИИ, НОВОЙ ЗЕЛАНДИИ

Для разработки методов «Интернет HUMINIT (разведывательная информация, получаемая от агентов)» и «оперативного разрушения влияния» в британских органах разведки действовала команда социологов и психологов. Этим методам посвящен документ «Искусство обмана: подготовка нового поколения к тайным операциям в Интернете». В материалах, подготовленных командой, рассказывается, что ученые из самых разных областей, в том числе социологии, психологии, антропологии, нейронауки и биологии, работали для того, чтобы сотрудники

ЦПС с помощью обмана в Интернете могли достигать максимального эффекта.

Зачем проводить операцию «Воздействие»?

• «Подрыв» и «Обычная реализация законодательства»

• Сбор секретной информации с помощью перехвата сигналов (SIGINT) позволяет обнаружить мишень для слежения

• Техники «Подрыва» могут сохранить время и деньги

СОВЕРШЕННО СЕКРЕТНО//РАЗВЕДКА СРЕДСТВ СВЯЗИ//ДЛЯ АВСТРАЛИИ/КАНАДЫ/НОВОЙ ЗЕЛАНДИИ/ ВЕЛИКОБРИТАНИИ/США

Воздействие на хакер-активистов

Операция ЗДОРОВЬЕ — лето 2011 года

• Информационная поддержка «реализации законодательства» — определение ключевых мишеней

• Отказ от обслуживания основных разъемов для подключения кабелей

• Информационные операции

СОВЕРШЕННО СЕКРЕТНО//РАЗВЕДКА СРЕДСТВ СВЯЗИ//ДЛЯ АВСТРАЛИИ/КАНАДЫ/НОВОЙ ЗЕЛАНДИИ/ВЕЛИКОБРИТАНИИ/США

Один из слайдов показывает, как создать «диссимуляцию — скрыть реальное», и при этом организовать «симуляцию — показать нереальное». На этом слайде описывается «создание психологических блоков обмана» и «карта технологий», которая используется для осуществления обмана на *Facebook*, *Twitter*, *LinkedIn* и других «интернет-страницах».

ЦПС, делая акцент на том, что «люди принимают решения, основываясь на эмоциональных причинах, а не на рациональных», утверждает, что поведение в Интернете обусловлено «отражением» («во время социального взаимодействия люди копируют друг друга»), «приспособлением» и «подражанием» («перенятие специфических социальных черт собеседника»).

Затем в документе говорится о «Плане операции подрыва». Сюда входят «операция внедрения», «операция уловка», «операция фальшивого флага» и «операция жало». Кроме того, в нем торжественно объявляется о том, что программа подрыва будет полностью готова «к началу 2013 года», поскольку «более 150 сотрудников прошли полное обучение».

В разделе документа «Магические техники и эксперимент» рассказывается о «легитимизации насилия», «провоцировании у объектов наблюдения переживаний таким образом, чтобы они об этом не подозревали» и «оптимизации каналов обмана».

Эти варианты правительственных планов, предназначенных для отслеживания и оказания влияния на общение и распространение ложной информации в Интернете, очень долгое время были темой горячих споров. Касс Санстейн — профессор юриспруденции в Гарварде, предыдущий глава отдела информации и нормативно-законодательного регулирования Белого дома, а также член комиссии по надзору за АНБ — в 2008 году написал провокационную статью, в которой подразумевалось, что нанятые правительством агенты под прикрытием и «псевдонезависимые» адвокаты «внедряются» в группы в Интернете, пишут в чатах, социальных сетях, на веб-сайтах, а также проникают в группы активистов в реальном мире.

План операции ПОДРЫВА

Операция внедрения

Операция «приманка»

Операция домашняя заготовка

Операция фальшивого флага

Операция фальшивого освобождения

Операция подрыва

Операция жало

СЕКРЕТНО//РАЗВЕДКА СРЕДСТВ СВЯЗИ//ДЛЯ США, ПЯТИ ГЛАЗ

Данные документы свидетельствуют о том, что со стадии обсуждения эти возмутительные техники обмана и подрыва репутации перешли на стадию выполнения.

Все факты говорят об очевидном соглашении, которое правительство предлагает своему народу: не создавайте проблем, и вам будет не о чем беспокоиться. Занимайтесь своими делами и поддерживайте или как минимум терпите то, что делаем мы, и с вами все будет в порядке. Другими словами, если вы не хотите, чтобы правительство, которое может следить за вами, посчитало, что вы делаете что-то неправильное, вам необходимо воздерживаться от раздражения властей. Такое соглашение подразумевает пассивность, подчинение и конформность. Самый безопасный способ убедиться в том, что вас «оставили в покое», — вести себя тихо, покладисто и никому не угрожать.

Для многих из нас это привлекательная сделка. *Большинство людей убеждены в том, что слежка направлена на благо и приносит обществу пользу.* Эти граждане считают, что они недостаточно интересны для того, чтобы правительство обратило на них свое внимание. Я часто слышу что-то вроде: «Я очень сомневаюсь в том, что я могу быть интересен АНБ», «Если им захочется подслушивать мою скучную жизнь, то флаг им в руки». Или:

«АНБ неинтересно, как ваша бабушка пересказывает рецепты и как ваш дедушка говорит о стратегии своей игры в гольф».

Такие люди убеждены в том, что они не станут объектом слежки правительства, потому что они ведут себя тихо и не представляют угрозы, — и поэтому они отрицают то, что это происходит, не думают об этом или всецело это поддерживают.

Вскоре после того как вышла наружу история об АНБ Лоуренс О'Доннелл с телеканала *MSNBC* брал у меня интервью. Он пытался высмеять мнение о том, что АНБ «большой, страшный, следящий за всеми монстр». Подводя итог, он сказал:

> «Мои чувства на настоящий момент... мне не страшно... тот факт, что правительство собирает [данные] на таком гигантском, масштабном уровне, означает, что правительству еще труднее найти меня... и я им абсолютно неинтересен. Таким образом, на этой стадии я не ощущаю для себя никакой опасности».

Хендрик Герцберг из *New Yorker* имеет схожие взгляды на опасности, которые таит в себе слежка. Он признает, что «существуют причины беспокоиться о повсеместном распространении слежки, чрезмерной секретности и скрытности». «Но точно так же существуют и причины сохранять спокойствие», например опасность «гражданским свободам весьма абстрактна и сомнительна». Рут Маркус, корреспондент *Washington Post*, недооценивает силы АНБ. Она заявляет, что ее «метаданные совершенно точно никто не изучал».

В каком-то смысле, О'Доннелл, Герцберг и Маркус правы. Правительство Соединенных Штатов действительно «абсолютно не намерено» следить за такими людьми, как они, — за теми, кто считает, что опасность, которую таит в себе слежка, «абстрактна и сомнительна». Дело в том, что журналисты, которые посвятили свою карьеру преклонению перед наиболее влиятельным представителем правительства — президентом, который по сути и является «верховным главнокомандующим» АНБ, — и поддержке его политической партии, редко, если это вообще возможно, рискуют попасть в немилость.

Конечно, преданным сторонникам президента и добропорядочным гражданам, которые не сделали ничего, что могло бы привлечь негативное внимание со стороны власть имущих, нет причин бояться того, что за ними установят наблюдение. Это верно для каждого общества: те, кто не создает проблем, нечасто становятся объектом репрессивных мер. Они могут верить в то, что никаких репрессивных мер и не существует. Но настоящий показатель того, является ли общество свободным, — это то, как оно обращается с диссидентами и другими маргинальными группами, а не то, как оно относится к своим защитникам. Даже в мире, которым правит самая ужасная тирания, преданные сторонники власти защищены от карательных мер со стороны государства. В Египте во времена правления Мубарака арестовывали, пытали и расстреливали тех, кто выходил на улицу и призывал к свержению политика, а не тех, кто поддерживал его или просто оставался дома. В Соединенных Штатах гуверская слежка устанавливалась за лидерами Национальной ассоциации содействия прогрессу цветного населения, коммунистами, антивоенными активистами и борцами за гражданские права, а не за законопослушными гражданами, которые держали рот на замке и ни слова не произнесли о социальной несправедливости.

Чтобы чувствовать себя в безопасности и знать, что за нами не следят, мы не обязаны быть преданными сторонниками существующей власти. И ценой неприкосновенности не должно быть воздержание от оппозиционных или дерзких взглядов. Мы не должны испытывать желание жить в обществе, основное правило которого заключается в том, что нас оставят в покое, только если мы будем вести себя послушно и будем вторить журналистам, поддерживающим действующее правительство.

Помимо этого, ощущение неприкосновенности, которое присуще определенной группе лиц, поддерживающих власть, не может не быть иллюзорным. Это становится очевидно, поскольку принадлежность к партизанам немедленно формирует ощущение опасности, связанной с тем, что за ними следят. А вчерашние чирлидеры сегодня могут легко стать диссидентами.

В 2005 году, когда АНБ безосновательно занималось прослушкой телефонов, большинство либералов и демократов считали программу слежки Агентства опасной. Конечно, отчасти это было логично: Джордж Буш был президентом, и демократы увидели возможность нанести ему и его партии политический вред. Но в некоторой степени страх был оправдан: поскольку они считали Буша коварным и опасным, в их глазах программа наблюдения под его контролем не предвещала ничего хорошего, и они, являясь его политическими оппонентами, попадали в зону риска. Соответственно, республиканцы поддерживали и соглашались с действиями АНБ. Для сравнения: в декабре 2013 года демократы и прогрессивисты превратились в преданных защитников АНБ.

Данные многочисленных опросов отражают эти изменения. В конце июля 2013 года Исследовательский центр Пью опубликовал результаты опроса, которые указывают на то, что большая часть американцев не верят в защиту, которую обещают представители АНБ. В частности, «большинство американцев — 56 % — говорят о том, что федеральный суд не в силах наложить ограничения на сбор телефонных и интернет-данных в целях антитеррористической кампании». И «еще больший процент (70 %) полагает, что правительство использует эти данные в целях, не ограничивающихся борьбой с терроризмом». Более того, «63 % убеждены в том, что правительство также собирает информацию о содержании общений».

Стоит особо выделить тот факт, что сегодня американцы считают угрозу слежки большей опасностью, чем угроза терроризма:

В целом 47 % опрошенных заявили, что больше всего в реализации антитеррористических мер их беспокоит то, что правительство зайдет слишком далеко и начнет ограничивать гражданские свободы обычных граждан. 35 % заявили, что они больше переживают о том, что правительство не предпримет достаточное количество мер, чтобы защитить страну. С того момента как в 2004 году Исследовательский центр Пью впервые задал этот вопрос, это первый раз, когда результаты анкетирования показали, что большая часть населения обеспокоена гражданскими свободами, а не защитой от терроризма.

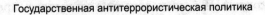

Государственная антитеррористическая политика

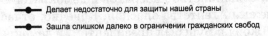

— ● — Делает недостаточно для защиты нашей страны

— ● — Зашла слишком далеко в ограничении гражданских свобод

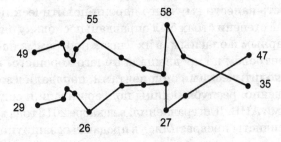

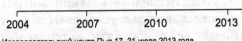

Исследовательский центр Пью 17–21 июля 2013 года.

Эти данные опроса принесли добрые вести тем, кто был обеспокоен чрезмерной властью правительства и хроническим преувеличением угрозы терроризма.

Но они также привлекли внимание к интересному изменению ситуации: республиканцы, будучи защитниками АНБ во времена Буша, были вытеснены демократами, как только система наблюдения попала в руки президента Обамы, а значит, в руки демократов. «По всей стране программа сбора данных получает бóльшую поддержку со стороны демократов (ее одобряют 57 %), чем среди республиканцев (44 %)».

Похожие данные опроса опубликовала *Washington Post*. Было обнаружено, что консерваторы гораздо сильнее, чем либералы, обеспокоены шпионажем со стороны АНБ. Когда их спросили: «Насколько сильно вас волнует сбор данных, содержащих вашу личную информацию, со стороны Агентства национальной безопасности?», 48 % консерваторов по сравнению с 26 % либералов были «очень сильно обеспокоены». Как заметил профессор права Орин Керр, это является свидетельством фундаментального переворота: «Это интересное изменение по сравнению с 2006 годом, когда президентом был республиканец, а не демократ. Тогда Исследовательский центр Пью обнаружил, что действия АНБ одобряют 75 % республиканцев и только 37 % демократов».

График, составленный Исследовательским центром Пью, демонстрирует очевидные изменения:

Изменения взглядов сторонников различных партий на программы слежки, осуществляемой АНБ

Взгляды на программу слежки АНБ

(Изменения в формулировке вопроса вы можете посмотреть в предыдущей таблице)

	Январь 2006		Июнь 2013	
	Приемлема, %	Неприемлема, %	Приемлема, %	Неприемлема, %
Всего	51	47	56	41
Республиканцы	75	23	52	47
Демократы	37	61	64	34
Не принадлежащие к какой-либо партии	44	55	53	44

Исследовательский центр Пью. 6–9 июня 2013 года. Цифры читаются по горизонтали. Не показаны ответы «Не знаю»/«Отказываюсь отвечать».

В зависимости от того, какая партия стояла у власти, люди коренным образом меняли доводы, которые они высказывали за и против слежки. В 2006 году один из сенаторов на программе *Face the Nation* довольно сильно осудил обширный сбор метаданных, организованный АНБ:

«Чтобы узнать, чем вы занимаетесь, мне необязательно прослушивать ваши телефонные разговоры. Если я знаю о каждом совершенном вами звонке, я могу вычислить каждого человека, с которым вы

говорили. Это очень простой способ узнать о том, как вы живете...
Следует задать себе вопрос: "Что они делают со всей собранной информацией, которая не имеет никакого отношения к Аль-Каиде?"...
И вы собираетесь довериться президенту и вице-президенту и поверить, будто то, что они делают, в порядке вещей? На меня можете
не рассчитывать».

Сенатором, который так жестко отзывается о сборе метаданных,
является Джо Байден, впоследствии ставший вице-президентом.
Придя к власти, демократическая партия, членом которой является сенатор, стала повторять те же самые аргументы, однажды
высмеянные им.

Большое значение имеет не только то, что сторонники того или
иного режима являются беспринципными лицемерами, у которых напрочь отсутствуют какие-либо убеждения и которых
интересует только принадлежность к власти. Гораздо важнее,
что именно подобные утверждения говорят о природе отношения людей к программам слежения. Как и в случае с любыми
несправедливыми поступками, когда люди верят в то, что те, кто
отвечает за контроль, настроены доброжелательно и заслуживают доверия, они гонят прочь свои страхи о том, что государство
их обманывает. Только когда люди начинают ощущать, что
программы слежки угрожают именно им, они задумываются
о том, что это может быть опасно.

Зачастую распространение агрессивных мер именно так и происходит — правительство убеждает людей в том, что программы
направлены только на отдельные группы. Государство просит
граждан закрыть глаза на то, что происходит, и заставляет их
поверить, оправданно или нет, в то, что только определенные,
изолированные группы людей являются его мишенью, а все
остальные могут молча соглашаться или поддерживать власть
без страха, что эти агрессивные меры будут применены и к ним.
Оставляя в стороне очевидную аморальность данной позиции —
мы не допускаем расизм именно потому, что он направлен на
меньшинство, — следует отметить, что это полностью неверно
с прагматической точки зрения.

Безразличное отношение или поддержка людей, считающих себя неприкосновенным, приводит к тому, что использование репрессивных мер выходит далеко за рамки того, что планировалось изначально, — пока злоупотребление властью станет невозможно контролировать, а это неизбежно. Примеров, подтверждающих это, слишком много. Одним из самых недавних и убедительных является использование «Патриотического акта». После 11 сентября Конгресс практически единогласно одобрил расширение программ слежки и проведение арестов, будучи уверенным в том, что подобные действия позволят выявить и предотвратить атаки в будущем.

Очевидное предположение, что меры, связанные с терроризмом, будут использоваться главным образом против мусульман (классический прием, который использует власть, — убедить людей в том, что применение репрессивных мер будет ограниченно определенной группой людей, участвующих в определенном виде деятельности) — это единственная причина, по которой правительство получило поддержку. Но произошло нечто совершенно другое: применение «Патриотического акта» вышло за рамки официально заявленной цели. В действительности, после того как этот закон вступил в силу, в подавляющем большинстве случаев он использовался для решения задач, которые не имеют ничего общего ни с терроризмом, ни с национальной безопасностью. *New York Magazine* приводит данные, по которым с 2006 по 2009 год использование Закона, чтобы «подкрасться и заглянуть» (разрешение на проведение обыска без информирования человека), происходило в 1618 случаях, связанных с наркотиками; 122 случаях, связанных с мошенничеством; и только в 15 случаях, связанных с терроризмом.

Но как только гражданское население привыкает к новым репрессивным мерам и люди начинают верить в то, что их они не коснутся, эти методы становятся легитимными, а возражение — недопустимым. Действительно, основной урок, который в 1975 году выучил Фрэнк Чёрч, заключался в том, что массовая слежка несет в себе огромную опасность. В интервью *Meet the Press* он сказал:

Эти методы в любой момент могут обернуться против американского народа, и тогда ни у одного американца не останется частной жизни. Чтобы это ни было — подслушивание телефонных разговоров, перехват телеграмм — не имеет значения. Спрятаться будет негде. Если правительство когда-нибудь встанет на путь тирании… технологические возможности, которые научное сообщество подарило государству, делают реальной безграничную тиранию, дать отпор которой будет нельзя, потому что даже самые тщательно скрываемые планы сопротивления… потерпят крах, поскольку правительство будет знать о них. Это возможности современных технологий.

В 2005 году Джеймс Бэмфорд высказал в *New York Times* опасения по поводу того, что угроза, которую представляет собой государственная слежка, сегодня носит гораздо более страшный характер, чем в 1970-х: «Когда люди рассказывают о своих самых сокровенных мыслях в электронных письмах, выставляют напоказ свои медицинские и финансовые записи в Интернете и постоянно шлют друг другу текстовые сообщения, Агентство получает возможность практически проникнуть человеку в голову».

Беспокойство Чёрча по поводу того, что любая программа слежки «может обернуться против американского народа», было обоснованно, поскольку именно это и сделало АНБ после 11 сентября. Вопреки тому, что работа Агентства должна быть связана с Законом о контроле деятельности служб внешней разведки, и вопреки запрету на внутренний шпионаж, который заложен в миссии Агентства с самого его основания, многие программы слежки были направлены на граждан Соединенных Штатов и осуществлялись прямо на территории Соединенных Штатов.

Даже если бы правительство не злоупотребляло своей властью, сбор абсолютно всех возможных данных наносит вред обществу и политической свободе в целом. Прогресс в Соединенных Штатах и других странах оказался возможным благодаря тому, что люди могли ставить под вопрос существующую власть и убеждения, открывать новые способы мышления и жизни. Каждый, даже тот, кто никоим образом не вовлечен в политическую активность и не участвует в защите гражданских прав, страдает от того, что его свобода скована наблюдением. Хендрик Герцберг, недооценивающий проблемы, связанные с программами АНБ, все же признает, что «вред нанесен. Вред всему гражданскому обществу. Вред структуре доверия, которая поддерживает открытое общество и демократический строй».

Сторонники программ АНБ, как правило, предлагают только один аргумент в защиту массовой слежки: она проводится лишь для того, чтобы остановить терроризм и защитить гражданское население. Заметим, что использование внешней угрозы — это давний тактический прием, направленный на то, чтобы держать гражданское население в подчинении. Правительство Соединенных Штатов объявило об опасности терроризма для того, чтобы более чем на десятилетие оправдать ряд радикальных мер, начиная с экстрадиции и пыток и заканчивая убийствами и вторжением в Ирак. Правительство Соединенных Штатов машинально использует слово «терроризм» с момента атак 11 сентября. Это не просто оправдание действий государства. В нем отражается суть тактических приемов, используемых властями. И в случае со слежкой бесчисленное множество свидетельств говорят о том, насколько сомнительными являются оправдания действий правительства.

Начнем с того, что большая часть данных, собранных АНБ, не имеют ничего общего ни с терроризмом, ни с национальной безопасностью. Перехват сообщений бразильского нефтяного гиганта *Petrobras*, или шпионаж за переговорами стран по экономическим вопросам, или слежка за выбранными народом лидерами дружественных государств, или сбор переписки американцев никак не связаны с терроризмом. С учетом реальных действий АНБ очевидно, что борьба с терроризмом является всего лишь предлогом.

Более того, понятно, что довод о том, что массовая слежка способна предотвратить террористические атаки — заявление, сделанное президентом Обамой и рядом представителей Агентства национальной безопасности, — не имеет под собой никаких оснований. В декабре 2013 года в статье под названием «Разоблачение аргументов властей в защиту телефонной программы АНБ» федеральный судья заявил о том, что «практически вне всякого сомнения» можно говорить о том, что программа по сбору телефонных метаданных противоречит Конституции. Он заявил, что Министерству юстиции не удалось «вспомнить ни одного случая, в котором анализ собранных АНБ данных действительно помог остановить террористическую атаку».

В том же месяце Обама собственноручно собрал команду консультантов (в нее среди прочих вошел предыдущий заместитель директора ЦРУ и консультант Белого дома), которые, используя засекреченные данные, провели исследование, посвященное программе АНБ. Они пришли к выводу о том, что программа по сбору метаданных «не играет особой роли в предотвращении атак и может использоваться периодически по решению суда».

Вот цитата из *Post:* «При даче свидетельских показаний в Конгрессе [Кит] Александер сообщил, что программа оказала помощь в раскрытии десятков заговоров в Соединенных Штатах и других государствах», но комиссии экспертов пришлось «копнуть очень глубоко для того, чтобы доказать достоверность этих заявлений».

Вдобавок к этому сенаторы от демократической партии Рон Уайден, Марк Юдалл и Мартин Хайнрик — все — члены комитета по разведке — напрямую сообщили *New York Times*, что массовый сбор телефонных записей не привел к усилению защиты американского населения от угрозы терроризма.

Польза, которую приносит программа по массовому сбору информации, сильно преувеличена. Мы все еще хотим увидеть доказательства того, что она действительно имеет какую-то ценность для защиты американского населения. Несмотря на наши неоднократные запросы, АНБ не предоставило нам никаких доказательств и примеров того, что требуемые телефонные записи не могли быть получены в процессе обычного судебного разбирательства или срочного постановления суда.

Исследование центристского Фонда «Новая Америка» проверяло достоверность официально названных причин обширного сбора метаданных. Фонд пришел к заключению, что программа «не принесла видимого результата в работе по предотвращению терроризма». Напротив, пишет *Washington Post*, в большинстве случаев «традиционные приемы правоохранительных органов и классические методы расследования привели к обнаружению улик или доказательств, позволивших раскрыть дело».

Действительно, свидетельства в пользу эффективной работы системы «Собрать все» довольно скудные. Программа не принесла никакой пользы в обнаружении подготовки, не говоря уже о предотвращении, взрыва, прогремевшего в 2012 году на бостонском марафоне. Она не позволила раскрыть ни попытку взрыва самолета в Детройте, ни попытку теракта на Таймс-сквер, ни попытку атаковать нью-йоркский метрополитен — все они были остановлены в результате действий рядовых граждан или традиционных сил полиции. И совершенно точно, что программа не позволила остановить массовые убийства в Авроре и Ньютауне. Работу программы обеспечивают как минимум десятки сотрудников, однако она не смогла распознать планы преступников по совершению террористических атак в городах по всему миру, начиная с Лондона и заканчивая Мумбаи и Мадридом.

Несмотря на спекуляционные заявления АНБ, массовая слежка не стала инструментом, способным предотвратить теракты, подобные тому, что произошел 11 сентября. Кит Александер в разговоре с сенатской комиссией заявил: «Я предпочитаю находиться сегодня здесь и спорить с вами об эффективности работы [программы], вместо того, чтобы потом объяснять, почему у нас не получилось предотвратить еще одно 11 сентября». (Тот же аргумент, слово в слово, появился в тезисах, которые АНБ раздало своим сотрудникам для ответов на вопросы.)

Как сказал аналитик *CNN* по вопросам безопасности Питер Берген, у ЦРУ было множество информации о заговоре Аль-Каиды и «совсем немного информации о двух угонщиках самолетов и их пребывании в Соединенных Штатах», которой

«Агентство решило не делиться с другими правительственными учреждениями, пока не стало слишком поздно и уже ничего нельзя было поделать».

Лоуренс Райт, эксперт *New Yorker* по вопросам, связанным с Аль-Каидой, развенчал заявление АНБ о том, что сбор метаданных мог бы предотвратить теракт 11 сентября. Он объяснил, что ЦРУ «скрывало от ФБР важные сведения. Но ФБР обладает высшими полномочиями при расследовании террористических атак в Соединенных Штатах и атак на граждан Америки за рубежом». Лоуренс Райт утверждает, что ФБР было по силам остановить атаку 11 сентября.

ФБР обладало полномочиями на установку наблюдения за всеми, кто в Америке был связан с Аль-Каидой. Оно могло следить за этими людьми, прослушивать их телефоны, внедряться в их компьютеры, читать их электронную почту и с помощью судебного постановления получить доступ к их медицинским записям и банковским сведениям. Оно имело право требовать у телефонных компаний записи любых сделанных ими звонков. Не было никакой надобности в программе по сбору метаданных. Что было необходимо — так это сотрудничество с другими федеральными агентствами, но по мелочным и непонятным причинам эти учреждения решили скрыть от следователей жизненно важную информацию, которая, скорее всего, позволила бы предотвратить теракт.

Правительство имело возможность эффективно использовать слежку, но ему это не удалось. Тогда оно приняло решение собирать все данные скопом. Но это не позволяет исправить допущенную властью ошибку.

Снова и снова самые разные источники разоблачают заявление о том, что слежка используется для борьбы с террористической угрозой.

В действительности тотальная слежка имеет совершенно обратный эффект: она затрудняет обнаружение и предотвращение террора. Конгрессмен Раш Холт, представитель демократов, физик, один из немногих ученых в Конгрессе, отметил, что сбор информации обо всем и обо всех препятствует раскрытию реальных заговоров, обсуждаемых реальными террористами. Более избирательное наблюдение принесло бы куда бóльшую пользу. При нынешнем подходе спецслужбы завалены таким количеством данных, которое они не в состоянии эффективно отсортировывать и обрабатывать.

В результате погони за бóльшим количеством информации схемы наблюдения АНБ привели к повышению уязвимости страны в целом: усилия Агентства, направленные на преодоление методов шифрования при совершении интернет-транзакций в банковском секторе, бизнесе и медицинских записях, сделали их уязвимыми для хакерских атак и других нежелательных проникновений.

Эксперт по безопасности Брюс Шнайер в январе 2014 года высказал в журнале *Atlantic* следующую точку зрения:

> Мало того, что повсеместное наблюдение неэффективно и чрезвычайно дорого... Оно позволяет взламывать наши системы, так как все интернет-протоколы становятся уязвимыми. ...Мы беспокоимся не только о последствиях тотальной слежки внутри страны, но и о последствиях для всего остального мира. Когда мы позволяем правительству следить за нами в Интернете и прослушивать другие коммуникационные технологии, мы становимся менее защищены от слежки враждебно настроенных лиц. Мы выбираем не между миром цифровых технологий, в котором АНБ может прослушивать нас, и миром, в котором АНБ не прослушивает нас; мы выбираем между миром цифровых технологий, который уязвим для всех атак, и тем, который является безопасным для всех пользователей.

Наверное, самое поразительное в бесконечной эксплуатации угрозы терроризма — это то, насколько сильно она преувеличена. Вероятность того, что американец погибнет в результате террористической атаки, бесконечно мала, значительно меньше, чем вероятность того, что он погибнет от удара молнии. Джон Мюллер, профессор Университета штата Огайо, написал множество статей о балансе между расходами на борьбу с терроризмом и риском самой угрозы. В 2012 году он сказал: «Количество людей в мире, которые были убиты вне зоны боевых действий мусульманскими террористами из Аль-Каиды и их последователями, не превышает несколько сотен человек. Примерно столько же человек ежегодно тонут в собственной ванне».

Несомненно, что число американских граждан, погибших «в дорожно-транспортных происшествиях или от болезни кишечника, превышает число американцев, погибших за границей в результате террористических атак», — сообщает новостное агентство *McClatche*.

Идея того, что ради этого ничтожного риска нам следует отказаться от базовых мер защиты нашей политической системы, чтобы установить повсеместное наблюдение, является очень нелогичной. Но правительство снова и снова преувеличивает угрозу. Незадолго до Олимпиады 2012 года в Лондоне разгорелся спор о якобы отсутствии там безопасности. Компания, которая работала над обеспечением безопасности, не добрала несколько охранников до того количества, которое требовалось в договоре. По всему миру люди говорили о том, что безопасность игр сомнительна и они легко могут стать мишенью для террористической атаки.

После того как никаких проблем на Олимпиаде не возникло, Стивен Уолт высказался в *Foreign Policy* о том, что недовольство, как обычно, было связано с серьезным преувеличением угрозы. Он процитировал эссе Джона Мюллера и Марка Г. Стюарта, напечатанное в *International Security*, в котором авторы проанализировали пятьдесят случаев предполагаемых «исламских террористических ударов» в адрес США и пришли к выводу о том, что «фактически все виновные были "некомпетентны, неэффективны, неинтеллигентны, невежественны, неорганизованны, введены в заблуждение, сумбурны, вялы, слабоумны, иррациональны и глупы"». Мюллер и Стюарт процитировали Гленна Карла, бывшего заместителя руководителя национальной разведки транснациональных угроз, который сказал, что «мы должны видеть в джихадистах маленьких, разрозненных и незначительных противников», и отметил, что возможности Аль-Каиды «не соответствуют их желаниям».

Однако проблема состоит в том, что слишком многие политические фракции заинтересованы, чтобы народ пребывал в страхе перед терроризмом: правительство, ищущее оправдание своих действий, разведывательные и военные отрасли промышленности, которые финансирует государство, и действующие партии власти в Вашингтоне, намеренные расставлять приоритеты в своих действиях вне зависимости от того, какие проблемы существуют в реальности. Стивен Уолт следующим образом высказался на эту тему:

> Мюллер и Стюарт подсчитали, что расходы на внутреннюю безопасность (то есть не считая войн в Ираке и Афганистане) после 11 сентября возросли более чем на $1 трлн, хотя вероятность наступления смерти в течение года в результате террористических атак внутри страны составляет приблизительно 1 на 3,5 млн. Используя известные данные и обычную методологию оценки степени риска, они подсчитали, что подобные расходы были бы рентабельны, если бы «в течение года они предупреждали, предотвращали или защищали от 333 крупных террористических атак». Кроме того, они обеспокоены тем, что преувеличенное чувство опасности может быть «усвоено»: даже когда политики и «эксперты по терроризму» не говорят о большой опасности, общественность все еще рассматривает угрозу как серьезную и неизбежную.

Поскольку правительство манипулировало страхом перед терроризмом, гражданское население не смогло должным образом оценить опасность, связанную с повсеместной слежкой.

Даже если бы угроза терроризма соответствовала заявленному правительством уровню, это все равно не может оправдать программу слежки АНБ. Помимо физической безопасности такое же, если не большее, значение имеют и другие ценности. Понимание этого заложено в политической культуре Соединенных Штатов с момента образования нации и является не менее важным и для других стран.

Государства и люди постоянно делают выбор, согласно которому ценность неприкосновенности частной жизни и свобода оказываются выше других ценностей, таких как физическая безопасность. Действительно, основная цель Четвертой поправки к американской Конституции состоит в том, чтобы запретить определенные действия полиции для наведения порядка, даже если бы они позволяли снизить преступность. Если бы полиция могла вломиться в любой дом без ордера, было бы проще арестовать убийц, насильников и похитителей. Если бы правительству было разрешено разместить камеры в каждом доме, то количество преступлений, вероятно, упало бы очень сильно (это, безусловно, верно в случаях домашних краж, тем не менее большинство людей испытывают отвращение от одной только мысли об установлении камер). Если бы ФБР было разрешено прослушивать наши разговоры и просматривать наши сообщения, тогда, скорее всего, можно было бы предотвратить и раскрыть широкий спектр преступлений.

Но Конституция была написана для того, чтобы предотвратить подобные «профилактические» вторжения со стороны государства. Ограничив эти действия, мы сознательно допускаем вероятность увеличения преступности, но при этом мы готовы подвергнуть себя более высокой степени риска. Все дело в том, что абсолютная физическая безопасность никогда не была и не будет нашим единственным приоритетом.

Выше собственного физического благополучия мы ставим ценность неприкосновенности нашей частной жизни — «личности, дома, документов и имущества», об этом и говорится в Четвертой поправке. Мы поступаем так потому, что эта сфера нашей жизни тесно связана с ее качеством — именно благодаря неприкосновенности частной жизни мы можем творить, исследовать и наслаждаться близкими отношениями.

Отказ от приватности в погоне за абсолютной безопасностью вреден как для здоровья психики и жизни человека, так и для здоровья политической культуры. Стремление к безопасности может привести к жизни в парализующем страхе, а это означает никогда не ездить на машине и не летать на самолете, никогда не заниматься ничем, что связано с риском, никогда не ставить «качество» жизни выше «количества» и платить любую цену ради того, чтобы избежать опасности.

Именно поэтому излюбленная тактика правительства — паникерство. Страх очень убедительно объясняет расширение границ действия власти и сокращение прав населения. С самого начала войны с терроризмом американцам начали говорить, что если они хотят избежать катастрофы, они должны отказаться от своих основных политических прав. В частности, сенатор Пэт Робертс сказал следующее: «Я — верный сторонник Первой поправки, Четвертой поправки и гражданских свобод. Но у вас нет гражданских свобод, если вы мертвы». Вторя ему, сенатор от республиканской партии Джон Корнин, который, баллотируясь на переизбрание в Техасе, снялся в видео в образе крутого парня в ковбойской шляпе, выдал трусливую оду об отказе от гражданских прав: «Ни одна из ваших гражданских свобод не будет иметь смысла после того, как вы будете мертвы».

Радиоведущий Раш Лимбо, демонстрируя невежество, спросил аудиторию: «Когда в последний раз вы слышали, как президент объявляет войну на том основании, что мы должны идти защищать наши гражданские права? Я не могу вспомнить ни одного... Наши гражданские свободы ничего не стоят, если мы мертвы. Когда вы мертвы и над вашей могилой растут ромашки, когда вы лежите в грязи внутри "деревянной коробочки", знаете, чего стоят ваши гражданские права? Шиш, ноль, ничего».

Народ, страна, которые ставят физическую безопасность превыше всего остального, в конечном счете откажутся от своей свободы и допустят к власти любое правительство, которое пообещает гарантировать полную безопасность, неважно, насколько иллюзорным будет это обещание. Однако абсолютная безопасность призрачна сама по себе, ее нельзя достичь. И ее преследование ослабляет народ и всех тех, кто гонится за ней.

Сегодня опасность, созданная государством, управляющим масштабной системой тайного наблюдения, велика как никогда. В то время как правительство благодаря наблюдению узнает все больше и больше о том, что делают граждане, последние располагают все меньшими сведениями о том, что делает их правительство, спрятавшее свою деятельность под завесой секретности.

Трудно переоценить, насколько радикально эта ситуация изменяет определяющую динамику здорового общества и насколько сильно она смещает баланс сил в сторону государства. Паноптикон Бентама, спроектированный для того, чтобы наделить надзирателя абсолютной властью, был основан именно на этой инверсии: «Его суть, — писал Бентам, — заключается в центральном положении надзирателя» в совокупности с «наиболее эффективной конструкцией, позволяющей наблюдать и при этом не быть замеченным».

В здоровой демократии верно обратное. Демократия требует прозрачности и согласия тех, кем управляют. А это возможно, только если граждане понимают, что именно делает правительство. Предполагается, что, за редким исключением, граждане будут знать все, что делают чиновники, — именно поэтому последних и называют государственными служащими, работающими в государственном секторе, в сфере государственного обслуживания. И наоборот, предполагается, что правительство, за редким исключением, не будет знать ничего о том, чем занимаются законопослушные граждане. Именно поэтому нас называют частными лицами, ведущими свою приватную жизнь. Прозрачность для тех, кто выполняет государственные обязанности и осуществляет государственную власть. Частная жизнь — для всех остальных.

Глава 5
Четвертая власть

Одним из основных институтов, якобы предназначенных для мониторинга и проверки злоупотреблений государственной властью, являются политические СМИ. Теоретически деятельность «четвертой власти» направлена на обеспечение прозрачности политики правительства и фиксации нарушений, среди которых тайное наблюдение за всем населением Соединенных Штатов, безусловно, является одним из самых радикальных примеров. Но этот контроль эффективен только тогда, когда журналисты действуют в противовес обладающим политической властью. Вместо этого СМИ США часто отказываются от этой роли, подчиняясь интересам правительства, обосновывая, а не оспаривая его сообщения и выполняя за него всю грязную работу.

Учитывая это, я знал, что враждебное отношение к моим публикациям о данных, предоставленных Сноуденом, неизбежно. 6 июня, на следующий день после публикации первой статьи об АНБ в *Guardian*, *New York Times* написал о возможности возбуждения уголовного дела. «После нескольких лет активной, даже одержимой работы, посвященной изучению вопроса и написанию статей о правительственной слежке и о преследовании журналистов, Гленн Гринвальд вдруг оказался в точке непосредственного пересечения двух этих проблем, и, возможно, теперь он попадет под прицельное внимание федеральных прокуроров», — сообщалось в газете. Моя статья об АНБ, добавляли они, «скорее всего, заинтересует Министерство юстиции, которое агрессивно преследует разоблачителей». В статье приводятся цитаты неоконсерватора Габриэля Шенфельда из Института Хадсона, уже давно выступающего за преследование журналистов, публикующих секретную информацию, в которых он называет меня «высокопрофессиональным апологетом антиамериканизма в любых, даже самых крайних, проявлениях».

Наиболее показательная информация, свидетельствующая о намерениях *New York Times*, была предоставлена мне журналистом

Эндрю Салливаном, слова которого приводятся в той же статье: «в дискуссии [с Гринвальдом] последнее слово всегда остается за ним» и «Я думаю, он по-настоящему не понимает, что значит управлять страной и вести войну». Позже Эндрю, обеспокоенный использованием его комментариев вне контекста, прислал мне полное интервью с Лесли Кауфман, репортером из *New York Times*, в котором было одобрение моей работы, что газета, по всей видимости, решила опустить. Однако еще более интересным было то, какие вопросы Кауфман прислала Эндрю для интервью:

❑ «Очевидно, у него есть свое мнение, но как он как журналист? Надежный? Честный? Цитирует вас правильно? Точно описывает вашу точку зрения? Или, скорее, занимается пропагандой, нежели журналистикой?»

❑ «Он говорит, что вы — его друг, это так? У меня создалось ощущение, будто он одиночка и не склонен к компромиссам, с такими людьми трудно дружить. Конечно, я могу ошибаться».

Второй вопрос с рассуждением о том, что я «одиночка», у которого проблемы в общении с друзьями, в некотором смысле имел еще большее значение, нежели первый. Дискредитация отправителя сообщения для дискредитации сообщения — старая уловка, и она часто срабатывает.

Усилия по подрыву доверия к моей персоне стали очевидными, когда я получил письмо от репортера *New York Daily News*. Он писал, что изучал мое прошлое, в том числе мою задолженность по налоговым платежам и мое отношение к компании, снимающей видео для взрослых, акциями которой я владел восемь лет назад. Поскольку *Daily News* — малоформатная газета, главным образом печатающая сенсационный низкопробный материал, я решил не отвечать: не было смысла привлекать еще большее внимание к вопросам, которые были подняты.

Но в тот же день я получил послание от корреспондента *Times* Майкла Шмидта, который также решил написать о моей налоговой задолженности в прошлом. Каким образом обе газеты

одновременно сумели выяснить столь малоизвестные детали
моей жизни, остается загадкой, но, по всей видимости, *Times*
решил, что мои прошлые долги достойны освещения в печати —
несмотря на то что газета отказалась предоставить какое-либо
рациональное объяснение этому.

Вопросы были довольно банальны и явно предназначались для
того, чтобы замарать мою репутацию. В конечном счете *Times*
решила не публиковать историю. Напротив, газета *Daily News*
в своей статье даже умудрилась рассказать о конфликте, который произошел около десяти лет назад, когда моя собака пре-
высила вес, разрешенный уставом кондоминиума.

Клеветническая кампания была предсказуемой, но попытка
оспорить мой статус журналиста — нет, и она могла привести
к серьезным последствиям. Началом этой кампании стала та
самая статья *New York Times* от 6 июня. Ее заголовок пытался
приписать мне нежурналистский статус: «В центре обсуждений
блогер, изучающий вопросы слежки». Как бы ни был плох этот
заголовок, интернет-вариант был еще хуже: «Источник утечки
информации — активист, протестующий против слежки».

Специалист по связям с общественностью Маргарет Салливан
раскритиковала заголовок, который показался ей «пренебрежи-
тельным». Она добавила: «Конечно, нет ничего плохого в том,
чтобы быть блогером, — я сама блогер. Но когда СМИ использует
этот термин, оно таким образом пытается сказать: "Ты не один
из нас"».

Автор статьи упорно продолжал называть меня как угодно,
только не «журналистом» или «репортером». Он объявил меня
«юристом» и сообщил о том, что я давно являюсь «блогером»
(на самом деле я не занимаюсь юриспруденцией уже шесть лет
и долгие годы работаю корреспондентом в крупнейших новостных изданиях, кроме этого, было опубликовано четыре моих
книги). В статье говорится, что в какой-то мере я веду себя «как
журналист» и что мои наблюдения «необычны» не из-за того,
какого «мнения» я придерживаюсь, а из-за того, что я «редко
работал с редакторами».

Затем СМИ начали обсуждать, действительно ли я являюсь «журналистом» или меня следует называть иначе. Наиболее распространенной альтернативой стало слово «активист». Никто не потрудился выяснить значения данных слов, полагаясь вместо этого на известные клише. СМИ часто поступают так, когда их целью является «демонизация». После этого к человеку прилипает ничего не значащий ярлык.

Статус имеет значение по нескольким причинам. Во-первых, лишение звания «журналист» приводит к снижению правомерности информации. Во-вторых, превращение меня в «активиста» означает, что могут быть правовые, то есть уголовные, последствия моего поведения. Кроме того, существуют как официальная, так и неофициальная правовая защита, которая предоставляется журналистам и которая недоступна никому другому. Как правило, публикация журналистом каких-то правительственных секретов считается законной, но если им придал огласку не журналист, это совсем другое дело.

Намеренно или нет, но те, кто продвигал идею о том, что я не являюсь журналистом — несмотря на то что я писал для одной из старейших и крупнейших газет в западном мире, — облегчили для правительства объявление моих действий противозаконными. После того как *New York Times* провозгласила меня «активистом», Салливан, редактор газеты, признала, что «в нынешних условиях для мистера Гринвальда это может иметь решающее значение».

Под «нынешними условиями» понимались споры, охватившие Вашингтон, которые были связаны с тем, как власти обращаются с журналистами. Первое заключалось в том, что для выяснения источников, снабжавших газеты информацией, Министерство юстиции тайно получило доступ к электронным письмам и записям разговоров журналистов и редакторов.

Второй, более важный инцидент был обусловлен усилиями, которые приложило Министерство юстиции для определения личности другого источника, раскрывшего секретную информацию. В этих целях Министерство запросило у федерального суда ордер на чтение писем руководителя вашингтонского бюро телеканала *Fox News* Джеймса Розена.

В заявке на получение ордера юристы правительства назвали Розена «соучастником» источника в совершении уголовных преступлений, основывая свои доводы на том, что он получал секретные материалы. Это было шокирующее утверждение потому что, как выразилась *New York Times*, «ни один американский журналист никогда не был привлечен к ответственности за сбор и публикацию секретных сведений, поэтому становится очевидно, что администрация Обамы в погоне за лицами, раскрывающими секретную информацию, перешла на совершенно новый уровень».

Действия, которые описываются в запросе Министерства юстиции и которые оно считает преступными, — работа с источником для получения документов, использование записывающих устройств, а также «использование лести и обмана», чтобы убедить источник собрать всю необходимую информацию, — это то, что регулярно делает каждый журналист.

Как сказал вашингтонский репортер Оливер Нокс, Министерство юстиции уже «обвинило Розена в нарушении закона о шпионаже за поведение, которое попадает в рамки обычных действий репортера». Чтобы завести уголовное дело на Розена, необходимо установить уголовную ответственность за саму профессию журналиста.

Учитывая постоянные атаки администрации Обамы на лиц, раскрывающих секретную информацию, этот шаг, пожалуй, не был бы столь удивительным. В 2011 году *New York Times* написала, что Министерство юстиции, пытаясь отыскать человека, который стал источником Джеймса Розена, «получило доступ к сведениям о его телефонных звонках, финансах и путешествиях», в том числе «некоторые записи о его перелетах, а также три отчета о движении средств на его финансовых счетах».

Министерство юстиции пыталось заставить Розена раскрыть личность своего источника, намекая ему на тюремное заключение в случае, если он откажется это сделать. По всей стране журналисты были обеспокоены тем, как правительство обращается с Розеном: если возможно подвергнуть такой агрессивной атаке одного из самых образованных и защищенных законом журналистов-расследователей, то это может произойти с каждым из них.

Пресса отреагировала на происходящее с тревогой. Например, в одной из статей *USA Today* отмечалось, что «президент Обама борется против обвинений в том, что его администрация, по сути, начала охоту на журналистов», и приводились слова бывшего репортера *Los Angeles Times* Джоша Майера: «Существовала *красная линия*, которую никто из представителей власти не пересекал ранее. Администрация Обамы просто пролетела мимо нее». Джейн Майер, вызывающая всеобщее восхищение своими журналистскими расследованиями для *New Yorker*, написала в *New Republic* предупреждение о том, что преследование Министерством юстиции информаторов превратилось в атаку на журналистику в целом: «Это серьезное препятствие для работы над статьями. Это замораживает весь процесс и ставит журналистов в тупиковую ситуацию».

Комитет по защите журналистов — международная организация, которая следит за свободой печати, — в результате сложившейся ситуации был вынужден сделать первый доклад, посвященный Соединенным Штатам. Он был написан Леонардом Дауни, в прошлом исполнительным редактором *Washington Post*, и опубликован в октябре 2013 года. В этом документе Дауни заключил:

> «Война администрации с информаторами и другие усилия, направленные на контроль информации, не были такими агрессивными... со времен администрации Никсона.
>
> ...30 профессиональных журналистов из различных новостных организаций в Вашингтоне..., у которых было взято интервью для написания этого доклада, не смогли вспомнить подобного прецедента».

В течение многих лет подавляющее большинство журналистов были влюблены в Барака Обаму. Теперь они заговорили о нем по-другому и совсем в иных терминах: как о представляющем серьезную угрозу для свободы печати и наиболее репрессивном в этом отношении лидере со времен Ричарда Никсона. Это был весьма примечательный переворот в отношении государственного чиновника, который пришел к власти, пообещав «наиболее прозрачную политику правительства в истории США».

Чтобы утихомирить разрастающийся скандал, Обама приказал генеральному прокурору Эрику Холдеру встретиться с представителями средств массовой информации и обсудить правила, регулирующие обращение Министерства юстиции с журналистами. Обама утверждал, что он «обеспокоен тем, что действия в рамках проверок утечек информации могут охладить пыл репортеров к проведению журналистских расследований, которые позволяют держать правительство под контролем», как будто это не он препятствовал процессу сбора информации именно таким образом.

На слушании в Сенате, проходившем 6 июня 2013 года (на следующий день после выхода первой разоблачительной статьи об АНБ в *Guardian*), Холдер пообещал, что Министерство юстиции никогда не будет в судебном порядке преследовать «никакого журналиста, выполняющего свою работу». Он добавил, что целью Министерства юстиции является лишь «идентификация и наказание чиновников, которые ставят под угрозу национальную безопасность, нарушая свои клятвы, а не преследование представителей прессы или препятствование им в выполнении их столь важной работы».

В некоторой степени это было желательное развитие событий: по всей видимости, администрация почувствовала реакцию журналистов и приняла решение хотя бы создать видимость свободы печати. Но в обещании Холдера зияла огромная дыра: в случае с Розеном из *Fox News* Министерство юстиции постановило, что работать с источником, чтобы «украсть» секретную информацию, выходит за рамки «журналистской деятельности». Таким образом, гарантии Холдеру зависели от взглядов Министерства юстиции на то, что такое журналистика, и на то, что входит и не входит в законное журналистское расследование.

На этом фоне усилия некоторых представителей средств массовой информации, направленные на то, чтобы исключить меня из категории «журналистов», когда они настаивали на том, что то, что я делаю, называется «активизм», а не журналистика и, следовательно, уголовно наказуемо, — несли в себе потенциальную опасность.

Первую явную попытку преследовать меня ознаменовало заявление нью-йоркского конгрессмена Питера Кинга, республиканца, который является председателем подкомитета Палаты представителей по вопросам терроризма и который созывал маккартистские слушания по угрозе террора «изнутри», исходящей от американской мусульманской общины (по иронии судьбы Кинг долгое время поддерживал Ирландскую республиканскую армию). Кинг сказал Андерсону Куперу из *CNN*, что журналисты, работающие над историями об АНБ, должны преследоваться, «если они раскопали эту секретную информацию по своей воле..., особенно что-то настолько масштабное». По его мнению, «против журналистов, раскрывающих информацию, которая может скомпрометировать национальную безопасность, должны быть приняты соответствующие меры».

Позже на телеканале *Fox News* Кинг уточнил, что он говорил именно обо мне:

> «Я говорю о Гринвальде..., он не только раскрыл эту информацию, он сказал, что у него есть имена агентов ЦРУ, и он угрожал сообщить их. В последний раз, когда это произошло, в Греции был убит глава резидентуры ЦРУ... Я думаю, что [судебное преследование журналистов] должно быть целенаправленным, избирательным и очень редким. Но в данном случае, когда речь идет о ком-то, кто раскрывает секреты, подобные этому, и угрожает рассказать еще больше, — да, против него должны быть предприняты соответствующие действия».

То, что я угрожал раскрыть имена агентов ЦРУ, — это откровенная ложь, придуманная Кингом. Однако его замечания «прорвали трубу», и посыпались комментарии. Марк Тиссен из *Washington Post*, бывший спичрайтер Буша, написавший книгу, оправдывающую программу пыток в США, решил поддержать Кинга. Заголовок его статьи гласил: «Да, публикация секретов АНБ является преступлением». Обвинив меня в «нарушении главы 18 раздела 798 Кодекса США, согласно которому публикация секретной информации, раскрывающей шифровальные техники правительства, или перехват сообщений разведки являются преступной деятельностью». После этого он добавил, что «Гринвальд явно нарушил этот закон (как это сделал и *Post*, если уж на то пошло, опубликовав засекреченные сведения о программе АНБ PRISM)».

Алан Дершовиц объявил на *CNN*: «По моему мнению, Гринвальд совершенно точно совершил уголовное преступление». Дершовиц — известный защитник гражданских свобод и свободы печати, и все же он сказал, что моя статья «не граничит с преступностью — она является преступностью».

К критике присоединился генерал Майкл Хайден, который при Джордже Буше возглавлял сначала АНБ, а затем ЦРУ и реализовывал незаконную программу прослушивания телефонов. «Эдвард Сноуден, — написал он на *CNN.com*, — скорее всего, будет стоить стране очень дорого», а затем добавил, что «Гленн Гринвальд» является «соучастником и, как выражается Департамент юстиции, совершил гораздо более тяжкие проступки, чем Джеймс Розен с телеканала *Fox*».

Поначалу хор голосов, поднимающих вопрос о преследовании, ограничивался главным образом видными деятелями «правых», но после передачи *Meet the Press* число обвинителей значительно выросло.

Белый дом восхвалял передачу *Meet the Press* как удобное место для политических деятелей и другой элиты, где каждый без особых проблем мог донести до аудитории свое сообщение. Еженедельная программа *NBC* был названа Кэтрин Мартин, которая отвечает за связи с общественностью бывшего вице-президента Дика Чейни, «нашим лучшим форматом», поскольку Чейни был в состоянии «контролировать сообщение». Она сказала, что появление вице-президента на передаче «было тактикой, которую мы часто использовали». Действительно, видео с ведущим передачи Дэвидом Грегори, на котором он на ужине в Белом доме неуклюже, но с энтузиазмом пляшет под слова Карла Роува, стало вирусным, потому что оно ярко отражает суть этой программы: политики приходят на нее, чтобы укрепить собственную власть и послушать хвалебные речи, здесь слышатся только традиционные постулаты и разрешено высказывать лишь очень узкий диапазон взглядов.

Я был приглашен на программу в последнюю минуту и только потому, что без этого нельзя было обойтись. Несколькими часами ранее стало известно, что Сноуден покинул Гонконг и летит на самолете в Москву — резкий поворот событий, который, без сомнения, попал во все новости. У *Meet the Press* не было другого выбора, кроме как начать с этой истории, и как одного из очень немногих людей, которые общались со Сноуденом, меня попросили прийти на программу в качестве главного гостя.

В течение многих лет я жестко критиковал Грегори и теперь был готов получить в свой адрес соответствующие вопросы. Но такого вопроса от него я не ожидал: «Учитывая то, в какой степени вы подстрекали Сноудена совершить то, что он совершил, и помогали ему, даже в том, что он делает сейчас, почему вы, господин Гринвальд, не должны быть обвинены в преступлении?» В этом вопросе было столько неверных предпосылок, что мне пришлось задуматься, прежде чем я смог дать на него ответ.

Наиболее очевидной проблемой данного вопроса было значительное количество содержавшихся в нем необоснованных предположений. Утверждение «в какой степени» я «подстрекал Сноудена и помогал ему даже в том, что он делает сейчас», — это то же самое, что сказать «в тех случаях, когда мистер Грегори убивал своих соседей...» Это не что иное, как яркий пример агрессивного вопроса вроде «Когда вы перестали бить свою жену?»

Но помимо ложных доводов ведущий программы сделал странное заключение о том, что другие журналисты могут и должны преследоваться законом за выполнение своей работы. Вопрос Грегори подразумевал, что *каждый журналист-расследователь* в Соединенных Штатах, который работает с источником и получает засекреченную информацию, является преступником. Именно эта теория и именно такая обстановка привели к тому, что журналистские расследования стали такими опасными.

Как и следовало ожидать, Грегори называл меня как угодно, только не «журналистом». Он объявил: «Вопрос о том, являетесь ли вы журналистом, — это вопрос отдельных дебатов. Особенно учитывая то, что вы делаете».

Но Грегори не был единственным, кто отстаивал такую точку зрения. Никто из гостей, приглашенных на *Meet the Press*, не возразил ему по поводу того, что журналист за работу с источником может преследоваться по закону. Чак Тодд из *NBC* поддержал Грегори, поднимая «вопросы» о том, что он назвал моей «ролью» в «заговоре»:

> «Гленн Гринвальд... насколько он был вовлечен в заговор?.. Помимо получателя информации у него была еще какая-то роль? Он собирается отвечать за свои действия? Вы знаете, здесь необходимо — необходимо — необходимо обсудить правовые вопросы».

В одной из программ *Reliable Sources* на *CNN* эту тему рассматривали, в то время как на экране было написано: «Должен ли Гленн Гринвальд быть наказан законом?»

Уолтер Пинкус из *Washington Post*, который в 1960-х от имени ЦРУ шпионил за студентами из Соединенных Штатов, уехавшими учиться за границу, написал статью, в которой отстаивал мнение, что Лора, Сноуден и я участвовали в секретном заговоре, которым руководил основатель *WikiLeaks* Джулиан Ассанж. В статье было такое огромное количество фактических ошибок (о которых я сообщил Пинкусу в открытом письме), что *Washington Post* была вынуждена напечатать необычайно большое, состоящее из трех абзацев и двухсот слов опровержение, признав свои ошибки.

В своей программе на *CNBC* финансовый обозреватель *New York Times* Эндрю Росс Соркин сказал:

Я чувствую, что: а) мы проигрываем эту игру, мы даже позволили [Сноудену] добраться до России; б) очевидно, что китайцы ненавидят нас за то, что мы вообще выпустили его из страны. ...Я бы арестовал его, и теперь я бы хотел арестовать Гленна Гринвальда, журналиста, который, по всей видимости, хочет помочь ему добраться до Эквадора.

Тот факт, что репортер из *Times* — газеты, которая добралась до Верховного суда, чтобы опубликовать документы Пентагона, — выступает за мой арест, является ярчайшим свидетельством преданности большого числа журналистов правительству Соединенных Штатов. Но в конечном счете криминализация журналистских расследований будет иметь серьезные последствия для газет и их сотрудников. Позже Соркин извинился передо мной, но его замечания показали скорость и легкость, с которыми подобные обвинительные утверждения набирают обороты.

К счастью, американская пресса не была единодушна в поддержании этой точки зрения. В действительности угроза криминализации побудила многих журналистов сплотиться в поддержку моей работы. На различных программах крупных телеканалов ведущие были скорее заинтересованы в информации, которая была раскрыта, нежели в демонизации тех, кто принимал в этом участие. В течение недели после программы Грегори обсуждался заданный мне осуждающий вопрос. *Huffington Post* написала: «Мы все еще не можем поверить, что Дэвид Грегори спросил это у Гленна Гринвальда».

Тоби Харнден, руководитель вашингтонского подразделения британской *Sunday Times*, написал в *Twitter*: «Зимбабве Мугабе посадило меня в тюрьму за то, что я "занимался журналистской деятельностью". Неужели Дэвид Грегори говорит о том, что Америка Обамы должна сделать то же самое?» Огромное количество журналистов из *New York Times, Post* и ряда других изданий защищали меня в публичных выступлениях и личных беседах. Но никакая поддержка не может противостоять тому факту, что часть журналистов выступала за санкции и уголовную ответственность за проведение журналистских расследований.

Мои знакомые юристы и другие консультанты пришли к выводу, что существует реальный риск ареста, если я вернусь в Соединенные Штаты. Я пытался найти хотя бы одного человека, чьему суждению я доверял, который сказал бы мне, что такого риска нет, что сама мысль о том, что Министерство юстиции будет преследовать меня в судебном порядке, абсурдна. Но никто мне этого не сказал. По общему мнению, Министерство юстиции не будет открыто действовать против меня и моей статьи, желая избежать видимости «преследования журналистов». Скорее, правительство придумает теорию, согласно которой преступления, совершенные мной, не попадают под характеристику журналистской деятельности. В отличие от Бартона Геллмана из *Washington Post* перед публикацией истории я приехал в Гонконг, чтобы встретиться со Сноуденом; с того момента как он прибыл в Россию, я регулярно разговаривал с ним и как внештатный журналист опубликовал истории об АНБ в газетах по всему миру. Министерство юстиции может пытаться утверждать, что я «подстрекаю» Сноудена и «содействую» ему в сборе информации, или что я помог «преступнику» избежать справедливости, или что моя работа с иностранными газетами являлась шпионажем.

Нельзя не отметить, что мои комментарии об АНБ и правительстве США были довольно агрессивными и дерзкими. Несомненно, правительство желает наказать человека, ответственного за то, что было названо самой разрушительной утечкой в истории страны, если не для облегчения институциональной ярости, то как минимум для устрашения других. Но поскольку этот человек благополучно проживал под щитом политического убежища в Москве, Лора и я стали следующими мишенями.

В течение многих месяцев несколько адвокатов, обладающих хорошими связями в Министерстве юстиции, пытались получить неформальные гарантии того, что меня не будут преследовать. В октябре, спустя пять месяцев после выхода первой статьи, конгрессмен Алан Грейсон написал генеральному прокурору Холдеру о том, что видные политические деятели требуют моего ареста и что ранее я был вынужден отклонить приглашение для дачи показаний перед Конгрессом об АНБ из-за опасения по поводу возможного судебного преследования. Он закончил письмо следующими словами:

> Мне жаль это слышать, поскольку (1) выполнение работы журналиста не является преступлением; (2) наоборот, она защищена Первой поправкой; (3) статьи мистера Гринвальда позволили мне и другим членам Конгресса узнать о ряде серьезных широко распространенных нарушений закона и конституционных прав, совершенных агентами правительства.

В послании спрашивалось, намерено ли Министерство юстиции предъявить мне обвинение и «арестует ли меня Министерство юстиции, Агентство национальной безопасности или любое другое учреждение федерального правительства», как только я вернусь в Соединенные Штаты. Но, как в декабре сообщила *Orlando Sentinel*, Грейсон так и не получил ответа на свое письмо.

В конце 2013 и в начале 2014 года угроза преследования только росла, поскольку правительственные чиновники продолжали проводить четко скоординированную атаку, направленную на придание моей работе криминального оттенка. В конце октября глава АНБ Кит Александер, недвусмысленно ссылаясь на мои статьи, напечатанные по всему миру, жаловался, что «газетные репортеры готовы продать все, что у них есть, а сейчас у них есть 50 000 документов», и холодно заявил, что «нам — правительству — приходится придумывать способы, как это остановить». На слушаниях в январе председатель комитета по разведке Майк Роджерс неоднократно повторял директору ФБР Джеймсу Корни, что некоторые из журналистов «продают украденное имущество», что делает их «преступниками» и «ворами», а затем уточнил, что имел в виду меня. Когда я начал писать для канадских СМИ статьи о канадской разведке, спикер парламента от лица правого крыла Стивен Харпер осудил меня, назвав «порношпионом», и обвинил *CBC* в покупке у меня украденных документов. В Соединенных Штатах директор национальной разведки Джеймс Клеппер начал использовать уголовный термин «соучастники» по отношению к журналистам, освещающим дела АНБ.

Я верил в то, что вероятность моего ареста при возвращении в Соединенные Штаты составляет меньше 50 %, даже если только по причинам имиджа правительства и споров по всему миру. Потенциальное пятно на правлении Обамы, который в этом случае стал бы первым президентом, привлекшим к уголовной ответственности журналиста за то, что тот выполнял свою работу, как мне казалось, было достаточным сдерживающим фактором. Но если события недавнего прошлого и доказали что-то, так это то, что правительство под прикрытием интересов национальной безопасности готово совершить массу неприемлемых поступков, не думая о том, как воспримет их поведение остальной мир. Последствия того, что мое предположение могло быть ошибочным (а это означало бы для меня — оказаться в наручниках и быть обвиненным в шпионаже, предстать перед федеральной судебной системой, которая зарекомендовала себя до бесстыдства лояльной Вашингтону в данных вопросах), были слишком значительными, чтобы просто игнорировать их. Я был полон решимости вернуться в Соединенные Штаты сразу, как только у меня будет более полное понимание того, чем я рискую. Между тем вне досягаемости были моя семья, друзья и возможность говорить в Соединенных Штатах о важных вещах, связанных с работой, которую я делал.

Уже то, что адвокаты и конгрессмен считали риск реальным, само по себе необычно — это явный признак того, что свобода печати нарушается. А факт присоединения журналистов к заявлениям о том, что моя работа является уголовным преступлением, стало свидетельством триумфа пропаганды правительства, которое теперь могло полагаться на квалифицированных специалистов, проделывающих всю работу за него и приравнивающих журналистские расследования к совершению преступления.

Конечно, выпады против Сноудена были гораздо жестче. Но события развивались в одном направлении. Ведущие обозреватели, которые вообще ничего не знали о Сноудене, мгновенно воспользовались тем же сценарием, чтобы подорвать его авторитет. Через несколько часов после того, как им стало известно имя разоблачителя, они дружно очернили его характер и мотивы. Они вторили друг другу в том, что им двигали не его убеждения, а «нарциссизм, ищущий славы».

Ведущий *CBS News* Боб Шиффер назвал Сноудена «самовлюбленным молодым человеком», который думает, что «он умнее, чем все остальные». Джеффри Тубин из *New Yorker* объявил его «чрезвычайно самовлюбленным человеком, который заслуживает того, чтобы отправиться в тюрьму». Ричард Коэн из *Washington Post* сказал, что Сноуден «не параноик, он просто самовлюбленный», ссылаясь на статью, в которой было написано, что разоблачитель накрылся одеялом, чтобы его пароль нельзя было отследить с помощью камеры, установленной над рабочим местом. После этого Коэн сделал странное замечание о том, что Сноуден «войдет в историю как переодетая Красная Шапочка» и что его предполагаемые мечты о славе будут разрушены.

Эти характеристики смешны. Сноуден сказал, что принял решение исчезнуть из поля зрения и не давать ни одного интервью. Он понимал, что СМИ любят персонализировать каждую историю, и он хотел, чтобы в центре оставалась массовая слежка, которую осуществляет АНБ, а не он сам. Верный своему слову, Сноуден отказался от всех приглашений средств массовой информации. В течение многих месяцев я ежедневно получал звонки и электронные письма практически от всех каналов Соединенных Штатов и известных журналистов, умолявших предоставить им шанс поговорить со Сноуденом. Ведущий программы *Today* Мэтт Лауэр звонил несколько раз, чтобы продемонстрировать серьезность собственных намерений; представители *60 minutes* были настолько навязчивы, что я перестал принимать их звонки; Брайан Вильямс направлял ко мне нескольких своих представителей. Если бы Сноуден захотел, он мог бы проводить дни и ночи, давая интервью в самых влиятельных телевизионных программах.

Но он был непоколебим. Я передавал ему просьбы журналистов, и он уклонялся от них, чтобы пресса могла сосредоточиться на информации, которую он раскрыл об АНБ. Странное поведение для самовлюбленного человека, ищущего славы и признания.

Новые характеристики личности Сноудена не заставили себя ждать. Журналист Дэвид Брукс из *New York Times* насмехался над ним на том основании, что он «не учился в колледже». Брукс постановил, что Сноуден является символом «растущей волны недоверия, коррозивного распространения цинизма, изнашивания социальной ткани и появления людей, которые настолько эгоистичны в своих взглядах, что не понимают, как взаимодействовать с другими и заботиться об общем благе».

Роджер Саймон из *Politico* назвал Сноудена «неудачником», потому что он «бросил учебу в школе». Конгрессмен от демократов Дебби Вассерман-Шульц, которая также является председателем национального комитета демократической партии, осудила Сноудена, который только что разрушил свою жизнь, чтобы раскрыть информацию об АНБ, и назвала его «трусом».

Конечно, патриотизм Сноудена был поставлен под сомнение. Поскольку он уехал в Гонконг, был сделан вывод о том, что он, вероятно, является шпионом китайского правительства. «Нетрудно догадаться, что Сноуден был двойным китайским агентом и быстро переметнулся на сторону противника», — объявил представитель партии республиканцев Мэтт Маковяк.

Но когда Сноуден покинул Гонконг, чтобы через Россию отправиться в Латинскую Америку, он автоматически превратился из китайского шпиона в русского. Люди вроде конгрессмена Майка Роджерса выдвинули это обвинение, не имея никаких доказательств и вопреки тому факту, что Сноуден оказался в России только потому, что США аннулировали его паспорт, а затем запугали такие страны, как Куба, чтобы те отменили свое соглашение о его безопасном проезде. Кроме того, зачем русскому шпиону ехать в Гонконг или работать с журналистами и раскрывать себя? Не проще ли передать секретные сведения своему руководству в Москве? Заявление лишено всякого смысла и не имеет под собой оснований. Однако это не стало препятствием для его распространения.

Среди наиболее безрассудных и необоснованных инсинуаций можно привести высказывания *New York Times*. Газета утверждала, что покинуть Гонконг Сноудену позволило китайское, а не гонконгское правительство. Затем автор статьи попытался весьма цинично дискредитировать Сноудена: «Два специалиста, работающие на крупные государственные шпионские организации Запада, сказали, что они считают, что китайскому правительству удалось получить доступ к информации, содержащейся на четырех ноутбуках, которые, как сообщил Сноуден, он привез с собой в Гонконг».

У *New York Times* не было никаких доказательств того, что китайское правительство получило информацию Сноудена об АНБ. Статья просто приводила читателей к этому заключению, предоставляя мнение двух анонимных «специалистов», которые «считают», что это могло произойти.

На момент выхода данной публикации Сноуден застрял в московском аэропорту и не имел доступа к Интернету. Как только Сноуден вновь вышел на связь, он категорично заявил, что не передавал данные ни Китаю, ни России: «Я никогда не давал никакой информации никакому правительству, и они не могли получить информацию с моих ноутбуков».

На следующий день после заявления Сноудена Маргарет Салливан раскритиковала *Times* за опубликованную ими статью. Она взяла интервью у Джозефа Кана, редактора газеты, который сказал, что «очень важно правильно понять сообщение из этой статьи в том виде, в котором оно было представлено: было высказано предположение о том, что могло произойти, основанное на мнении двух специалистов, не утверждавших, что они обладают точным знанием ситуации». Салливан отметила, что «два предложения в середине статьи *Times* по такому деликатному вопросу — хотя они могут и не быть центральной темой — способны повлиять на ход дискуссии и навредить репутации человека». В заключении она согласилась с читателем, который пожаловался на статью: «Я читаю *Times*, потому что хочу знать правду. Домыслы журналистов я могу прочитать где угодно».

Выпускающий редактор *Times* Джилл Абрамсон передала через Джанин Гибсон сообщение для *Guardian*, пытаясь убедить газету сотрудничать по вопросам, связанным с историей об АНБ: «Пожалуйста, передайте Гленну Гринвальду лично, что я полностью согласна с ним в том, что нам не следовало утверждать, будто Китай "получил доступ" к информации на ноутбуках Сноудена. Это было безответственно».

Похоже, Гибсон ожидала, что я буду доволен этим, но как мог выпускающий редактор, сделавший вывод о том, что статья может нанести вред и что ее публикация является безответственной, пустить ее в печать или как минимум не написать к ней пояснение?

Даже если оставить в стороне факт отсутствия доказательств, не имеет смысла само утверждение о том, что можно было получить доступ к информации на ноутбуках Сноудена. Уже несколько лет люди не используют ноутбуки для транспортировки больших объемов данных. Еще до того, как ноутбуки получили повсеместное распространение, массивы документов сохраняли на дисках; а сейчас — на внешних винчестерах. Это правда, что в Гонконге у Сноудена было с собой четыре ноутбука, каждый из которых был необходим в целях безопасности, но они не имели никакого отношения к количеству документов, которые он перевозил. Документы, зашифрованные с помощью современных криптографических методов, были на внешних дисках. Проработав хакером на службе в АНБ, Сноуден знал, что Агентство не сможет их взломать, не говоря уже о китайских или российских спецслужбах.

Акцент, сделанный на количестве ноутбуков Сноудена, был способом сыграть на невежестве и страхе людей: *он получил доступ к такому большому количеству документов, что ему потребовалось четыре ноутбука, чтобы сохранить их все!* Но если бы китайцам и удалось каким-то образом добраться до ноутбуков Сноудена, они бы не нашли там ничего ценного.

Столь же бессмысленным было заявление, что Сноуден пытался спастись, выдавая секреты правительства. Он разрушил свою жизнь и рисковал свободой, чтобы рассказать миру о секретной системе массовой слежки потому, что, по его мнению, она должна быть остановлена. То, что он вдруг передумал и решил помочь Китаю или России улучшить их способы слежения только потому, что хотел избежать тюрьмы, является ложью.

Все эти утверждения ничего не значили, но ущерб был нанесен. В любом обсуждении, транслировавшемся по телевизору и посвященном АНБ, участвовал кто-то, кто утверждал, не встречая особых возражений, что в настоящее время благодаря Сноудену в распоряжении Китая находятся наиболее важные секреты Соединенных Штатов. Под заголовком «Почему Китай позволил Сноудену уйти» *New Yorker* сообщил своим читателям: «"Они получили от него все, что хотели". Специалисты в области разведки, о которых говорилось в *Times*, считают, что "китайскому правительству удалось получить доступ к информации, содержащейся на четырех ноутбуках, которые, как сообщил Сноуден, он привез с собой в Гонконг"».

Демонизация личностей тех, кто бросает вызов политической власти, в том числе в средствах массовой информации, — давняя тактика, используемая Вашингтоном. Одним из первых и, пожалуй, наиболее ярких примеров подобных методов было то, как администрация Никсона обращалась с разоблачителем документов Пентагона Дэниэлом Эллсбергом. Тогда власти даже проникли в офис его психоаналитика, чтобы украсть записи о нем и разузнать все о его сексуальных связях. Такая тактика может показаться бессмысленной: как раскрытие личной информации способно повлиять на свидетельства в пользу государственного обмана? Эллсберг отлично это понял: люди не хотят иметь ничего общего с тем, кто был дискредитирован или публично унижен.

Такая же тактика была использована, чтобы навредить репутации Джулиана Ассанжа, еще до того как он был обвинен двумя женщинами из Швеции в сексуальных преступлениях. Стоит отметить, что нападки на Ассанжа делали те же самые газеты, которые работали с ним и *WikiLeaks* и получили выгоду от информации, предоставленной Челси Мэннингом.

Статья *New York Times*, посвященная материалам о войне в Ираке, — а там были тысячи секретных документов, детализирующих творящиеся в Ираке зверства и злоупотребления властью со стороны военных США и их иракских союзников, — попала на первую страницу. При этом репортер Джон Бернс преследовал единственную цель — изобразить Ассанжа странной и параноидной личностью.

В статье описано, как Ассанж «регистрируется в отелях под вымышленными именами, красит волосы, спит на диванах и полу и использует вместо кредитных карт наличные деньги, часто заимствованные у друзей». Журналист отметил, что Ассанжу присущи «хаотичное и высокомерное поведение», «мания величия» и что недоброжелатели «обвиняют его в проведении вендетты против Соединенных Штатов». Кроме того, Джон Бернс добавил «психиатрический диагноз», поставленный одним из недовольных волонтеров *WikiLeaks*: «Он не в своем уме».

Определение Ассанжа как сумасшедшего, которому свойственны бредовые идеи, стало основной тактикой политиков и *New York Times*. В одной статье Билл Келлер цитирует корреспондента *Times*, который описал Ассанжа как «похожего на нищего, взъерошенного, одетого в выцветшую светлую спортивную куртку и свободные штаны с большими карманами, испачканную белую рубашку, потрепанные кроссовки и грязные белые носки, собравшиеся гармошкой на его лодыжках. От него пахло так, как будто он не мылся несколько дней».

Times задала тон и в обсуждении Мэннинга, настаивая, что тот стал осведомителем не потому, что придерживался определенных убеждений или того потребовала его совесть, а из-за расстройства личности и психической неустойчивости. Во множестве статей говорилось без всяких доказательств, что факты его биографии, начиная с издевательств в армии и заканчивая проблемами с отцом, и послужили основными мотивами придания огласке столь важных секретных документов.

Приписывание инакомыслящим людям расстройства личности вряд ли можно считать американским изобретением. Советских диссидентов регулярно отправляли в психиатрические больницы, а китайских — до сих пор заставляют лечиться от психических заболеваний. Существуют очевидные причины для осуществления нападок личного характера на тех, кто критикует существующее положение дел. Как уже отмечалось, одна из них заключается в том, что действия разоблачителя становятся менее эффективными: никто не хочет общаться и помогать странным или сумасшедшим людям. Другая причина — сдерживание: если диссиденты изгоняются из общества, это превращается в вескую причину не становиться одним из них.

Но основным мотивом является логическая необходимость. Для хранителей статус-кво нет ничего по-настоящему неправильного в существующем порядке вещей и в том, как организована власть, — они просто принимают все так, как есть. Поэтому любой, кто отказывается это делать и утверждает, что так не должно быть, — особенно тот, кто верит в это достаточно сильно для того, чтобы предпринять радикальное действие, — по определению, должен быть эмоционально неустойчивым и психически недееспособным.

Иными словами, есть всего два варианта: повиновение власти или радикальное несогласие с ней. Первый вариант считается нормальным и правильным выбором, только если второй воспринимается как сумасшедший и нелегитимный. Защитники статус-кво уверены, что между психическим заболеванием и радикальными оппозиционными взглядами существует не просто *корреляция*. Для них решительное несогласие с действующей властью является свидетельством, даже доказательством тяжелого расстройства личности.

Но здесь и кроется обман: расхождение во взглядах с существующей властью предполагает моральный или идеологический выбор, в то время как подчинение — нет. Исходя из ложной предпосылки, общество уделяет большое внимание мотивам инакомыслящих, но при этом не интересуется мотивами тех, кто подчиняется нашему правительству. Послушание по умолчанию считается естественным состоянием.

В действительности как соблюдение, так и нарушение правил включают моральный выбор, и оба варианта действий могут сказать нечто важное о человеке. Вопреки распространенному убеждению, что радикальное расхождение во взглядах с властями означает расстройство личности, — *может быть правдой и обратное: при столкновении с грубой несправедливостью отказ от инакомыслия является признаком дефекта характера или морального падения.*

Профессор философии Питер Ладлоу написал в *New York Times* о том, что «утечка, разоблачение и хактивизм, встревожившие Вооруженные силы и разведывательные ведомства Соединенных Штатов», — деятельность, связанная с «поколением W». В качестве его представителей он называет Сноудена и Мэннинга.

Желание СМИ заняться психоанализом представителей поколения W совершенно естественно. Они хотят знать, почему эти люди действуют так, как они, работники СМИ, никогда не стали бы. Но что хорошо для одних, то хорошо и для других; если существуют психологические мотивы для раскрытия секретной информации и хактивизма, то существуют также и психологические мотивы для сплочения внутри системы со структурой существующей власти — в этом случае системы, в которой СМИ играют важную роль.

Аналогичным образом вполне возможно, что больна сама система, несмотря на то что люди внутри организации ведут себя в соответствии с ее этикетом и уважают существующие узы доверия.

Эта тема входит в круг тех, которые правительство сильнее всего старается избежать. Рефлексивная демонизация осведомителей выступает одним из способов, с помощью которых СМИ Соединенных Штатов защищают интересы власть предержащих. Это «угодничество» со стороны прессы носит настолько глубокий характер, что многие из правил журналистики были созданы именно для того, чтобы содействовать распространению сообщений правительства.

Возьмем, к примеру, представление, что раскрытие секретной информации является своего рода вредоносным или преступным деянием. На самом деле вашингтонские журналисты, которые применили эту точку зрения к Сноудену или ко мне, не осуждают любое раскрытие секретной информации. Они критикуют раскрытие информации только тогда, когда это вызывает недовольство правительства.

Реальность такова, что в Вашингтоне постоянно происходят утечки. Наиболее знаменитые и уважаемые журналисты, такие как Боб Вудворд, построили карьеру на том, что регулярно получали секретную информацию от источников, занимающих высокие посты, и публиковали ее. Чиновники постоянно обращаются в *New York Times*, чтобы сообщить конфиденциальную информацию, вроде появления беспилотных дронов-убийц или ликвидации Усамы бен Ладена. Бывший министр обороны Леон Панетта и сотрудники ЦРУ передали закрытую информацию директору *Zero Dark Thirty* в надежде, что фильм расскажет о политическом триумфе Обамы. (В то же время представители Министерства юстиции сообщили федеральному суду о том, что в целях защиты национальной безопасности они не могут предоставить информацию, раскрывающую операцию по ликвидации бен Ладена.)

Ни один штатный журналист не скажет вам, что представители власти, ответственные за подобную утечку информации, или журналисты, опубликовавшие такие материалы, должны быть наказаны по закону. Они рассмеются над самим предположением о том, что Боб Вудворд, который в течение многих лет делился с миром секретной информацией, и его источники в правительстве являются преступниками.

А все дело в том, что эти утечки были санкционированы Вашингтоном, служат интересам правительства Соединенных Штатов и, таким образом, являются целесообразными и приемлемыми. Вашингтон осуждает обнародование только той информации, которую чиновники предпочли бы скрыть.

Давайте рассмотрим, что произошло за несколько минут до того, как Дэвид Грегори высказал в передаче *Meet the Press* предположение о том, что за статью об АНБ меня следует арестовать. В начале интервью я сослался на сверхсекретное постановление, принятое в 2011 году Судом по контролю за внешней разведкой, о том, что существенная часть программы внутреннего наблюдения АНБ нарушает Конституцию и законодательные акты, регулирующие шпионаж. Я знал о постановлении только потому, что читал об этом в документах АНБ, которые Сноуден передал мне. На передаче *Meet the Press* я хотел рассказать об этом.

Однако Грегори решил поспорить со мной и сказал, что суд принял другое решение:

> Что касается этого конкретного постановления суда, основываясь на том, что люди, с которыми я говорил, сказали мне, это был тот самый случай, когда в ответ на прошение суд ответил: «Хорошо, это вы можете получить, а это — нет. Это действительно выйдет за рамки дозволенного». Это значит, что прошение было отклонено или изменено, суд выступил в роли контролирующего органа и не подтвердил злоупотребление властью.

Дело здесь даже не в том, что именно решил суд (хотя когда восемь недель спустя вышло постановление, в нем действительно говорилось, что действия АНБ были незаконными). Гораздо важнее то, что Грегори утверждал, что он знал о решении суда, потому что его источники рассказали ему об этом, а он передал информацию всему миру.

Таким образом, за несколько минут до того как Грегори поднял вопрос о том, что из-за написания статьи об АНБ меня следует отдать под суд, он сам сообщил о совершенно секретной информации, полученной из правительственного источника. Но никто никогда не скажет, что Грегори следует судить из-за его работы. Применение тех же самых мер по отношению к ведущему *Meet the Press* и его источнику кажется нелепым.

Скорее всего, Грегори не способен понять, что его раскрытие информации и мое — это одно и то же, поскольку он сообщал информацию в интересах правительства, стремящегося защитить и оправдать свои действия, в то время как я делал обратное и против воли чиновников.

Это, конечно, совершенно не соответствует тому, что подразумевается под свободой печати. Идея «четвертой власти» заключается в том, чтобы подвергать сомнению действия тех, в чьих руках и сосредоточена власть. Пресса должна настаивать на прозрачности работы правительства, опровергать ложь, которую постоянно распространяет государство, чтобы защитить себя. Без такой журналистики злоупотребления властью неизбежны. Если все, что могут журналисты, — это прославлять политических лидеров, то зачем нужны гарантии свободы печати, прописанные в Конституции? Гарантии необходимы для того, чтобы журналисты могли делать противоположное.

Двойной стандарт, применяемый к публикации секретной информации, становится еще более очевидным, когда речь заходит о неписаных требованиях «журналистской объективности». Как мы постоянно повторяем, журналисты не выражают мнения, они просто сообщают факты.

Это очевидный обман тщеславной профессии. Восприятие и мнение человека по своей природе субъективны. На каждую статью о новостях оказывают влияние высокосубъективные культурные, националистические и политические взгляды автора. И каждый продукт журналистики служит интересам той или иной фракции.

Соответственно, различие существует не между журналистами, которые имеют свое мнение, и теми, кто его не имеет, — такой категории нет. Водораздел проходит между журналистами, которые откровенно высказывают свое мнение, и теми, кто его скрывает, делая вид, что таковое просто отсутствует.

Идея о том, что журналисты должны быть свободны от мнений, — это не одно из древних требований профессии; в действительности это сравнительно новая теория, которая приводит к нейтрализации сил журналистики. Возможно, это даже является ее целью.

Эта недавно возникшая точка зрения отражает то, что, по мнению Джека Шафера, обозревателя *Reuters*, мы сейчас и наблюдаем — «печальную преданность корпоративистскому идеалу журналистики» и «болезненное отсутствие понимания истории». С момента появления журналистики в Соединенных

Штатах самые лучшие ее примеры, имеющие наибольшее влияние, зачастую включали в себя борьбу с несправедливостью. Корпоративистский журнализм, в котором нет мнения и нет души, отнял у профессии самые лучшие ее качества, сделав работу репортера несущественной: она больше не угрожает никому влиятельному, как этого и хотело правительство.

Помимо того что в подобном подходе к освещению событий содержится внутренняя проблема, стоит отметить, что правило практически никогда не соблюдают те, кто утверждают, будто считают его верным. Штатные журналисты постоянно высказывают свое мнение по целому ряду спорных вопросов, и при этом их не лишают профессионального статуса. Но это происходит тогда, когда эти мнения санкционированы Вашингтоном.

Во время споров об АНБ ведущий программы *Face the Nation* Боб Шиффер принял сторону АНБ и осудил Сноудена. То же самое сделал Джеффри Тубин, корреспондент *New Yorker* и *CNN*. Джон Бернс, репортер *New York Times*, освещавший войну в Ираке, поддерживал вторжение и даже называл американские войска «мои освободители» и «посланники ангелов». Кристиан Аманпур из *CNN* все лето 2013 года отстаивала использование военных сил в Сирии. Однако их позиции не были названы «активизмом», потому что, несмотря на повсеместное благоговение перед объективностью, на самом деле для журналистов не существует никакого запрета высказывать свое мнение.

Как и правило против разглашения секретной информации, «правило» объективности не является таковым. Скорее, это средство продвижения интересов доминирующего политического класса. Поэтому «слежка АНБ законна и необходима», или «война в Ираке справедлива», или «Соединенные Штаты должны были вторгнуться в эту страну» — это мнения, приемлемые для журналистов. И такие примеры можно найти повсюду.

«Объективность» означает не более чем мнение, отражающее взгляды Вашингтона и служащее интересам правительства. Мнения вызывают проблемы только тогда, когда они отклоняются от допускаемого Вашингтоном диапазона.

Объяснить враждебное отношение к Сноудену нетрудно. Куда сложнее объяснить враждебное отношение к репортеру, рассказавшему историю Сноудена. Частично оно было связано с соперничеством и частично — с желанием отомстить мне за все те годы, когда я, как профессионал, критиковал работу ведущих журналистов Соединенных Штатов. Свою роль сыграли и злость, а также стыд, вызванный правдой, всплывшей о журналистике: сообщение, возмущающее правительство, обнаруживает реальную роль, которую играет основная масса представителей прессы в укреплении существующей власти.

Но, несомненно, самым значительным поводом для вражды было то, что ведущие журналисты приняли правило, согласно которому они должны выступать от лица государства, особенно в отношении вопросов, касающихся национальной безопасности. Таким образом, получается, что, как и самим чиновникам, им приходится презирать тех, кто бросает вызов или пытается подорвать авторитет правительства.

Идеал репортера окончательно забыт. Раньше многие, кто только начинал карьеру журналиста, были склонны противопоставлять себя власти, а не служить ей не только в вопросах, связанных с идеологией, но и в личностном плане. Выбор профессии журналиста практически гарантировал получение статуса аутсайдера: репортеры мало зарабатывали, профессия не считалась престижной и, как правило, в большинстве случаев не приносила большой славы.

Сегодня все изменилось. СМИ скупили крупнейшие мировые корпорации, и ведущие журналисты являются высокооплачиваемыми сотрудниками. От остальных работников они отличаются тем, что вместо продажи банковских услуг или финансовых инструментов от имени этой корпорации торгуют продукцией средств массовой информации. Их карьера определяется той же схемой в точно таких же условиях: чем больше они порадуют свое начальство и чем лучше они будут продвигать интересы компании, тем быстрее будет развиваться их карьера.

Те, кто добивается успеха в структуре крупных корпораций, как правило, обладают бóльшим опытом в том, как доставить руководству удовольствие, а не в том, как подорвать его авторитет. Отсюда следует, что тех, кто преуспевает в корпоративной журналистике, отличает способность приспосабливаться к власти. Они отождествляют себя с ней и знают, как служить ей, а не как с ней бороться.

Доказательства представлены в изобилии. Мы знаем о том, как *New York Times* по воле Белого дома расправился с историей Джеймса Райзена о программе АНБ по незаконной прослушке 2004 года; редактор газеты в то время описал причины такого поведения как «совершенно неадекватные». В аналогичном инциденте в *Los Angeles Times* в 2006 году редактор Дин Бакет не дал хода статье о секретном сотрудничестве между *AT&T* и АНБ, написанной на основе информации, предоставленной информатором Марком Клейном. Последний передал пакет документов, описывающих конструкцию секретной комнаты в их офисе в Сан-Франциско, где АНБ установило специальные устройства, чтобы перенаправлять телефонный и интернет-трафики клиентов телефонной компании в офисы Агентства.

Как сообщил Клейн, документы показывали, что АНБ «следит за личной жизнью миллионов невинных американцев». Но, как в 2007 году Клейн рассказал *ABC News*, Бакет запретил публикацию этой истории «по просьбе тогдашних директоров Национальной разведки — Джона Негропонте и АНБ — генерала Майкла Хайдена». Вскоре после этого Бакет возглавил вашингтонский офис *New York Times*, а затем был назначен на должность главного редактора газеты.

Тот факт, что *Times* с такой готовностью начала служить государственным интересам, не стал сюрпризом. Редактор Маргарет Салливан отметила, что *Times*, возможно, стоит взглянуть на себя в зеркало, потому что сотрудники издания пытаются понять, почему такие информаторы, как Челси Мэннинг и Эдвард Сноуден, раскрывающие важные секреты Агентства национальной безопасности, не ощущают себя в полной мере комфортно и не чувствуют достаточной мотивации, чтобы передать имеющуюся у них информацию напрямую в *Times*. Это правда, что *New York Times* опубликовал немало документов, сотрудничая с *WikiLeaks*, но вскоре после этого бывший исполнительный редактор Билл Келлер постарался дистанцироваться от своего партнера: он публично подчеркнул гнев администрации Обамы по отношению к *WikiLeaks* и их мнение об «ответственном» подходе *New York Times* к публикации материала.

И во многих других случаях Келлер с гордостью рассказывал всему миру о своих отношениях с Вашингтоном. В 2011 году при обсуждении переписки, полученной *WikiLeaks*, на *BBC* Келлер пояснил, что *Times* принимает от правительства указания о том, что ей следует и что не следует публиковать. Ведущий программы недоверчиво спросил: «Вы хотите сказать, что вы заранее обращаетесь к правительству и спрашиваете у него: "Как насчет этого, этого и еще вот этого? Можем ли мы напечатать это? И еще вот это?" и таким образом вы получаете разрешение?» Другой гость передачи дипломат Великобритании Карн Росс сказал, что комментарий Келлера заставил его задуматься, стоит ли человеку, если у него есть информация вроде этой, идти в *New York Times*: «Это удивительно, что *New York Times* спрашивает разрешение правительства на публикацию подобных материалов».

Но в подобном сотрудничестве СМИ и Вашингтона нет ничего удивительного. Например, журналисты принимают официальную позицию правительства в спорах с иностранными оппонентами и редактируют материал, основываясь на том, как лучше всего представить «интересы США», как выражается правительство. Это является нормой. Джек Голдсмит, представитель Министерства юстиции при Буше, приветствовал то, что он назвал «феноменом, который недооценивают: патриотизм американской прессы». Под этим он понимал то, что американские СМИ, как правило, проявляют лояльность по отношению к правительству. Он процитировал тогдашнего директора АНБ Майкла Хайдена, отметившего, что американские журналисты демонстрируют «желание работать с нами», но с зарубежной прессой, добавил он, — «это очень и очень трудно».

Отождествление СМИ с правительством укрепилось в результате действия различных факторов, одним из которых выступает социально-экономический. Многие из влиятельных журналистов

Соединенных Штатов в настоящее время являются мультимиллионерами. Они живут в тех же районах, что и политические деятели и финансовая элита, на которых они работают в качестве сторожевых псов. Они посещают те же собрания, у них тот же круг друзей, их дети ходят в те же элитные частные школы.

Это одна из причин, по которой журналисты и правительственные чиновники так легко могут меняться рабочими местами. Через вращающуюся дверь офисов СМИ они попадают на выгодные позиции в Вашингтоне, точно так же правительственные чиновники часто покидают свой пост в обмен на выгодный контракт со СМИ. Джей Карни и Ричард Стенгел из журнала *Time* сейчас работают в правительстве, а помощники Обамы Дэвид Аксельрод и Роберт Гиббс — в *MSNBC*. Это, скорее, можно назвать горизонтальным карьерным ростом, нежели сменой карьеры: переход осуществить настолько просто именно потому, что и журналисты, и политики служат одним и тем же интересам.

В Соединенных Штатах журналисты больше не являются внешней силой. Их работа полностью интегрирована в деятельность доминирующей в стране политической власти. В культурном, эмоциональном и социально-экономическом плане они — одинаковые. Богатые, знаменитые, «свои». Журналисты не хотят подрывать существующее положение вещей потому, что государство так щедро вознаграждает их. Как и все придворные, они стремятся защитить систему, подарившую им привилегии, и с презрением относятся к тем, кто бросает этой системе вызов.

Остается всего лишь один шаг до полной идентификации с потребностями политических деятелей. Таким образом, прозрачность работы не может принести ничего хорошего; журналистика, оспаривающая власть, представляет собой опасность и, возможно, даже является преступной. А политическим лидерам следует разрешить осуществлять свою власть в темноте.

В сентябре 2013 года на это обратил внимание Сеймур Херш, репортер, получивший Пулитцеровскую премию, который рассказал о резне в Сонгми и скандале с Абу-Грейб. В интервью для *Guardian* Херш сообщил, что он против «робости журналистов в Америке, их неспособности оспаривать действия Белого дома или становиться непопулярными посланниками истины». Он сказал, что *New York Times* слишком много времени тратит на то, чтобы «носить воду для Обамы». По его мнению, «правительство систематически лжет» и «тем не менее еще не появился ни один левиафан в американских СМИ, телевизионных сетях или крупных печатных изданиях», который бросил бы ему вызов.

Предложением Херша «о том, как исправить журналистику», было «закрыть бюро новостей *NBC* и *ABC*, уволить 90 % редакторов и вернуться к основам, к тому, что называется работой журналистов», что означает быть аутсайдером. «Начните нанимать редакторов, которых вы не можете контролировать», — посоветовал Херш. «Смутьяны не получают повышения», — заявил он. А сейчас «трусливые редакторы» и журналисты губят профессию, потому что их податливая натура не позволяет им быть аутсайдерами.

Как только журналистов начинают называть активистами, как только их работа оказывается запятнана обвинениями в преступной деятельности и их изгоняют из круга, защищающего репортеров, они становятся уязвимы для уголовного преследования. Для меня это стало очевидным с выходом истории об АНБ.

Через несколько минут после моего возвращения домой в Рио из Гонконга Дэвид сообщил мне, что его ноутбук исчез. Подозревая, что пропажа была связана с нашим разговором, он напомнил мне, что я звонил ему по *Skype*, чтобы обсудить большой зашифрованный файл с документами, которые я собирался отправить в электронном виде. Я сказал, что как только они придут, он должен обеспечить безопасность этого файла. Сноуден считал чрезвычайно важным, чтобы у того, кому я безоговорочно доверяю, был полный комплект документов на тот случай, если мой собственный архив будет потерян, поврежден или украден.

«Я могу пропасть на очень долгое время, — сказал Сноуден. — И вы не уверены в том, что ваши рабочие отношения с Лорой продолжатся. У кого-то должен храниться набор документов, чтобы у вас был к ним доступ, что бы ни случилось».

Очевидным выбором был Дэвид. Но я так и не отправил файл. Это была одна из тех вещей, которые я не успел сделать в Гонконге просто из-за нехватки времени.

«Менее чем через сорок восемь часов после того, как ты сказал мне об этом, — объяснил Дэвид, — у меня из дома пропал ноутбук».

Я сопротивлялся мысли о том, что кто-то подключился к нашему разговору и ноутбук был похищен из-за этого. Я сказал Дэвиду, что не намерен превращаться в одного из тех параноидальных людей, которые все необъяснимые события в своей жизни приписывают работе ЦРУ. Может быть, ноутбук был потерян, или кто-то из гостей взял его, или, возможно, это было случайное ограбление, никак не связанное с происходящим.

Дэвид разбивал мои теории одну за другой: он никогда не выносил этот ноутбук из дома; он перевернул все вверх дном, и компьютера нигде не было; больше ничего не пропало. Ему казалось, что я веду себя иррационально, не желая признавать то, что могло быть единственным объяснением произошедшего.

На тот момент ряд журналистов отметили, что АНБ не имеет ни малейшего представления о том, что Сноуден передал мне или взял у меня, у них не было не только информации о конкретных документах, но и об их количестве. Было очевидно, что правительство Соединенных Штатов (или, возможно, даже правительство другой страны) будет отчаянно пытаться выяснить, что у меня есть. Если такую информацию может предоставить компьютер Дэвида, то почему бы не украсть его?

К тому времени я также знал, что разговаривать с Дэвидом через *Skype* было совсем небезопасно, поскольку АНБ способно отслеживать разговоры в этой программе. Поэтому у правительства была возможность услышать, что я планировал отправить документы Дэвиду, и это могло стать мощным мотивом заполучить ноутбук.

Дэвид Шульц, юрист из *Guardian*, сказал мне, что есть все основания полагать, что теория Дэвида о краже верна. Благодаря своим связям в разведывательном агентстве он узнал, что ЦРУ вело в Рио наиболее жесткую политику чем где бы то ни было, а руководитель этого агентства «довольно агрессивен». Основываясь на этом, Шульц сказал мне: «Вам следует помнить о том, что они следят за всем, что вы говорите, за всем, что вы делаете, — где бы вы ни находились»,

Я принял тот факт, что теперь мои возможности говорить по телефону будут сильно ограничены. Я отказался использовать телефон для чего-либо, кроме самых тривиальных разговоров. Я посылал и получал электронную почту, используя громоздкие системы шифрования. Я общался с Лорой, Сноуденом и другими информаторами только в зашифрованном видеочате. Я мог работать с редакторами *Guardian* и другими журналистами, только если они соглашались приехать в Рио и поговорить лично. Я даже проявлял осторожность, разговаривая с Дэвидом у себя дома или в машине. Кража ноутбука четко дала понять, что самые безопасные места тоже могут быть под наблюдением.

Еще больше доказательств того, в каком угрожающем климате я тогда работал, пришли в форме отчета о беседе, которую услышал Стив Клемонс — политолог и редактор *Atlantic*, имевший множество связей в высших кругах.

8 июня Клемонс находился в аэропорту имени Даллеса в салоне самолета *United Airlines*. Он услышал, как четыре сотрудника разведки США разговаривали о том, что информатор и журналист, пишущий об АНБ, должны «исчезнуть». Он сказал, что записал часть разговора на свой телефон. Клемонс считал, что разговор был просто «бравадой», но на всякий случай решил его опубликовать.

Я не воспринял эту информацию слишком серьезно, несмотря на то что Клемонсу можно доверять. Но сам факт того, что сотрудники разведки в общественном месте так просто обсуждают, что должны «исчезнуть» Сноуден и журналисты, с которыми он работает, вызывает тревогу.

В последующие месяцы возможность привлечения меня к уголовной ответственности за публикацию информации об АНБ из абстрактной превратилась в реальную. Это резкое изменение было связано с действиями британского правительства.

Сначала Джанин Гибсон рассказала мне в зашифрованном чате о примечательном случае, произошедшем в середине июля в лондонском офисе *Guardian*. Она описала то, что она назвала «радикальным изменением» тона разговоров между *Guardian* и ЦПС, произошедшим за последние несколько недель. То, что сначала было «очень цивилизованными беседами» о статьях газеты, превратилось в серию все более агрессивных требований, а затем в прямые угрозы со стороны британского шпионского агентства.

Затем Гибсон сообщила мне о том, что ЦПС объявил: он больше не «разрешает» газете публиковать истории, основанные на совершенно секретных документах. Они потребовали, чтобы *Guardian* в Лондоне передала все копии файлов, полученных от Сноудена. Если *Guardian* откажется, то газете будет запрещено печатать что-либо постановлением суда.

Это была не призрачная угроза. В Великобритании нет конституционной гарантии свободы печати. Британские суды настолько почтительно относятся к требованиям государства о «предварительном запрете», что СМИ могут быть заранее отстранены от печати чего-либо, что может угрожать национальной безопасности.

Действительно, в 1970-х репортер Дункан Кэмпбелл, который первым обнаружил, а затем опубликовал статью о существовании ЦПС, был арестован и осужден. В Великобритании суды имеют право в любой момент закрыть *Guardian* и конфисковать все материалы и оборудование. «Ни один судья не скажет нет, если его попросят, — сказала Джанин. — Мы знаем это, и они знают, что мы знаем это».

Файлы, имевшиеся у *Guardian*, составляли лишь малую долю полного архива Сноудена, который он передал мне в Гонконге.

Он был убежден в том, что о документах, которые имеют отношение к ЦПС, должны сообщить британские журналисты, и в один из своих последних дней в Гонконге он передал копию этих документов Юэну Макаскиллу.

Когда мы разговаривали, Джанин сказала мне, что она, главный редактор Алан Расбриджер и другие сотрудники в прошлые выходные ездили на отдых за пределы Лондона. Вдруг им сообщили, что представители ЦПС едут в редакцию *Guardian* в Лондоне, где они намереваются изъять жесткие диски, на которых хранятся документы. «Вы повеселились, — сказали они Расбриджеру. — Теперь мы хотим забрать все себе». Когда работники ЦПС позвонили сотрудникам *Guardian*, те находились за городом всего два с половиной часа. «Нам пришлось сразу же ехать обратно в Лондон, чтобы охранять документы. Это было очень неприятно», — сказала Джанин.

ЦПС потребовал, чтобы *Guardian* предоставила ему все копии архива. Если бы газета сделала это, то правительство могло бы узнать, какие *данные передал Сноуден, и его правовой статус оказался бы под еще большей угрозой*. Вместо этого *Guardian* согласилась уничтожить соответствующие жесткие диски прямо на глазах у представителей ЦПС, чтобы те могли убедиться в том, что все данные удалены. То, что произошло, по словам Джанин, было «тщательно продуманным танцем угроз, дипломатии и незаконной попытки вывоза документов, а затем совместным демонстративным разрушением».

Термин «демонстративное разрушение» был недавно придуман ЦПС для описания того, что произошло. В подвале редакции агенты правительства наблюдали, как персонал *Guardian*, в том числе главный редактор газеты, разбивали битой на куски жесткие диски. Правительственные агенты требовали, чтобы они ломали определенные области, так как «хотели быть уверенными в том, что в искореженном металле не осталось ничего, что могло бы представлять интерес для китайских агентов», — рассказал Расбриджер. Он вспомнил, как спецагент шутя сказал: «Черные вертолеты можно отозвать», когда персонал разбил на части мелкие остатки ноутбука *Macbook Pro*.

Образ правительства, которое отправляет в редакцию агентов, чтобы заставить сотрудников газеты уничтожать свои компьютеры, шокирует. В западном мире такие истории рассказывают о Китае, Иране и России. Но потрясает и то, что уважаемая газета готова по доброй воле, покорно последовать такому приказу.

Если правительство угрожает закрыть газету, почему бы не назвать это блефом и не заставить их средь бела дня осуществить свою угрозу? Как сказал Сноуден, когда он услышал о том, как правительство разговаривает с *Guardian*, «единственным правильным ответом должно было быть: вперед, закрывайте нас!» Когда газета добровольно держит действия правительства в тайне, она позволяет властям скрыть свое истинное лицо: государство, которое насильно заставляет журналистов прекратить освещать одну из самых значительных историй в мире.

Еще хуже то, что сам акт уничтожения материалов, которые передал информатор, рискуя своей свободой и даже жизнью, противоречит основным целям журналистики.

О подобном деспотичном поведении властей уже стоит написать статью. Несомненно, и сам факт того, что правительство вторгается в редакцию и заставляет сотрудников уничтожать информацию, заслуживает попадания в новости. Однако, по всей видимости, *Guardian* намерена молчать, а это многое говорит о том, насколько относительной является свобода печати в Великобритании.

В любом случае Гибсон заверила меня, что у *Guardian* есть еще одна копия документов в нью-йоркском офисе. После этого она сообщила мне нечто пугающее: еще один набор этих файлов теперь хранится в *New York Times*, поскольку Алан Расбриджер передал их исполнительному редактору Джилл Абрамсон, чтобы обеспечить себе доступ к файлам, если британский суд попытается заставить *Guardian* уничтожить копию, хранящуюся в США.

Это были плохие новости. Мало того что *Guardian* согласилась втайне уничтожить собственные документы, она, не спрашивая и даже не советуясь со Сноуденом или со мной, передала документы той самой газете, которой Сноуден не доверял, поскольку считал, что ее руководство подчиняется властям Соединенных Штатов.

Принимая во внимание отсутствие конституционной защиты, сотню рабочих мест и тот факт, что это одна из старейших газет Великобритании, руководство *Guardian* не могло позволить себе играть с угрозами правительства. И уничтожить компьютеры было лучше, чем отдать архив ЦПС. И все же я был расстроен тем, как легко они подчинились требованиям правительства, и еще больше тем, что они решили никому об этом не сообщать.

Однако как до разрушения жестких дисков, так и после *Guardian* была и остается смелой и бесстрашной газетой. Она представила документы Сноудена так, как я считаю, не смогло бы сделать ни одно издание, сравнимое с ней по масштабам. Несмотря на запугивание со стороны властей, которое со временем только усиливалось, редакторы продолжали публиковать одну историю об АНБ и ЦПС за другой. И за это они заслуживают немало добрых слов.

Но Лора и Сноуден были рассержены тем, что *Guardian* решила подчиниться требованиям правительства, а после предпочла молчать о том, что случилось. Особенно сильно Сноудена злил тот факт, что архив о ЦПС в конечном счете очутился в *New York Times*. Он считал, что это было нарушением его соглашения с *Guardian*. Сноуден хотел, чтобы только британские журналисты работали над британскими документами, и он ни за что не доверил бы файлы *New York Times*. Что касается реакции Лоры, то она в конечном счете привела к драматическим последствиям.

С самого начала нашей совместной работы отношения Лоры с *Guardian* были непростыми. Теперь же напряженность переросла в открытое противостояние. Когда в течение недели мы совместно работали в Рио, Лора и я обнаружили, что часть одного из архивов АНБ, которые Сноуден передал мне в тот день, когда ушел в подполье в Гонконге (у него не было возможности передать его Лоре), была повреждена. У Лоры не получилось исправить его в Рио, но она считала, что сможет сделать это, когда вернется в Берлин.

Через неделю после приезда в Берлин Лора сообщила мне, что готова вернуть мне архив. Мы решили организовать все так, чтобы сотрудник *Guardian* слетал в Берлин, взял архив и привез его мне в Рио. Но, по всей видимости, из-за событий, произошедших с ЦПС, сотрудник *Guardian* сказал Лоре, что вместо того, чтобы передать архив с ним, она должна переслать его мне с помощью *FedEx*.

Лора была разъярена. Я еще никогда не видел ее такой. «Разве ты не понимаешь, что они делают? — спросила она меня. — Они хотят, чтобы у них была возможность сказать: "Мы не принимали никакого участия в транспортировке этих документов, это Гленн и Лора таскали их туда-сюда"». Она добавила, что использование *FedEx* для пересылки по миру совершенно секретных документов является таким грубым нарушением безопасности, какое она только может себе представить. Лора сказала, что отправлять документы от нее из Берлина ко мне в Рио — это как повесить неоновую вывеску для всех интересующихся сторон.

«Я больше никогда не буду им доверять», — заявила она.

Но мне нужен был этот архив. В нем содержались важные документы, имевшие отношение к статье, над которой я работал, а также ко многим другим историям, которые я собирался опубликовать.

Джанин настаивала на том, что проблема возникла в результате недоразумения, что сотрудник неправильно понял указания своего начальника, что после недавних событий некоторые руководители в Лондоне очень боялись передавать документы от Лоры ко мне. Она сказала, что никакой проблемы нет. Что в этот же день сотрудник *Guardian* прилетит в Берлин, чтобы забрать документы.

Но было слишком поздно. «Я ни за что не отдам эти документы *Guardian*, — сказала Лора. — Просто я им больше не доверяю».

Из-за размера и важной роли архива Лора не хотела отправлять мне его в электронном виде. Его необходимо было доставить лично с кем-то, кому она доверяла. Этим кем-то был Дэвид, который, услышав о проблеме, сразу вызвался ехать в Берлин. Мы оба понимали, что это идеальное решение. Дэвид знал всю историю от и до, Лора доверяла ему, и он в любом случае планировал съездить к ней, чтобы поговорить о новых потенциальных проектах. Джанин радостно согласилась с этой идеей и сказала, что Guardian покроет расходы на поездку Дэвида.

Guardian заказала для Дэвида авиабилеты компании British Airways, а затем по электронной почте переслала ему данные. То, что у него могут возникнуть какие-то проблемы, даже не приходило нам в голову. Журналисты Guardian, которые писали статьи об архиве Сноудена, а также сотрудники газеты, которые перевозили документы из одного места в другое, уже несколько раз улетали и прилетали в аэропорт Хитроу без каких-либо инцидентов. Лора и сама летала в Лондон несколькими неделями ранее. Как мог кто-то подумать, что Дэвид — куда более второстепенная фигура — окажется под угрозой?

Дэвид уехал в Берлин в воскресенье 11 августа и должен был вернуться с архивом от Лоры через неделю. Но утром в день его ожидаемого прибытия меня разбудил звонок. Человек с британским акцентом представился как «агент безопасности аэропорта Хитроу» и спросил меня, знаю ли я Дэвида Миранду. «Мы звоним вам, чтобы сообщить, — продолжал он, — что мы задержали мистера Миранду в соответствии с Законом о противодействии терроризму от 2000 года».

Смысл слова «терроризм» дошел до меня не сразу — я ничего не понимал. Первое, что я спросил, — как давно его задержали, и когда я услышал, что уже прошло три часа, я понял, что это была не стандартная проверка иммиграционного контроля. Человек по телефону объяснил мне, что Великобритания имеет «законное право» держать его у себя в общей сложности девять часов, после чего суд может продлить время или арестовать его. «Мы еще не знаем, что будем делать», — сказал агент безопасности.

И США, и Великобритания ясно дали понять, что, когда они говорят, что борются против терроризма, для них не существует никаких запретов — этических, правовых или политических. Дэвида задержали на основании Закона о противодействии терроризму. Он даже не пытался въехать в Великобританию: это был пересадочный аэропорт. Власти Великобритании задержали его на территории, которая фактически даже не является территорией Великобритании, используя для этого странные и неясные основания.

Адвокаты *Guardian* и бразильские дипломаты немедленно начали работать над тем, чтобы освободить Дэвида. Я не волновался по поводу того, выдержит ли Дэвид заключение. Он рос сиротой, у него была невообразимо трудная жизнью в одном из самых плохих районов Рио-де-Жанейро. Эта жизнь сделала его чрезвычайно сильным, своенравным уличным парнем. Я знал, что он точно поймет, что происходит и почему, и я не сомневался, что его следователям будет так же сложно, как и ему. И все же адвокаты *Guardian* отметили, что на столь длительный срок задерживают очень редко.

Изучая «Закон о противодействии терроризму», я выяснил, что останавливают только трех человек из тысячи и с большинством допрашиваемых — более 97 % — общаются менее часа. Только 0,06 % задерживают более чем на шесть часов. Когда пошел девятый час, вероятность того что Дэвида отправят в тюрьму, стала очень большой.

Заявленной целью Закона о противодействии терроризму, как следует из названия, является допрос людей о связях с терроризмом. По утверждению правительства Великобритании, задержание возможно с целью «определения, является ли это лицо террористом или было ли оно вовлечено в совершение, подготовку или подстрекательство к терроризму». Не было никаких причин для задержания Дэвида на основании Закона о противодействии терроризму, если только моя статья, в которой, по-видимому, и было все дело, не отождествляется с терроризмом.

С каждым часом ситуация становилась все более мрачной. Все, что я знал, — это то, что бразильские дипломаты, а также адвокаты *Guardian* пытались отыскать Дэвида в аэропорту и попасть к нему, но все было бесполезно. И все же спустя две минуты после девятичасовой отметки пришло сообщение от Джанин, в котором было всего одно слово, которое я так хотел услышать: «Освободили».

Шокирующее задержание Дэвида было немедленно осуждено во всем мире как вопиющая попытка запугивания. *Reuters* подтвердило, что инициатива действительно исходила от британского правительства: «Сотрудник американской службы безопасности сообщил *Reuters*, что одной из основных причин... задержания и допроса Миранды была отправка им сообщений получателю материалов Сноудена, включая *Guardian*, *и британское правительство серьезно намерено бороться с утечкой материалов*».

Но, как я сообщил толпе журналистов, собравшихся в аэропорту Рио в ожидании возвращения Дэвида, тактика запугивания, применяемая Великобританией, никак не отразится на моей работе. К слову сказать, я стал еще решительнее. Власти Великобритании повели себя крайне оскорбительно; единственно правильной линией, на мой взгляд, было оказать еще большее давление и потребовать большей прозрачности и отчетности. Это и есть основная функция журналистики. Когда меня попросили высказать мнение о том, как будет воспринят этот эпизод, я заявил, что правительство Великобритании станет все отрицать, потому что иначе его действия будут выглядеть репрессивными и карательными.

Сотрудники *Reuters* неправильно перевели с португальского мои комментарии и очень сильно исказили их. Они заявили, что в ответ на то, что власти сделали с Дэвидом, я решил опубликовать документы о Великобритании, которые ранее думал придержать. Их трактовка моих слов быстро разнеслась по всему миру.

На протяжении следующих двух дней в СМИ сообщалось о том, что я поклялся «мстить с помощью своих статей». Это было нелепое заблуждение: агрессивное поведение Великобритании лишь придало мне решимости продолжать работу. Но, как я слышал очень много раз, если вы утверждаете, что ваши комментарии были вырваны из контекста, это не останавливает распространение ложных новостей.

Понятно, что мои комментарии были переведены неверно, но реакция на них говорила о многом. Великобритания и Соединенные Штаты годами вели себя как преступники, отвечая на любой вызов угрозами или чем-то еще худшим. Совсем недавно британское правительство вынудило *Guardian* уничтожить свои компьютеры и только что задержало моего коллегу по подозрению в терроризме. Информаторы были привлечены к уголовной ответственности, а журналистам угрожали тюрьмой. Однако даже попытка сопротивления подобной агрессии была встречена защитниками власти сильным негодованием: «О боже! Он говорит о мести!» Кроткое подчинение запугиванию, исходящему от правительства, считается обязанностью; вызов осуждается как акт неповиновения.

Как только Дэвид и я наконец отделались от журналистов, мы смогли обсудить произошедшее. Он сказал, что все девять часов сопротивлялся допросу, но признался, что ему было страшно.

Было очевидно, что он являлся целью агентов. Как только пассажиры его самолета сошли на землю, агенты попросили их предъявить свои паспорта. Посмотрев паспорт Дэвида, они задержали его в соответствии с Законом о противодействии терроризму и «с первой до последней секунды грозили тюрьмой» в случае, если он «откажется сотрудничать в полной мере». Они забрали всю технику, которая была у него с собой, в том числе мобильный телефон, содержащий персональные фотографии, контакты и переписку с друзьями, и, угрожая арестом, заставили его сказать пароль. «Я чувствовал, что они вторглись в мою личную жизнь, как будто они раздели меня догола», — сказал Дэвид.

Дэвид все размышлял о том, что в течение последнего десятилетия Соединенные Штаты и Великобритания делали под прикрытием борьбы с терроризмом. «Они похищают людей, арестовывают их без предъявления обвинений и не дают им адвоката, прячут их, отправляют в Гуантанамо, убивают их», — говорил Дэвид. Об этом не думает большинство граждан Америки или Великобритании. «Но на самом деле нет ничего страшнее, чем когда одно из этих правительств говорит, что ты — террорист, — сказал он мне. — Понимаешь, они могут сделать все, что угодно».

Споры о задержании Дэвида продолжались около недели. В течение нескольких дней его арест обсуждался в новостях, и население Бразилии было очень возмущено. Британских политиков попросили внести изменения в Закон о противодействии терроризму. Конечно, было приятно, что люди признали тот факт, что правительство Великобритания злоупотребляет властью. Закон действовал уже в течение многих лет, и мало кому до него было дело, поскольку в основном он использовался в отношении мусульман. Чтобы общественность обратила на него внимание, потребовался арест супруга известного белого западного журналиста. Так не должно было быть.

Оказалось, что британское правительство заранее обсуждало с Вашингтоном задержание Дэвида, что неудивительно. Когда пресс-секретаря Белого дома спросили об этом на пресс-конференции, он сказал: «Было предупреждение... так что мы знали, что, скорее всего, это произойдет». Белый дом отказался осудить задержание и признал, что он не предпринял никаких шагов, чтобы остановить или препятствовать действиям британских властей.

Большинство журналистов поняли, насколько опасен этот шаг. «Журналистика — это не терроризм», — заявила возмущенная Рэйчел Мэддоу в своей передаче на *MSNBC*. Но не все вокруг чувствовали то же самое. Джеффри Тубин в прямом эфире похвалил правительство Великобритании, приравняв Дэвида к «мулу, перевозящему наркотики». Тубин добавил, что Дэвид должен быть благодарен, что его не предали суду и не посадили в тюрьму.

Эта возможность казалась вполне правдоподобной, поскольку британское правительство объявило, что оно официально начало уголовное расследование дела Дэвида и документов, которые он перевозил. (Дэвид и сам инициировал иск против британских властей, утверждая, что содержание его под стражей было незаконным, поскольку его действия и он сам не имели ничего общего с единственной целью закона, согласно которому его задержали, — для расследования его причастности к терроризму.) Когда наиболее известные журналисты готовы приравнять важные статьи-расследования к такому же преступлению, как деятельность наркоторговцев, неудивительно, что власти ведут себя настолько бесцеремонно.

В 2005 году, незадолго до своей смерти, военный корреспондент освещавший войну во Вьетнаме, Дэвид Хэлберстам выступил перед студентами Колумбийской школы журналистики. Он сказал им, что больше всего в своей карьере гордится тем моментом, когда американские генералы во Вьетнаме угрожающе потребовали, чтобы редакторы *New York Times* отстранили его от освещения событий войны. По словам Хэлберстама, он, «публикуя пессимистические новости о войне, привел в ярость Вашингтон и Сайгон». Генералы считали его «врагом», поскольку он, помимо прочего, прервал их пресс-конференцию и обвинил их во лжи.

Для Хэлберстама тот факт, что он привел правительство в бешенство, был источником гордости, он видел в этом истинную цель и призвание журналиста. Он знал, что быть журналистом значит рисковать и противостоять правительству, а не принимать злоупотребления полномочиями и не потакать им.

Сегодня для многих репортеров правительственная награда за «ответственную» журналистику, предполагающая понимание того, что может быть сказано, а что нет, является знаком почета. *А это значит, что мы забываем, что такое настоящая журналистика.*

Эпилог

При нашем первом общении через Интернет Эдвард Сноуден сообщил мне, что он боится только одной вещи: что информацию, которую он раскрывает, встретят с апатией и равнодушием, а это будет означать, что он рисковал лишением свободы и разрушал свою жизнь просто так. Сказать, что его опасения не оправдались, означает не сказать ничего.

Действительно, последствия раскрытия Сноуденом секретной информации оказались намного сильнее и шире, чем мы смели надеяться. Опасности, которые таит в себе тотальная государственная слежка и секретность, привлекли внимание мировой общественности. Это вызвало первую глобальную дискуссию о ценности неприкосновенности частной жизни в цифровую эпоху и создало проблемы для установления правительством Америки контроля над Интернетом. По всему миру изменились взгляды людей на надежность заявлений, сделанных чиновниками США, и отношения между странами трансформировались. Коренным образом поменялись воззрения на роль журналистики в создании доверительного отношения к государственной власти. И в Соединенных Штатах представителями различных политических взглядов и идеологических убеждений была создана коалиция, которая настаивает на содержательной реформе законов, позволяющих государственную слежку.

В частности, один эпизод подчеркнул глубокие сдвиги, вызванные раскрытием секретной информации Сноуденом. Всего через несколько недель после моей первой статьи для *Guardian*, основанной на материалах Сноудена, в которой рассказывалось о массовом сборе данных, осуществляемом АНБ, два члена Конгресса вынесли на рассмотрение предложение о прекраще-

нии финансирования этой программы Агентства. Удивительно, что инициаторами этого предложения были Джон Конирс, представитель либеральной партии Детройта, переизбранный в Палату представителей в двенадцатый раз, и Джастин Амаш, представитель консерваторов и видный член движения *Tea Party*, переизбранный во второй раз. Трудно представить себе двух более различающихся взглядами членов Конгресса, объединившихся для того, чтобы бороться с внутренним шпионажем, осуществляемым АНБ. Их предложение сразу же нашло десятки сторонников среди чиновников, придерживающихся абсолютно разных политических воззрений, начиная от самых либеральных и заканчивая наиболее консервативными, также его поддержали все те, кто находился между ними, — а это очень редкое событие для Вашингтона.

Когда дело приближалось к голосованию, дебаты транслировались по телевидению на *C-SPAN*. Я смотрел их, параллельно переписываясь в чате со Сноуденом, который наблюдал за происходящим из Москвы. Мы были поражены тем, что увидели. Я думаю, именно тогда он по-настоящему осознал, что ему удалось сделать. Чиновники вставали один за другим и гневно осуждали программу АНБ, поднимая на смех саму идею того, что для противодействия терроризму необходим сбор данных о звонках каждого отдельного американца. Безусловно, это был самый агрессивный выпад против Агентства национальной безопасности со времен атак 11 сентября.

До Сноудена было просто немыслимо, чтобы законопроект о сокращении финансирования крупной программы нашей национальной безопасности получил хотя бы небольшое количество голосов. Но окончательный подсчет голосов по законопроекту Конирса—Амаша шокировал Вашингтон: он не прошел в результате крошечного разрыва — 205 против 217. Законопроект поддержали представители обеих партий, за его принятие проголосовали 111 демократов и 94 республиканца. Это нарушение традиционного хода событий и стремление держать АНБ под контролем были показательны как для меня, так и для Сноудена. Правительство, заседающее в Вашингтоне, зависит от фана-

тичной приверженности своей партии, порожденной жестким политическим противостоянием. Но если паттерн «красные против синих» может быть разрушен, появляется надежда, что разработка политики государства действительно будет основываться на интересах граждан.

В течение нескольких следующих месяцев по всему миру публиковалось все больше и больше историй об АНБ. Многие эксперты говорили о том, что в скором времени общественность потеряет интерес к произошедшему. Но на самом деле внимание к дискуссии на тему слежки усиливалось, причем не только внутри страны, но и на международной арене. События одной-единственной недели в декабре 2013 года — спустя более шести месяцев после выхода моей первой статьи в *Guardian* — свидетельствуют о том, насколько сильный отклик получило раскрытие секретной информации Сноудена и в каком неприятном положении оказалось АНБ.

Неделя началась с резкого заявления федерального судьи Ричарда Леона о том, что сбор метаданных АНБ является нарушением Четвертой поправки Конституции, в котором он объявил его «практически оруэлловским» по масштабам. Как уже отмечалось, судья Ричард Леон, назначенный Бушем, подчеркнул, что правительство не смогло привести ни одного случая, «в котором анализ огромного количества собранных метаданных» позволил бы остановить террористическую атаку. Всего два дня спустя группа консультантов президента Обамы, созданная, как только разразился скандал, связанный с АНБ, опубликовала отчет, состоящий из 308 страниц. В нем также решительно опровергались утверждения АНБ о необходимости шпионажа. «Наша работа показала, что полезная при расследовании террористических атак информация, полученная в результате использования раздела 215 [„Патриотического акта."], не сыграла особой роли при предотвращении атак", — пишет комиссия, подтверждая, что не было ни одного случая, результат которого был бы другим, «если бы не использовался сбор данных.»

На этой неделе дела АНБ шли не лучше и за пределами Соединенных Штатов. Генеральная Ассамблея ООН единогласно проголосовала за резолюцию против деятельности АНБ, предложенную Германией и Бразилией. Тем самым они подтвердили, что конфиденциальность в Интернете является одним из основных прав человека. Один из экспертов охарактеризовал резолюцию как «мощное послание в Соединенные Штаты о том, что пришло время изменить курс и положить конец слежке АНБ в сети». И в тот же день Бразилия объявила, что она не будет подписывать долгожданный контракт на 4,5 млрд на покупку истребителей американской корпорации Boeing, а вместо этого приобретет самолеты шведской компании Saab. При принятии этого неожиданного решения ключевым фактором стало недовольство Бразилии, вызванное шпионажем АНБ за ее правительством, компаниями и гражданами. «Проблема, созданная АНБ, сыграла с американцами злую шутку», — сообщил анонимный источник из бразильского правительства информационному агентству *Reuters*.

Конечно, рано говорить о том, что битва выиграна. Стремление к безопасности является невероятно мощным фактором, и широкий круг влиятельных лиц готов эксплуатировать его до бесконечности. Так что неудивительно, что они тоже заработали несколько очков. Через две недели после решения судьи Леона другой федеральный судья, напомнив о событиях 11 сентября, заявил, что программа АНБ соответствует Конституции. Европейские союзники оправились от гнева и, как это обычно и бывает, присоединились к Соединенным Штатам. Поддержка со стороны американской общественности также носит непостоянный характер: опросы показывают, что хотя большинство американцев и выступают против программы АНБ, они считают, что Сноуден должен быть привлечен к ответственности за свои действия. А высокопоставленные чиновники сказали, что не только Сноуден, но и некоторые журналисты, с которыми он работал, в том числе и я, заслуживают уголовного наказания и тюремного заключения.

И всё-таки сторонники АНБ явно не были готовы к подобному развитию событий, и большая часть их аргументов против реформы является надуманной. Например, защитники массовой профилактической слежки часто настаивают на том, что какая-то доля шпионажа всегда необходима. Но в этом утверждении нет никакого смысла, потому что с этим никто и не спорит. Альтернатива массовой слежки — это не полная ликвидация наблюдения. Наоборот, это слежка, направленная именно на тех людей, которые занимаются реальными правонарушениями. Гораздо вероятнее, что именно такие целевые наблюдения, а не метод «собрать всё», позволят раскрыть террористический заговор. Недостаток тактики АНБ является то, что спецслужбы тонут в огромном море данных и аналитики не могут отфильтровать их. В отличие от массовой слежки, предлагаемый подход согласуется с ценностями, охраняемыми американской Конституцией, и основными принципами справедливости.

В период после скандалов 1970-х, когда комитет Чёрча обнародовал информацию о злоупотреблениях в рамках программ слежки, именно мнение о том, что, прежде чем прослушивать разговоры, правительство должно предоставить доказательства вероятного совершения преступления или того, что человек является иностранным шпионом, привело к созданию Суда по контролю за внешней разведкой. К сожалению, этот суд стал лишь формальностью, и его основание не положило начала тщательному изучению запросов правительства на установление слежки. Однако идея была озвучена, а это уже шаг вперёд. Превращение Суда по контролю за внешней разведкой в настоящий судебный аппарат, а не в односторонюю систему, в которой правительство просто заявляет о своих требованиях, станет позитивной реформой.

Конечно, вряд ли такого изменения в отечественном законодательстве будет достаточно для решения проблемы слежки. Чтобы осуществлять контроль над действиями граждан, Агентство национальной безопасности часто использует различные организации. (Например, как мы уже увидели, комитеты по разведке в Конгрессе находятся полностью в подчинении

у АНБ.) Но, по крайней мере, подобные изменения в законодательстве способны поддержать представление о том, что массовой слежке нет места в демократическом обществе.

Можно предпринять и другие шаги, чтобы вернуть в Интернет
конфиденциальность и ограничить государственную слежку.
В настоящее время Германия и Бразилия возглавляют между-
народную кампанию по созданию новой интернет-инфраструк-
туры, благодаря которой основной график будет проходить не
через Соединенные Штаты. Это должно ослабить господство
американских властей в Интернете. Обычные люди также могут
повлиять на возвращение неприкосновенности их интернет-
жизни. Отказ от использования услуг компаний, которые сотрудничают с АНБ и его союзниками, окажет на них давление
и будет стимулировать их конкурентов на создание надежной
системы защиты конфиденциальности. Ряд европейских компаний уже продвигают свою электронную почту и чат-сервисы
как альтернативу *Google* и *Facebook* и в качестве основного аргумента для использования их услуг приводят тот факт, что они
не предоставляют данные АНБ и не собираются этого делать.

Кроме того, чтобы правительство не могло следить за личной
перепиской и активностью в Интернете, *всем пользователям необходимо применять инструменты шифрования и анонимного
просмотра страниц*. Это особенно важно для людей, работающих
в таких областях, как журналистика, юриспруденция и защита
прав человека. А технологическому сообществу следует продолжать разработку более эффективных и удобных для использования программ шифрования и анонимного просмотра страниц.

На каждом из этих фронтов предстоит проделать огромную работу. Но не прошло и года с тех пор, как я впервые встретился
со Сноуденом в Гонконге, а его поступок уже вызвал коренные,
необратимые изменения во многих странах и во многих сферах.
Помимо преобразований, непосредственно связанных с АНБ,
действия Сноудена привели к тому, что политика правительства стала намного более прозрачной. Поведение этого человека способно вдохновить многих других будущих активистов,

которые пойдут по его стопам, совершенствуя методы, которые он использовал.

Администрация Обамы, развернувшая самую крупную кампанию по преследованию людей, раскрывающих секретную информацию, по сравнению со всеми предыдущими правительствами вместе взятыми, стремилась создать атмосферу страха, которая смогла бы заглушить любые попытки разоблачения. Но Сноуден разрушил ее. Он сумел скрыться от США и остаться свободным; более того, отказавшись держать в тайне свое собственную личность, он гордо вышел вперед и сообщил свое имя. В результате общественность воспринимает его не как осужденного в оранжевом комбинезоне и наручниках, а как смелого, независимого человека, который способен постоять за себя и который объясняет, что он сделал и почему. Правительство Соединенных Штатов больше не может игнорировать сообщение, пытаясь демонизировать посланника. Это важный урок для будущих разоблачителей: то, что вы говорите правду, не должно ломать вашу жизнь.

Вдохновляющий поступок Сноудена сыграл не меньшую роль для всех нас. *Он напомнил нам о том, что каждый человек обладает способностью изменить мир.* Обычный во всех отношениях человек — выросший в семье, не обладающей ни лишними деньгами, ни властью, не получивший диплом о среднем образовании, работающий в качестве рядового сотрудника гигантской корпорации — но, *однажды приняв решение поступить по совести, изменил ход истории.*

Даже самые убежденные активисты часто испытывают соблазн сдаться. Нам кажется, что учреждения, обладающие властью, слишком могущественные, чтобы им можно было бросить вызов; мы считаем, что ортодоксальные взгляды проникли и чересчур глубоко в сознание людей, чтобы их можно было искоренить; мы полагаем, что множество партий заинтересовано в том, чтобы сохранить текущее положение дел. Но, действуя сообща и не разбиваясь на множество обособленных групп, работающих в тайне, мы можем повлиять на то, в каком мире мы будем жить.

Заставить людей рассуждать и принимать решения — вот что является целью предоставления изобличающей информации,

активизма, политической журналистики. И именно это произошло теперь благодаря тем данным, которые опубликовал
Эдвард Сноуден.

Примечание

В книге названия иностранных СМИ приведены без артикля *The*.

Ссылки и указатель к данной книге можно найти в Интернете
по адресу: http://www.glenngreenwald.net

Благодарности

За последние годы состоялся ряд громких и бесстрашных разоблачений противозаконных действий западных правительств,
пытавшихся скрыть их от собственных граждан. Разоблачители
из числа сотрудников правительственных агентств и военных
организаций США и их союзников, оказавшись не в силах молчать, раскрыли и сделали достоянием общественности серьезные
правонарушения со стороны правительства. Некоторые из них,
чтобы сказать миру правду, сознательно пошли против закона,
и во всех случаях разоблачители заплатили за это высокую цену: они рисковали своей карьерой, личной жизнью, свободой.
Каждый, кто живет в демократическом обществе, каждый, для
кого важны принципы прозрачности и ответственности, должен
испытывать огромную благодарность к этим людям.

Довольно долгая история предшественников и вдохновителей
Эдварда Сноудена начинается с Дэниэла Эллсберга, опублико-
вавшего «Документы Пентагона». Эллсберг всегда был одним
из моих героев, а сегодня он — мой друг и соратник, примеру
которого я пытаюсь следовать в своей работе. Среди других
бесстрашных разоблачителей, против которых были начаты
преследования, — Челси (Брэдли) Мэннинг, Джессилин Радак
и Томас Тамм, а также сотрудники АНБ Томас Дрейк и Билл
Бинни. Все они сыграли огромную роль в выборе Сноудена.

Сделав достоянием гласности систему повсеместной профилактической слежки, секретно созданную Соединенными Штатами
Америки и их союзниками, Сноуден сознательно жертвовал
собой. Просто поразительно было наблюдать за этим обычным,
на первый взгляд, 29-летним парнем, который выступил в защиту основных прав человека — и мог бы провести остаток
жизни в заключении. Бесстрашие Сноудена и его невозмутимое
спокойствие, коренящееся в убеждении, что он поступает правильно, — вот что наложило отпечаток на всё, что я написал
о нем, и что, безусловно, повлияет на мою дальнейшую жизнь.

Мир не узнал бы эту историю, если бы не беспримерная смелость
моего партнера и друга, блестящей журналистки Лоры Пойтрас.
Несмотря на годы преследований со стороны правительства
США за снятие ею фильмы, она с огромной энергией взялась за
эту историю. Её нежелание выставлять напоказ личную жизнь,
неприязнь ко всякой публичности иногда мешают осознать, насколько незаменимой была ее роль в журналистской подготовке
тех материалов, которые нам удалось опубликовать. Но знания,
стратегический гений, мнение и мужество Лоры сделали ее лучшей
и сердцем всей этой работы. Почти каждый день мы беседовали
с ней, и любое важное решение мы принимали только вместе.

Как мы с Лорой и подозревали, пример Сноудена оказался
заразительным. Многие журналисты бесстрашно вжались за
его историю, в том числе редакторы *Guardian* Джанин Гибсон,
Стюарт Миллер и Алан Расбриджер, а также несколько журналистов во главе с Юэном Макаскиллом. Сноудену удалось
остаться на свободе и принять участие в спорах, предметом
которых выступил он сам и его поступок и которые стали воз-
можными благодаря невероятно смелой поддержке со стороны
WikiLeaks и ее официального представителя Сары Харрисон.
Именно она помогла ему покинуть Гонконг и оставалась с ним
многие месяцы в Москве, несмотря на возможность спокойно
вернуться на родину в Великобританию.

Мне давали мудрые советы и помогали во многих трудных ситуациях мои многочисленные друзья и коллеги, среди которых —
Бен Уизнер и Джамиль Джаффер, мой давний и большой друг

Норман Флайшер, один из лучших и самых отважных в мире мастеров журналистского расследования Джереми Скахилл, та-лантливый и энергичный репортер Сона Брайн из [бразильской телевизионной сети] *Globo*, исполнительный директор Фонда свободы прессы Тревор Тимм; члены моей семьи, которым часто приходилось волноваться (как может волноваться только твоя семья), но которые, тем не менее, всегда поддерживали меня (как может поддерживать только семья), — мои родители, мой брат Марк и моя невестка Кристина.

Эта книга далась мне нелегко, особенно принимая во внимание обстоятельства, поэтому я по-настоящему благодарен издатель-ству, Григори Товбису за его глубокие редакторские замечания и техническую компетентность и особенно Риве Хокерман, благодаря знаниям и высокому профессионализму которой моя книга обрела потрясающего редактора. Это вторая книга подряд, которую я опубликовал вместе с Сарой Бершель, восхищаясь ее мудростью и творческой энергией, и трудно представить себе, что когда-нибудь я захочу опубликовать что-либо без ее участия. Мой литературный агент Дэн Конауэй в процессе под-готовки книги вновь проявил свою волю и мудрость. Огромная благодарность Тейлору Барнс за ее критические замечания при подготовке материалов; научный талант и интеллектуальная энергия Тейлор, безусловно, открывают ей дорогу к блестящей журналистской карьере.

Как всегда, главный мой помощник — спутник моей жизни на протяжении уже девяти лет, мой партнер и родственная душа Дэвид Миранда. Испытания, которым он подвергся из-за специ-фики нашей работы, были порой абсурдными и могли привести в ярость кого угодно, но в результате мир лишь убедился в том, какой Дэвид исключительный человек. Каждую минуту на этом пути он заражал меня своим бесстрашием, разделял мои реши-мость, направлял мой выбор, делился мыслями, которые многое делали очевидным, твердо стоял плечом к плечу со мной, одари-вая своей безусловной поддержкой и любовью. Такие взаимоот-ношения обладают ни с чем не сравнимой ценностью, стирают страх, уничтожают границы и делают возможным все на свете.

Об авторе

Гленн Гринвальд — журналист, писатель, среди последних работ которого — книги *With Liberty and Justice for Some* и *A Tragic Legacy*. Бывший юрист, специалист по конституционному праву, ведущий рубрики в газете *Guardian* вплоть до октября 2013 года. Получил множество наград за свои статьи и журналистские расследования, в том числе награду, вручаемую ежегодно Ассоциацией онлайновых новостей, *Esso Award for Excellence in Reporting* (бразильский аналог Пулитцеровской премии), а также *Pioneer Award* — 2013 правозащитной организации *Electronic Frontier Foundation*. Кроме того, он является обладателем премии Джорджа Полка 2013 года (*George Polk Award*), присуждаемой за статьи по проблемам национальной безопасности, и был назван журналом *Foreign Policy* одним из 100 ведущих интеллектуалов современного мира (*100 Top Global Thinkers*). Материалы Гринвальда печатались во многих газетах и политических новостных изданиях, в частности *New York Times*, *Los Angeles Times*, *American Conservative*. В начале 2014 года Г. Гринвальд стал соучредителем нового интернет-издания *Intercept*.